일반순경 | 해양경찰 | 시험대비

브랜드만족 1위 박문각

2024

박문각 경찰

경찰직 모의고사

2권 | 헌법 · 형사법 · 경찰학

박충신 | 최정훈 | 박용증 편저

동영상강의 www.pmg.co.kr

문제 풀이영상 QR코드 수록

박문각

이 책의 **차례** CONTENTS

2권 문제편

2권 정답 및 해설편

PART

01

경찰헌법

문제편

경찰헌법 1회 모의고사

01 **헌법의 의의와 특징에 관한 설명으로 가장 적절하지 않은 것은? (다툼이 있는 경우 판례에 의함)**

① 입헌주의적 헌법은 국민의 기본권 보장을 그 이념으로 하고 그것을 위한 권력분립과 법치주의를 그 수단으로 하기 때문에 국가권력은 언제나 헌법의 테두리 안에서 헌법에 규정된 절차에 따라 발동되지 않으면 안 된다.

② 고대 민주주의의 부정적 인식에서 탈피한 새로운 민주주의 체제는, 특정인이나 특정세력에 의한 전제적 지배를 배제하고 공동체 전체의 동등한 구성원들에 의한 통치를 이상으로 하는 공화주의 이념과 개인의 자유와 권리를 강조하는 자유주의 이념으로부터 큰 영향을 받았다.

③ 헌법은 국민적 합의에 의해 제정된 국민생활의 최고 도덕규범이며 정치생활의 가치규범으로서 정치와 사회질서의 지침을 제공하고 있기 때문에 민주사회에서는 헌법의 규범을 준수하고 그 권위를 보존하는 것을 기본으로 한다.

④ 우리나라는 성문헌법을 가진 나라로서 기본적으로 헌법전이 헌법의 법원이 된다. 그러므로 성문헌법에 모든 헌법사항을 빠짐없이 규율하는 것은 불가능하고, 헌법은 간결성과 함축성을 추구하지만 형식적 헌법전에는 기재되지 아니한 사항이라도 불문헌법 내지 관습헌법으로 인정할 소지는 없다.

02 **관습헌법에 관한 설명으로 가장 적절하지 않은 것은? (다툼이 있는 경우 판례에 의함)**

① 일반적으로 실질적인 헌법사항이라고 함은 널리 국가의 조직에 관한 사항이나 국가기관의 권한 구성에 관한 사항 혹은 개인의 국가권력에 대한 지위를 포함한다.

② 국민이 대한민국의 주권자이며, 국민은 최고의 헌법제정권력이기 때문에 성문헌법의 제·개정에 참여할 뿐만 아니라 헌법전에 포함되지 아니한 헌법사항을 필요에 따라 관습의 형태로 직접 형성할 수 있다.

③ 일반적인 헌법사항 중 과연 어디까지가 기본적이고 핵심적인 헌법사항에 해당하는지 여부는 일반추상적인 기준을 설정하여 재단할 수는 있는 것이고, 개별적 문제사항에서 헌법적 원칙성과 중요성 및 헌법원리를 통하여 평가하는 구체적 판단에 의하여 확정하여야 하는 것은 아니다.

④ 국민주권주의 또는 민주주의는 성문이든 관습이든 실정법 전체의 정립에의 국민의 참여를 요구한다고 할 것이며, 국민에 의하여 정립된 관습헌법은 입법권자를 구속하며 헌법으로서의 효력을 가진다.

03 **관습헌법에 관한 설명으로 가장 적절하지 않은 것은? (다툼이 있는 경우 판례에 의함)**

① 헌법제정 당시 자명(自明)하거나 전제(前提)된 사항 및 보편적 헌법원리와 같은 것은 반드시 명문의 규정을 두지 아니하는 경우도 있다.

② 영국과 같이 불문의 연성헌법 체제에서는 법률에 대하여 우위를 가지는 헌법전이라는 규범형식이 존재하지 아니하므로 헌법사항의 개정은 일반적으로 법률개정의 방법에 의할 수밖에 없다.

③ 관습헌법은 주권자인 국민에 의하여 유효한 헌법규범으로 인정되는 동안에만 존속하는 것이며, 관습법의 존속요건의 하나인 국민적 합의성이 소멸되면 관습헌법으로서의 법적 효력도 상실하게 된다.

④ 우리나라의 수도가 서울이라는 점에 대한 관습헌법을 폐지하기 위해서는 헌법이 정한 절차에 따라 이를 삭제하는 내용의 헌법개정이 필요하다.

04 헌법 및 법률해석에 관한 설명으로 가장 적절하지 않은 것은? (다툼이 있는 경우 판례에 의함)

① 헌법의 해석은 헌법이 추구하는 이상과 이념에 따른 역사적, 사회적 요구를 올바르게 수용하여 헌법적 방향을 제시하는 헌법의 창조적 기능을 수행하여 국민적 욕구와 의식에 알맞는 실질적 국민주권의 실현을 보장하는 것이어야 한다.

② 헌법은 전문과 각 개별조항이 서로 밀접한 관련을 맺으면서 하나의 통일된 가치체계를 이루고 있는 것으로서, 헌법의 제 규정 가운데는 헌법의 근본가치를 보다 추상적으로 선언한 것도 있고, 보다 구체적으로 표현한 것도 있으므로 이념적·논리적으로는 규범 상호 간의 우열을 인정할 수 있다.

③ 헌법 규범 상호 간의 우열은 추상적 가치규범의 구체화에 따른 것으로 '헌법의 통일적 해석'에 있어서 유용할 뿐만 아니라, 헌법의 어느 특정규정이 다른 규정의 효력을 전면적으로 부인할 수 있을 정도의 개별적 헌법규정 상호 간에 효력상의 차등을 의미한다.

④ 법률조항의 문구의 의미가 명확하지 않거나 특정한 상황에 들어맞는 규율을 하고 있는 것인지 애매할 경우에는, 입법목적이나 입법자의 의도를 합리적으로 추정하여 문언의 의미를 보충하여 확정하는 체계적, 합목적적 해석을 하거나, 유사한 사례에 관하여 명확한 법률효과를 부여하고 있는 법률조항으로부터 유추해석을 하여 법의 흠결을 보충할 수 있다.

05 합헌적 법률해석에 관한 설명으로 가장 적절하지 않은 것은? (다툼이 있는 경우 판례에 의함)

① 어떤 법률조항에 대한 여러 갈래의 해석이 가능한 경우, 특히 법률조항에 대한 해석이 한편에서는 합헌이라는 해석이, 다른 편에서는 위헌이라는 해석이 다 같이 가능하다면, 원칙적으로 헌법에 합치되는 해석을 선택하여야 한다는 헌법합치적 법률해석의 원칙도 존중되어야 한다.

② 헌법정신에 맞도록 법률의 내용을 해석·보충하거나 정정하는 헌법합치적 법률해석은 유효한 법률조항의 의미나 문구를 대상으로 하는 것이 원칙이나, 예외적으로 이미 실효된 법률조항을 대상으로 하여 헌법합치적인 법률해석을 할 수 있다.

③ 합헌적 법률해석은 헌법을 최고법규로 하는 '통일적인 법질서의 형성'을 위하여서 필요할 뿐 아니라, 입법부가 제정한 법률을 위헌이라고 하여 전면 폐기하기보다는 그 효력을 되도록 유지하는 것이 '권력분립의 정신'에 합치하고 '민주주의적 입법기능을 최대한 존중'하는 것이어서 헌법재판의 당연한 요청이다.

④ 합헌적 법률해석은 법률의 조항의 문구가 간직하고 있는 말의 뜻을 넘어서 말의 뜻이 완전히 다른 의미로 변질되지 아니하는 범위 내이어야 한다는 '문의적 한계'와 입법권자가 그 법률의 제정으로써 추구하고자 하는 입법자의 명백한 의지와 입법의 목적을 헛되게 하는 내용으로 해석할 수 없다는 '법목적에 따른 한계'가 있다.

06 헌법의 제정과 변천에 관한 설명으로 가장 적절하지 않은 것은? (다툼이 있는 경우 판례에 의함)

① 우리나라의 헌법은 제헌헌법이 초대국회에 의하여 제정된 반면 그후의 제5차, 제7차, 제8차 및 현행의 제9차 헌법개정에 있어서는 국민투표를 거친 바 있다.

② 우리 헌법의 각 개별규정 가운데 무엇이 헌법제정 규정이고 무엇이 헌법개정 규정인지를 구분하는 것은 가능하다.

③ 불문헌법국가에서도 헌법변천은 가능하나, 위헌법률심사제도가 확립된 국가에서는 헌법변천이 성립하기 어렵다.

④ 우리나라에서 제1공화국 당시 참의원을 두지 않고 단원제로 운영된 것과 제3공화국에서 지방자치제도를 실시하지 않은 것은 헌법변천으로 설명할 수 있다.

07 헌법개정에 관한 설명으로 가장 적절하지 않은 것은?

① 헌법개정은 국회 재적의원 과반수·대통령 또는 국회의원 선거권자 50만 이상의 발의로 제안된다.
② 제안된 헌법개정안은 대통령이 20일 이상의 기간 이를 공고하여야 한다.
③ 국회는 헌법개정안이 공고된 날로부터 60일 이내에 의결하여야 하며, 국회의 의결은 재적의원 3분의 2 이상의 찬성을 얻어야 한다.
④ 헌법개정안은 국회가 의결한 후 30일 이내에 국민투표에 붙여 국회의원선거권자 과반수의 투표와 투표자 과반수의 찬성을 얻어야 한다.

08 헌법개정에 관한 설명으로 가장 적절하지 않은 것은?

① 대통령의 임기연장 또는 중임변경을 위한 헌법개정은 그 헌법개정 제안 당시의 대통령에 대하여는 효력이 없다.
② 제7차 개정헌법(1972년 헌법)은 “대통령이 제안한 헌법 개정안은 국민투표로 확정되며, 국회의원이 제안한 헌법 개정안은 국회의 의결을 거쳐 통일주체국민회의의 의결로 확정된다”고 하여 헌법개정절차를 이원화하였다.
③ 국회의 헌법 개정안에 대한 표결방법은 무기명투표이다.
④ 국민투표의 효력에 관하여 이의가 있는 투표인은 투표인 10만인 이상의 찬성을 얻어 중앙선거관리위원회 위원장을 피고로 하여 투표일로부터 20일 이내에 대법원에 제소할 수 있다.

09 헌법수호제도에 관한 설명으로 가장 적절하지 않은 것은? (다툼이 있는 경우 판례에 의함)

① 저항권은 공권력의 행사자가 민주적 기본질서를 침해하거나 파괴하려는 경우 이를 회복하기 위하여 국민이 공권력에 대하여 폭력·비폭력, 적극적·소극적으로 저항할 수 있다는 국민의 권리이자 헌법수호제도를 의미한다.
② 저항권은 공권력의 행사에 대한 ‘실력적’ 저항이어서 그 본질상 질서교란의 위험이 수반되므로, 저항권의 행사에는 개별 헌법조항에 대한 단순한 위반이 아닌 민주적 기본질서라는 전체적 질서에 대한 중대한 침해가 있거나 이를 파괴하려는 시도가 있어야 하고, 이미 유효한 구제수단이 남아 있지 않아야 한다는 보충성의 요건이 적용된다.
③ 저항권의 행사는 민주적 기본질서의 유지, 회복이라는 소극적인 목적에 그쳐야 하는 것은 아니고 정치적, 사회적, 경제적 체제를 개혁하기 위한 수단으로 이용될 수 있다.
④ 국가긴급권은 비상적인 위기상황을 극복하고 헌법질서를 수호하기 위해 헌법질서에 대한 예외를 허용하는 것이기 때문에 그 본질상 일시적·잠정적으로만 행사되어야 한다는 시간적 한계가 있다.

10 제헌헌법에 관한 설명으로 가장 적절하지 않은 것은?

① 대통령은 행정권의 수반이지만, 대통령과 국무총리 기타 국무위원으로 조직되는 국무원을 의결기관으로 설치하였다.
② 신앙·양심의 자유와 학문·예술의 자유와 같은 정신적 자유를 제외하고는 기본권조항마다 법률유보 조항을 두었다.
③ 근로자의 노동3권 이외에 이익분배균점권 조항을 두었는데, 이는 제헌 당시 사회주의 세력에 대한 적극적 방어의 의미를 지닌 것이었다.
④ 경제질서의 원리에 관하여 개인의 경제적 자유를 기본으로 삼고, 사회정의 실현을 부차적인 것으로 규정하였다.

경찰헌법 2회 모의고사

01 헌정사에 관한 설명으로 가장 적절하지 않은 것은?

① 제헌헌법은, 대통령과 부통령은 국회에서 선출하며, 국무총리는 국회의 동의를 얻어 대통령이 임명하도록 하였다.
② 제1차 개정헌법(1952년 헌법)은 대통령과 부통령의 국민 직선제를 채택하였고, 국회에 대한 국무원의 연대책임과 국회의 국무원 불신임권 및 국무위원의 국회에 대한 개별책임을 규정하였다.
③ 제2차 개정헌법(1954년 헌법)은 헌법 공포 당시의 대통령에 대한 대통령 중임제한 적용을 배제하였고, 주권의 제약이나 영토변경의 경우에 국민투표를 거치게 하였으며, 국무총리제를 폐지하고, 국무위원에 대한 개별적 불신임제를 채택하였다.
④ 제3차 개정헌법(1960년 6월 헌법)은 언론・출판・집회・결사의 자유 등 일부 자유권에 대한 개별적 법률유보 조항을 삭제하였고, 언론・출판에 대한 허가제 금지를 명시하였으며, 기본권의 본질적 내용의 침해금지를 명시하였다.

02 헌정사에 관한 설명으로 가장 적절하지 않은 것은? (다툼이 있는 경우 판례에 의함)

① 우리 헌정사에서 필수적 국민투표제도를 처음 도입한 때는 제2차 개정헌법(1954년 헌법)이다.
② 헌법개정안에 대한 필수적 국민투표제도가 도입된 때는 제5차 개정헌법(1962년 헌법)이다.
③ 제5차 개정헌법은 제2공화국 헌법에 따라 민의원과 참의원 양원에서 각각 그 재적의원 3분지 2 이상의 찬성을 얻어 확정되었다.
④ 현행헌법은 "대통령은 필요하다고 인정할 때에는 외교・국방・통일 기타 국가안위에 관한 중요정책을 국민투표에 붙일 수 있다."고 규정하고 있다.

03 헌정사에 관한 설명으로 가장 적절하지 않은 것은? (다툼이 있는 경우 판례에 의함)

① 위헌정당해산제도는 제3차 개정헌법(1960년 6월 헌법)에서 처음으로 규정하였다.
② 인간의 존엄과 가치 및 행복추구권은 제5차 개정헌법(1962년 헌법)에서 처음으로 규정하였다.
③ 형사피고인의 무죄추정원칙은 제8차 개정헌법(1980년 헌법)에서 처음으로 규정하였다.
④ 적법절차원칙은 현행헌법(1987년 헌법)에서 처음으로 규정하였다.

04 헌정사에 관한 설명으로 가장 적절하지 않은 것은? (다툼이 있는 경우 판례에 의함)

① 제1차 개헌은 발췌한 개헌안에 대한 공고절차가 없이 국회에서 의결되었고, 한국전쟁 중 비상계엄령하에서 야당 의원들에 대한 폭력적 위협이 가해지는 가운데 강행된 점에서 절차적으로 위헌이다.
② 초대 대통령에 대한 중임제한을 배제한 제2차 개헌은 평등의 원칙에 반한다는 문제점이 있다.
③ 사사오입(四捨五入)에 의해 135명 찬성은 개헌 의결정족수인 재적의원 3분의 2를 충족시킨다는 주장에 따른 제3차 개헌은 절차적으로 위헌이다.
④ 제1공화국 헌법이나 제3공화국 헌법은 적어도 헌법규범 자체는 입헌주의에 따른 것이지만, 유신헌법은 헌법규범 자체가 이미 반(反)입헌주의적인 권위주의 헌법에 속한다.

05 국민에 관한 설명으로 가장 적절하지 않은 것은? (다툼이 있는 경우 판례에 의함)

① 일반적으로 외국인인 개인이 특정한 국가의 국적을 선택할 권리는 자연권으로서 또는 우리 헌법상 당연히 인정된다.
② 국적은 국가와 구성원 간의 법적 유대이고 보호와 복종관계를 뜻하므로 국가와 분리하여 생각할 수 없다. 즉 국적은 국가의 생성과 더불어 발생하고 국가의 소멸은 국적의 상실사유가 된다.
③ 국민이란 국가의 인적 요소로서 국가의 통치권에 복종할 의무를 가진 개개인의 전체집합을 의미한다. 국민은 영토, 주권과 더불어 국가의 3대 구성요소 중의 하나로, 그 나라의 국적을 가진 사람을 말한다.
④ 외국인이 복수국적을 누릴 자유는 우리 헌법상 행복추구권에 의하여 보호되는 기본권이라고 보기 어렵다.

06 국적에 관한 설명으로 가장 적절하지 않은 것은?

① 대한민국에서 출생한 자가 부모 중 어느 일방이 분명하지 아니한 경우나 국적이 없는 경우에는 출생과 동시에 대한민국 국적을 취득한다.
② 대한민국의 국민이 아닌 자로서 대한민국의 국민인 부 또는 모에 의하여 인지된 자가 대한민국의 민법상 미성년이고, 출생 당시에 부 또는 모가 대한민국의 국민이었을 경우 법무부장관에게 신고함으로써 대한민국 국적을 취득할 수 있다.
③ 외국인의 자로서 대한민국의 민법상 미성년인 사람은 부 또는 모가 귀화 허가를 신청할 때 함께 국적취득을 신청할 수 있다.
④ 국적회복허가를 받은 사람은 법무부장관 앞에서 국민선서를 하고 국적회복증서를 수여받은 때에 대한민국 국적을 취득한다.

07 국적에 관한 설명으로 가장 적절하지 않은 것은? (다툼이 있는 경우 판례에 의함)

① 출생이나 그 밖에 국적법에 따라 대한민국 국적과 외국 국적을 함께 가지게 된 사람으로서 대통령령으로 정하는 사람(복수국적자)은 대한민국의 법령 적용에서 대한민국 국민으로만 처우한다.
② 만 20세가 되기 전에 복수국적자가 된 자는 만 22세가 되기 전까지, 만 20세가 된 후에 복수국적자가 된 자는 그 때부터 3년 내에 하나의 국적을 선택하여야 한다.
③ 복수국적자로서 대한민국 국적을 선택하려는 자는 외국 국적을 포기하거나 법무부장관이 정하는 바에 따라 대한민국에서 외국 국적을 행사하지 아니하겠다는 뜻을 서약하고 법무부장관에게 대한민국 국적을 선택한다는 뜻을 신고할 수 있다.
④ 복수국적자로서 외국 국적을 선택하려는 자는 외국에 주소가 있는 경우에만 주소지 관할 재외공관의 장을 거쳐 법무부장관에게 대한민국 국적을 이탈한다는 뜻을 신고할 수 있다.

08 국적에 관한 설명으로 가장 적절하지 않은 것은? (다툼이 있는 경우 판례에 의함)

① 대한민국의 국민으로서 자진하여 외국 국적을 취득한 자는 그 외국 국적을 취득한 때에 대한민국 국적을 상실한다.
② 대한민국의 국민으로서 혼인·입양·인지 등으로 외국국적을 취득한 자는 외국 국적을 취득한 때부터 1년 내에 법무부장관에게 대한민국 국적을 보유할 의사가 있다는 뜻을 신고하지 아니하면 그 외국 국적을 취득한 때로 소급하여 대한민국 국적을 상실한 것으로 본다.
③ 대한민국 국적을 상실한 자는 국적을 상실한 때부터 대한민국의 국민만이 누릴 수 있는 권리를 누릴 수 없다.
④ 대한민국의 국민만이 누릴 수 있는 권리 중 대한민국의 국민이었을 때 취득한 것으로서 양도할 수 있는 것은 그 권리와 관련된 법령에서 따로 정한 바가 없으면 3년 내에 대한민국의 국민에게 양도하여야 한다.

09 영토에 관한 설명으로 가장 적절하지 않은 것은? (다툼이 있는 경우 판례에 의함)

① 우리 헌법 제3조에서 영토조항을 두고 있는 이상 대한민국의 헌법은 북한지역을 포함한 한반도 전체에 효력이 미치고 따라서 북한지역은 당연히 대한민국의 영토가 된다.
② 모든 국가권능의 정당성의 근원인 국민의 기본권 침해에 대한 권리구제를 위하여 그 전제조건으로서 영토에 관한 권리를 영토권이라 구성하여 헌법소원의 대상인 기본권의 하나로 간주하는 것은 가능하다.
③ 북한은 조국의 평화적 통일을 위한 대화와 협력의 동반자임과 동시에 적화통일노선을 고수하면서 우리의 자유민주주의 체제를 전복하고자 획책하는 반국가단체라는 성격도 아울러 가지고 있다.
④ 남북합의서는 한민족공동체 내부의 특수관계를 바탕으로 한 당국 간의 합의로서 남북당국의 성의 있는 이행을 상호 약속하는 일종의 조약으로서의 성격을 가진다.

10 영토에 관한 설명으로 가장 적절하지 않은 것은? (다툼이 있는 경우 판례에 의함)

① 헌법 제3조의 영토조항에 비추어 개별 법률의 적용 내지 준용에 있어서 남북한의 특수관계적 성격을 고려하여 북한지역을 외국에 준하는 지역으로, 북한주민 등을 외국인에 준하는 지위에 있는 자로 규정할 수 없다.
② 조선인을 부친으로 하여 출생한 자는 남조선과도정부법률 제11호 국적에 관한 임시조례의 규정에 따라 조선국적을 취득하였다가 제헌헌법의 공포와 동시에 대한민국 국적을 취득하였다.
③ 북한법의 규정에 따라 북한국적을 취득하여 중국 주재 북한대사관으로부터 북한의 해외공민증을 발급받은 자라 하더라도 그러한 사정은 그가 대한민국 국적을 취득하고 유지함에 있어 아무런 영향을 끼칠 수 없다.
④ 북한의 의과대학은 헌법 제3조의 영토조항에도 불구하고 국내대학으로 인정될 수 없고 또한 보건복지부장관이 인정하는 외국의 대학에도 해당하지 아니한다.

경찰헌법 3회 모의고사

01 헌법의 기본원리에 관한 설명으로 가장 적절하지 않은 것은? (다툼이 있는 경우 판례에 의함)

① 헌법의 기본원리란 헌법의 이념적 기초로서 헌법을 총체적으로 지배하는 지도원리를 말한다. 대한민국의 주권을 가진 우리 국민들은 헌법을 제정하면서 국민적 합의로 대한민국의 정치적 존재형태와 기본적 가치질서에 관한 이념적 기초로서 헌법의 지도원리를 설정하였다.

② 우리 헌법의 전문과 본문의 전체에 담겨있는 최고 이념은 국민주권주의와 자유민주주에 입각한 입헌민주헌법의 본질적 기본원리에 기초하고 있다.

③ 헌법의 기본원리는 구체적 기본권을 도출하는 근거로 될 수 있으며, 기본권의 해석 및 기본권 제한 입법의 합헌성 심사에 있어 해석기준의 하나로서 작용한다.

④ 공권력의 행사 또는 불행사로 헌법의 기본원리가 훼손된 경우, 그 점만으로 국민의 기본권이 직접 현실적으로 침해된 것이라고 할 수 없다.

02 헌법 전문에 관한 설명으로 가장 적절하지 않은 것은? (다툼이 있는 경우 판례에 의함)

① 헌법의 전문은 헌법전을 구성하는 필수적 요소는 아니며, 벨기에, 네덜란드, 덴마크, 오스트리아 등과 같이 성문헌법국가이면서 헌법 전문을 두지 않고 있는 예도 있다.

② 헌법 전문은 헌법의 이념 내지 가치를 제시하고 있는 헌법규범의 일부로서 헌법으로서의 규범적 효력을 나타내기 때문에 구체적으로는 헌법소송에서의 재판규범인 동시에 헌법이나 법률해석에서의 해석기준이 된다.

③ 헌법 전문에 기재된 3·1정신은 우리나라 헌법의 연혁적·이념적 기초로서 헌법이나 법률해석에서의 해석기준으로 작용할 뿐만 아니라, 그에 기하여 곧바로 국민의 개별적 기본권성을 도출해낼 수 있다.

④ 헌법은 전문에서 3·1운동으로 건립된 대한민국임시정부의 법통을 계승한다고 선언하고 있다. 이는 대한민국이 일제에 항거한 독립운동가의 공헌과 희생을 바탕으로 이룩된 것임을 선언한 것이므로 국가는 일제로부터 조국의 자주독립을 위하여 공헌한 독립유공자와 유족에 대하여는 응분의 예우를 하여야 할 헌법적 의무를 지닌다.

03 국민주권 원리에 관한 설명으로 가장 적절하지 않은 것은? (다툼이 있는 경우 판례에 의함)

① 국민주권주의는 국가권력의 민주적 정당성을 의미하는 것에 그치는 것이 아니라 국민 전체가 직접 국가기관으로서 통치권을 행사하여야 한다는 것을 의미한다.

② 가능한 한 주권의 보유와 행사를 일치시키는 방향으로 국민주권을 구체적이고 실질적인 것이 되도록 권력과 인권, 주권과 자유의 필연적 상관관계에 대한 종합적인 결론에 부합하는 타당한 헌법해석을 하여야 한다.

③ 국민주권주의를 구현하기 위하여 헌법은 국가의 의사결정 방식으로 대의제를 채택하고, 이를 가능하게 하는 선거제도를 규정함과 아울러 선거권, 피선거권을 기본권으로 보장하며, 대의제를 보완하기 위한 방법으로 직접민주제 방식의 하나인 국민투표제도를 두고 있다.

④ 헌법을 개정하거나 폐지하고 다른 내용의 헌법을 모색하는 것은 주권자인 국민이 보유하는 가장 기본적인 권리로서, 가장 강력하게 보호되어야 할 권리 중의 권리에 해당한다.

04 민주주의 원리에 관한 설명으로 가장 적절하지 않은 것은? (다툼이 있는 경우 판례에 의함)

① 대의제는 기관구성권과 정책결정권의 분리, 정책결정권의 자유 위임을 기본적 요소로 하고, 특히 국민이 선출한 대의기관은 일단 국민에 의하여 선출된 후에는 법적으로 국민의 의사와 관계없이 독자적인 양식과 판단에 따라 정책결정에 임하기 때문에 자유위임 관계에 있게 된다는 것을 본질로 한다.

② 대의제 민주주의하에서 국회의원 선거권이란 국회의원을 보통·평등·직접·비밀선거에 의하여 국민의 대표자인 국회의원을 선출하는 권리에 그치는 것이 아니라, 개별 유권자 혹은 집단으로서의 국민의 의사를 선출된 국회의원이 그대로 대리하여 줄 것을 요구할 수 있는 권리까지 포함한다.

③ 헌법적인 차원에서 직접민주제를 직접 헌법에 규정하는 것은 별론으로 하더라도 법률에 의하여 직접민주제를 도입하는 경우에는 기본적으로 대의제와 조화를 이루어야 하고, 대의제의 본질적인 요소나 근본적인 취지를 부정하여서는 아니 된다는 내재적인 한계를 지닌다.

④ 자신의 정치적 생각을 합법적인 집회와 시위를 통해 설파하거나 서명운동 등을 통해 자신과 의견이 같은 세력을 규합해 나가는 것은 국가의 안전에 대한 위협이 아니라 우리 헌법의 근본이념인 '자유민주적 기본질서'의 핵심적인 보장 영역에 속한다.

05 **국민주권 원리와 민주주의 원리에 관한 설명으로 가장 적절하지 않은 것은? (다툼이 있는 경우 판례에 의함)**

① 민주주의(democracy)라는 말은 고대 희랍어에서 유래된 것으로서, '평범한 시민'을 의미하는 데모스(dēmos)와 '권력, 지배'를 의미하는 크라토스(kratos)의 결합으로 이루어진 말로, 고대 희랍의 정치철학에서는 군주에 의한 '1인의 지배'나 귀족 등에 의한 '소수의 지배'에 대비되는 맥락에서 '다수의 지배'를 의미하는 것으로 이해되기도 하였다.

② 지방자치제도는 민주정치의 요체이며 현대의 다원적 복합사회가 요구하는 정치적 다원주의를 실현시키기 위한 제도적 장치로서 지방의 공동관심사를 자율적으로 처결함과 동시에 주민의 자치 역량을 배양하여 국민주권주의와 자유민주주의 이념구현에 이바지함을 목적으로 하는 제도이다.

③ 국민주권·민주주의원리는 그 작용영역, 즉 공권력의 종류와 내용에 따라 구현 방법이 상이할 수 없다. 즉 지방자치기관은 중앙·지방간 권력의 수직적 분배라고 하는 지방자치제의 권력분립적 속성을 가지지만, 중앙정치기관의 구성과는 상이한 방법으로 국민주권·민주주의의 원리가 구현될 수는 없다.

④ 민주주의 원리는 개인의 자율적 판단능력을 존중하고 사회의 자율적인 의사결정이 궁극적으로 올바른 방향으로 전개될 것이라는 신뢰를 바탕으로 하고 있다. 따라서 국민 각자는 서로를 공동체의 대등한 동료로 존중해야 하고, 자신의 의견이 옳다고 믿는 만큼 타인의 의견에도 동등한 가치가 부여될 수 있음을 인정해야 한다.

06 **민주주의 원리에 관한 설명으로 가장 적절하지 않은 것은? (다툼이 있는 경우 판례에 의함)**

① 민주주의는 정치의 본질이 피치자에 대한 치자의 지배나 군림에 있는 것이 아니라, 타인과 공존할 수 있는 동등한 자유, 그리고 대등한 동료시민들 간의 존중과 박애에 기초한 자율적이고 협력적인 공적 의사결정에 있다.

② 민주주의 원리는 하나의 초월적 원리가 만물의 이치를 지배하는 절대적 세계관을 거부하고, 다양하고 복수적인 진리관을 인정하는 상대적 세계관(가치상대주의)을 전제로 하는 것은 아니다.

③ 우리 헌법은 정당에 대하여 민주적 기본질서를 해하지 않는 범위 내에서의 정당활동을 보장하고 있다. 따라서 어떠한 정당이 외형상 민주적 기본질서를 추구한다고 하더라도 그 구체적인 강령 및 활동이 폭력적 지배를 추구함으로써 자유민주적 기본질서를 위반되는 경우 우리 헌법 질서에서는 용인될 수 없다.

④ 헌법은 국가권력의 간섭을 배제하고, 개인의 자유와 창의를 존중하며 다양성을 포용하는 자유주의와 국가권력이 국민에게 귀속되고, 국민에 의한 지배가 이루어지는 것을 내용적 특징으로 하는 민주주의가 결합된 개념인 자유민주주의를 헌법질서의 최고 기본가치로 파악하고, 이러한 헌법질서의 근간을 이루는 기본적 가치를 기본질서로 선언하고 있다.

07 법치국가원리에 관한 설명으로 가장 적절하지 않은 것은? (다툼이 있는 경우 판례에 의함)

① 우리 헌법은 국가권력의 남용으로부터 국민의 자유와 권리를 보호하려는 법치국가의 실현을 기본이념으로 하고 있고, 자유민주주의 헌법의 원리에 따라 국가의 기능을 입법·행정·사법으로 분립하여 견제와 균형을 이루게 하는 권력분립제도를 채택하고 있어, 행정과 사법은 법률에 기속된다.

② 국회가 특정한 사항에 대하여 행정부에 위임하였음에도 불구하고 행정부가 정당한 이유 없이 이를 이행하지 않는다면 권력분립의 원칙과 법치국가의 원칙에 위배되는 것이다.

③ 법치국가의 개념에는 헌법이나 법률에 의하여 명시된 죄형법정주의와 소급효의 금지 및 이에 유래하는 유추해석금지의 원칙 등이 적용되는 형식적 법치국가의 이념뿐만 아니라 법정형벌은 행위의 무거움과 행위자의 부책에 상응하는 정당한 비례성이 지켜져야 하는 등 자의금지 및 과잉금지의 원칙이 도출되는 실질적 법치국가의 실현이라는 이념도 포함된다.

④ 국가의 존립과 기능은 국민의 국법질서에 대한 순종의무를 그 당연한 이념적 기초로 하고 있다. 국민이 헌법과 법률을 준수할 의무는 국민의 기본의무로서 현행헌법은 이를 명문으로 규정하고 있다.

08 법치국가원리에 관한 설명으로 가장 적절하지 않은 것은? (다툼이 있는 경우 판례에 의함)

① 헌법은 법치주의를 그 기본원리의 하나로 하고 있으며, 법치주의는 행정작용에 국회가 제정한 형식적 법률의 근거가 요청된다는 법률유보를 그 핵심적 내용으로 하고 있다.

② 오늘날 법률유보원칙은 단순히 행정작용이 법률에 근거를 두기만 하면 충분한 것이 아니라, 국가공동체와 그 구성원에게 기본적이고도 중요한 의미를 갖는 영역, 특히 국민의 기본권 실현에 관련된 영역에 있어서는 행정에 맡길 것이 아니라 국민의 대표자인 입법자 스스로 그 본질적 사항에 대하여 결정하여야 한다는 요구까지 내포하는 것으로 이해하여야 한다(이른바 의회유보원칙).

③ 헌법 제75조는 "대통령은 법률에서 구체적으로 범위를 정하여 위임받은 사항… 에 관하여 대통령령을 발할 수 있다"고 규정하여 위임입법의 헌법상 근거를 마련하는 한편 대통령령으로 입법할 수 있는 사항을 "법률에서 구체적으로 범위를 정하여 위임받은 사항"으로 한정함으로써 일반적이고 포괄적인 위임입법이 허용된다는 것을 명백히 하고 있다.

④ 국민주권주의, 권력분립주의 및 법치주의를 기본원리로 하고 있는 우리 헌법하에서 국민의 헌법상 기본권 및 기본의무와 관련된 중요한 사항 내지 본질적인 내용에 대한 정책형성기능은 원칙적으로 주권자인 국민에 의하여 선출된 대표자들로 구성되는 입법부가 담당하여 법률의 형식으로써 이를 수행하여야 하고, 이와 같이 입법화된 정책을 집행하거나 적용함을 임무로 하는 행정부나 사법부에 그 기능을 넘겨서는 아니 된다.

09 명확성 원칙에 관한 설명으로 가장 적절하지 않은 것은? (다툼이 있는 경우 판례에 의함)

① 명확성 원칙이란 법령을 명확한 용어로 규정함으로써 적용대상자, 즉 수범자에게 그 규제내용을 미리 알 수 있도록 공정한 고지를 하여 장래의 행동지침을 제공하고, 동시에 법 집행자에게 객관적 판단지침을 주어 차별적이거나 자의적인 법 해석 및 집행을 예방하기 위한 원칙을 의미한다.

② 명확성의 원칙은 법치국가원리의 한 표현으로서 기본적으로 모든 기본권 제한 입법에 요구된다.

③ 명확성의 원칙은 모든 법률에 있어서 동일한 정도로 요구되는 것은 아니고 개개의 법률이나 법 조항의 성격에 따라 요구되는 정도에 차이가 있을 수 있으며 각각의 구성요건의 특수성과 법률이 제정되게 된 배경이나 상황에 따라 달라질 수 있다.

④ 기본권 제한 입법이라 하더라도 규율대상이 지극히 다양하거나 수시로 변화하는 성질의 것이어서 입법기술상 일의적으로 규정할 수 없는 경우에는 명확성의 요건이 강화되어야 한다.

10 명확성 원칙에 관한 설명으로 가장 적절하지 않은 것은? (다툼이 있는 경우 판례에 의함)

① 명확성 원칙은 헌법상 내재하는 법치국가원리로부터 파생될 뿐만 아니라, 국민의 자유와 권리를 보호하는 기본권 보장으로부터도 나온다. 헌법 제37조 제2항에 의거하여 국민의 자유와 권리를 제한하는 법률은 명확하게 규정되어야 한다.

② 당해 규정이 명확한지 여부는 그 규정의 문언만으로 판단할 것이지 관련 조항을 유기적・체계적으로 종합하여 판단하여야 하는 것은 아니다.

③ 법률이 규정한 용어나 기준이 불명확하여 그 적용대상자가 누구인지 어떠한 행위가 금지되는지의 여부를 보통의 지성을 갖춘 사람이 보통의 이해력과 관행에 따라 판단할 수 없는 경우에도 처벌된다면, 어떠한 행위가 범죄로 되어야 하는가를 결정하는 입법권을 법관에게 위임하는 것으로 되기 때문에 권력분립의 원칙에도 반한다.

④ 일반적이거나 불확정된 개념이 사용된 경우에는 당해 법률의 입법목적과 당해 법률의 다른 규정들을 원용하거나 다른 규정과의 상호관계를 고려하여 합리적인 해석이 가능한지 여부에 따라 명확성 여부가 가려져야 한다.

경찰헌법 4회 모의고사

01 신뢰보호의 원칙에 관한 설명으로 가장 적절하지 않은 것은? (다툼이 있는 경우 판례에 의함)

① 신뢰보호의 원칙은 법치국가원리에 근거를 두고 있는 헌법상 원칙으로서, 특정한 법률에 의하여 발생한 법률관계는 그 법에 따라 파악되고 판단되어야 하고 과거의 사실관계가 그 뒤에 생긴 새로운 법률의 기준에 따라 판단되지 않는다는 국민의 신뢰를 보호하기 위한 것이다.

② 법치국가원리의 한 측면인 법적 안정성은 주관적 요소로서 법질서의 신뢰성·항구성·법적 투명성과 법적 평화를 의미하고, 이와 내적인 상호연관관계에 있는 법적 안정성의 객관적 측면은 한번 제정된 법규범은 원칙적으로 존속력을 갖고 자신의 행위기준으로 작용하리라는 개인의 신뢰보호원칙이다.

③ 신뢰보호원칙의 위반 여부를 판단함에 있어서는, 한편으로는 침해받은 신뢰이익의 보호가치, 침해의 중한 정도, 신뢰가 손상된 정도, 신뢰침해의 방법 등과 다른 한편으로는 새로운 입법을 통해 실현하고자 하는 공익적 목적을 종합적으로 비교·형량하여야 한다.

④ 법적 상태의 존속에 대한 개인의 신뢰는 그가 어느 정도로 법적 상태의 변화를 예측할 수 있는지, 혹은 예측하였어야 하는지 여부에 따라 상이한 강도를 가진다. 그런데, 일반적으로 법률은 현실상황의 변화나 입법정책의 변경 등으로 언제라도 개정될 수 있는 것이기 때문에, 원칙적으로 법률의 개정은 예측할 수 있다고 보아야 한다.

02 소급입법금지원칙에 관한 설명으로 가장 적절하지 않은 것은? (다툼이 있는 경우 판례에 의함)

① 소급입법은 신법이 이미 종료된 사실관계에 작용하는지(과거에 완성된 사실 또는 법률관계를 규율대상으로 하는지), 아니면 과거에 시작되었으나 아직 완성되지 아니하고 현재 진행 중에 있는 사실관계에 작용하는지에 따라 진정소급입법과 부진정소급입법으로 구분된다.

② 부진정소급입법은 원칙적으로 허용된다. 다만 소급효를 요구하는 공익상의 사유와 신뢰보호의 요청 사이의 교량과정에서 신뢰보호의 관점이 입법자의 형성권에 제한을 가하게 된다.

③ 소급입법이 금지되는 주된 이유는 문제된 사안이 발생하기 전에 그 사안을 일반적으로 규율할 수 있는 입법을 통하여 행위시법으로 충분히 처리할 수 있었음에도, 권력자에 의해 사후에 제정된 법을 통해 과거의 일들이 자의적으로 규율됨으로써 법적 신뢰가 깨뜨려지고 국민의 권리가 침해되는 것을 방지하기 위함이다.

④ 기존의 법에 의하여 형성되어 이미 굳어진 개인의 법적 지위를 사후입법을 통하여 박탈하는 것 등을 내용으로 하는 진정소급입법은 개인의 신뢰보호와 법적안정성을 내용으로 하는 법치국가원리에 의하여 절대적으로 금지된다.

03 개별사건법률금지원칙 등에 관한 설명으로 가장 적절하지 않은 것은? (다툼이 있는 경우 판례에 의함)

① 개별사건법률금지의 원칙은 "법률은 일반적으로 적용되어야지 어떤 개별사건에만 적용되어서는 아니 된다."는 법 원칙으로서 헌법상의 평등원칙에 근거하고 있다.

② 개별사건법률금지의 원칙은 법률제정에 있어서 입법자가 평등원칙을 준수할 것을 요구하는 것이기 때문에, 특정 규범이 개별사건법률에 해당한다면 곧바로 위헌을 뜻한다.

③ 규범 상호 간의 체계 정당성을 요구하는 이유는 입법자의 자의를 금지하여 규범의 명확성, 예측 가능성 및 규범에 대한 신뢰와 법적 안정성을 확보하기 위한 것이고 이는 국가공권력에 대한 통제와 이를 통한 국민의 자유와 권리의 보장을 이념으로 하는 법치주의 원리로부터 도출된다.

④ 일반적으로 일정한 공권력 작용이 체계 정당성에 위반한다고 해서 곧 위헌이 되는 것은 아니다. 즉 체계 정당성 위반 자체가 바로 위헌이 되는 것은 아니고 이는 비례의 원칙이나 평등원칙 위반 내지 입법의 자의금지 위반 등의 위헌성을 시사하는 하나의 징후일 뿐이다.

04 사회국가원리에 관한 설명으로 가장 적절하지 않은 것은? (다툼이 있는 경우 판례에 의함)

① 우리 헌법은 헌법 전문, 인간다운 생활을 할 권리를 비롯한 사회적 기본권의 보장, 경제 영역에서 적극적으로 계획하고 유도하고 재분배하여야 할 국가의 의무를 규정하는 경제에 관한 조항 등을 통하여 직접적으로 사회국가원리를 수용하고 있다.

② 사회국가란 사회정의의 이념을 헌법에 수용한 국가, 사회현상에 대하여 방관적인 국가가 아니라 경제·사회·문화의 모든 영역에서 정의로운 사회질서의 형성을 위하여 사회현상에 관여하고 간섭하고 분배하고 조정하는 국가이며, 궁극적으로는 국민 각자가 실제로 자유를 행사할 수 있는 그 실질적 조건을 마련해 줄 의무가 있는 국가이다.

③ 우리 헌법은 자유민주적 기본질서 및 시장경제질서를 기본으로 하면서 위 질서들에 수반되는 모순을 제거하기 위하여 사회국가원리를 수용하여 실질적인 자유와 평등을 아울러 달성하려는 근본이념을 가지고 있다.

④ 우리나라 헌법상의 경제질서는 사유재산제를 바탕으로 하고 자유경쟁을 존중하는 자유시장경제질서를 기본으로 하면서도 이에 수반되는 갖가지 모순을 제거하고 사회복지·사회정의를 실현하기 위하여 국가적 규제와 조정을 용인하는 '사회적 시장경제질서'로서의 성격을 띠고 있다.

05 사회국가원리에 관한 설명으로 가장 적절하지 않은 것은? (다툼이 있는 경우 판례에 의함)

① 사회국가의 원리는 자유민주적 기본질서의 범위 내에서 이루어져야 하고, 국민 개인의 자유와 창의를 보완하는 범위 내에서 이루어지는 내재적 한계를 지니고 있다.

② 국가는 균형 있는 국민경제의 성장 및 안정과 적정한 소득의 분배를 유지하고, 시장의 지배와 경제력의 남용을 방지하며, 경제주체 간의 조화를 통한 경제의 민주화를 위하여 경제에 관한 규제와 조정을 할 수 있다.

③ 헌법은 제119조는 헌법상 경제질서에 관한 일반조항으로서 국가의 경제정책에 대한 하나의 헌법적 지침이고, 동 조항이 언급하는 '경제적 자유와 창의'는 직업의 자유, 재산권의 보장, 근로3권과 같은 경제에 관한 기본권 및 비례의 원칙과 같은 법치국가원리에 의하여 비로소 헌법적으로 구체화된다.

④ 헌법 제119조는 헌법상 경제질서에 관한 일반조항으로서 국가의 경제정책에 대한 하나의 헌법적 지침일 뿐만 아니라 그 자체가 기본권의 성질을 가지며 독자적인 위헌심사의 기준이 된다.

06 사회국가원리에 관한 설명으로 가장 적절하지 않은 것은? (다툼이 있는 경우 판례에 의함)

① 농업생산성의 제고와 농지의 합리적인 이용을 위하거나 불가피한 사정으로 발생하는 농지의 임대차와 소작제도는 법률이 정하는 바에 의하여 인정된다.

② 헌법 제119조 제2항에 규정된 '경제주체 간의 조화를 통한 경제민주화'의 이념은 경제 영역에서 정의로운 사회질서를 형성하기 위하여 추구할 수 있는 국가목표로서 개인의 기본권을 제한하는 국가행위를 정당화하는 헌법 규범이다.

③ 헌법 제119조 제2항은 국가가 경제영역에서 실현하여야 할 목표의 하나로서 "적정한 소득의 분배"를 들고 있지만, 이로부터 반드시 소득에 대하여 누진세율에 따른 종합과세를 시행하여야 할 구체적인 헌법적 의무가 조세입법자에게 부과되는 것이라고 할 수 없다.

④ 헌법 제119조 제1항은 시장경제의 원리에 입각한 경제체제임을 천명하였는바, 이는 기업의 생성·발전·소멸은 어디까지나 기업의 자율에 맡긴다는 기업자유의 표현이며 국가의 공권력은 특단의 사정이 없는 한 이에 대한 불개입을 원칙으로 한다는 뜻이다.

07 문화국가원리에 관한 설명 중 옳은 것은 모두 몇 개인가? (다툼이 있는 경우 판례에 의함)

> ㉠ 우리나라는 건국헌법 이래 문화국가의 원리를 헌법의 기본원리로 채택하고 있다.
> ㉡ 헌법은 문화국가를 실현하기 위하여 보장되어야 할 정신적 기본권으로 양심과 사상의 자유, 종교의 자유, 언론・출판의 자유, 학문과 예술의 자유 등을 규정하고 있다.
> ㉢ 개별성・고유성・다양성으로 표현되는 문화는 사회의 자율영역을 바탕으로 한다고 할 것이고, 양심과 사상의 자유 등 정신적 기본권은 견해와 사상의 다양성을 그 본질로 하는 문화국가원리의 불가결의 조건이다.
> ㉣ 문화국가원리는 국가의 문화국가실현에 관한 과제 또는 책임을 통하여 실현되는바, 국가의 문화정책과 밀접 불가분의 관계를 맺고 있으므로 국가의 적극적인 문화간섭정책이 당연한 것으로 여겨진다.
> ㉤ 국가의 문화육성의 대상에는 원칙적으로 모든 사람에게 문화창조의 기회를 부여한다는 의미에서 모든 문화가 포함된다. 따라서 엘리트문화뿐만 아니라 서민문화, 대중문화도 그 가치를 인정하고 정책적인 배려의 대상으로 하여야 한다.

① 2개 ② 3개 ③ 4개 ④ 5개

08 헌법상 전통에 관한 설명으로 가장 적절하지 않은 것은? (다툼이 있는 경우 판례에 의함)

① 가족제도는 민족의 역사와 더불어 생성되고 발전된 역사적・사회적 산물이라는 특성을 지니고 있기는 하나, 그렇다고 하여 가족제도나 가족법이 헌법의 우위로부터 벗어날 수 있는 특권을 누릴 수 없다.
② 헌법 전문과 헌법 제9조에서 말하는 '전통', '전통문화'란 역사성과 시대성을 띤 개념으로 이해하여야 한다. 따라서 과거의 어느 일정 시점에서 역사적으로 존재하였다는 사실만으로 모두 헌법의 보호를 받는 전통이 된다.
③ 헌법 제9조의 정신에 따라 우리가 진정으로 계승・발전시켜야 할 전통문화는 이 시대의 제반 사회・경제적 환경에 맞고 또 오늘날에 있어서도 보편타당한 전통윤리 내지 도덕관념이다.
④ 우리 헌법에서 말하는 '전통', '전통문화'란 오늘날의 의미로 재해석된 것이 되지 않으면 안 된다. 따라서 가족제도에 관한 전통・전통문화란 적어도 그것이 가족제도에 관한 헌법이념인 개인의 존엄과 양성의 평등에 반하는 것이어서는 안 된다는 자명한 한계가 도출된다.

09 국제평화주의에 관한 설명으로 가장 적절하지 않은 것은? (다툼이 있는 경우 판례에 의함)

① 헌법에 의하여 체결・공포된 조약과 일반적으로 승인된 국제법규는 법률과 같은 효력을 가진다.
② 조약이란 국가・국제기구 등 국제법 주체 사이에 권리의무관계를 창출하기 위하여 서면 형식으로 체결되고 국제법에 의하여 규율되는 합의를 말한다.
③ 조약은 국제법 주체들이 일정한 법률효과를 발생시키기 위하여 체결한 국제법의 규율을 받는 국제적 합의를 말하며 서면에 의한 경우가 대부분이지만 예외적으로 구두 합의도 조약의 성격을 가질 수 있다.
④ 국회는 상호원조 또는 안전보장에 관한 조약, 중요한 국제조직에 관한 조약, 우호통상항해조약, 주권의 제약에 관한 조약, 강화조약, 국가나 국민에게 중대한 재정적 부담을 지우는 조약 또는 입법사항에 관한 조약의 체결・비준에 대한 동의권을 가진다.

10 국제평화주의에 관한 설명으로 가장 적절하지 않은 것은? (다툼이 있는 경우 판례에 의함)

① 헌법 제6조 제1항의 국제법 존중주의는 우리나라가 가입한 조약과 일반적으로 승인된 국제법규가 국내법과 같은 효력을 가진다는 것으로서 조약이나 국제법규가 국내법에 우선한다는 것은 아니다.

② 대통령은 조약을 체결・비준하고, 외교사절을 신임・접수 또는 파견하며, 선전포고와 강화를 한다.

③ 우리 헌법은 조약에 대한 헌법의 우위를 전제하고 있으며, 헌법과 동일한 효력을 가지는 이른바 헌법적 조약을 인정하지 아니한다.

④ 유럽 등의 일부국가에서 양심적 병역거부권이 보장되고, 전 세계적으로 양심적 병역거부권의 보장에 관한 국제관습법이 형성되었다고 할 수 있어 양심적 병역거부가 일반적으로 승인된 국제법규로서 우리나라에 수용될 수 있다.

경찰헌법 5회 모의고사

01 제도적 보장에 관한 설명으로 가장 적절하지 않은 것은? (다툼이 있는 경우 판례에 의함)

① 제도적 보장은 객관적 제도를 헌법에 규정하여 당해 제도의 본질을 유지하려는 것으로서, 헌법제정권자가 특히 중요하고도 가치가 있다고 인정되고 헌법적으로 보장할 필요가 있다고 생각하는 국가제도를 헌법에 규정함으로써 장래의 법발전, 법형성의 방침과 범주를 미리 규율하려는데 있다.

② 제도적 보장은 주관적 권리가 아닌 객관적 법규범이라는 점에서 기본권과 구별되므로 헌법에 의하여 일정한 제도가 보장된 경우, 입법자는 그 제도를 설정하고 유지할 입법의무를 지게 되지만 법률로써 이를 폐지할 수 있고, 그 본질적 내용을 침해할 수 있다.

③ 기본권의 보장은 '최대한 보장의 원칙'이 적용되는 것임에 반하여, 제도적 보장은 그 본질적 내용을 침해하지 아니하는 범위 안에서 입법자에게 제도의 구체적인 내용과 형태의 형성권을 폭넓게 인정한다는 의미에서 '최소한 보장의 원칙'이 적용될 뿐이다.

④ 직업공무원제도는 헌법이 보장하는 제도적 보장 중의 하나임이 분명하므로 입법자는 직업공무원제도에 관하여 '최소한 보장'의 원칙의 한계 안에서 폭넓은 입법형성의 자유를 가진다.

02 정당에 관한 설명으로 가장 적절하지 않은 것은? (다툼이 있는 경우 판례에 의함)

① 정당의 법적 성격은 일반적으로 사적·정치적 결사 내지는 법인격 없는 사단으로 파악되고 있고, 이러한 정당의 법률관계에 대하여는 일반 사법 규정이 아닌 정당법의 관계 조문이 적용되므로, 정당은 공권력 행사의 주체가 될 수 있다.

② 정당이라 함은 국민의 이익을 위하여 책임 있는 정치적 주장이나 정책을 추진하고 공직선거의 후보자를 추천 또는 지지함으로써 국민의 정치적 의사형성에 참여함을 목적으로 하는 국민의 자발적 조직을 의미한다.

③ 정당의 법적 지위는 적어도 소유재산의 귀속관계에 있어서는 법인격 없는 사단으로 보아야 하고, 중앙당과 지구당과의 복합적 구조에 비추어 정당의 지구당은 단순한 중앙당의 하부조직이 아니라 어느 정도의 독자성을 가진 단체로서 법인격 없는 사단에 해당한다.

④ 정당은 정치적 결사로서 국민의 정치적 의사를 적극적으로 형성하고 각계각층의 이익을 대변하며, 정부를 비판하고 정책적 대안을 제시할 뿐만 아니라, 국민 일반이 정치나 국가작용에 영향력을 행사하는 매개체의 역할을 수행하는 등 현대의 대의제민주주의에 없어서는 안 될 중요한 공적 기능을 수행하고 있다.

03 정당제민주주의에 관한 설명으로 가장 적절하지 않은 것은? (다툼이 있는 경우 판례에 의함)

① 현행 헌법은 "국회의원은 임기 중 당적을 이탈하거나 변경한 때 또는 소속정당이 해산된 때에는 그 자격이 상실된다. 다만, 합당 또는 제명으로 소속이 달라지는 경우에는 예외로 한다."고 규정하고 있다.

② 오늘날 대의제 민주주의는 국민의 정치적 의사형성을 위한 매개체로서의 정당의 역할이 증대됨에 따라 정당국가적 민주주의로 변화하여, 국회는 국민의 대표인 의원들의 의사에 따라 운영되는 것이 아니라 정당의 구성원인 의원들이 정당을 통하여 그리고 정당 속에서 결합하여 운영되고 있다.

③ 국회의원의 원내 활동을 기본적으로 각자에 맡기는 자유위임은 의회 내에서의 정치적 의사형성에 정당의 협력을 배척하는 것이 아니며, 의원이 정당과 교섭단체의 지시에 기속되는 것을 배제하는 근거가 되는 것도 아니다.

④ 당론과 다른 견해를 가진 소속 국회의원을 당해 교섭단체의 필요에 따라 다른 상임위원회로 전임(사·보임)하는 조치는 특별한 사정이 없는 한 헌법상 용인될 수 있는 "정당 내부의 사실상 강제"의 범위 내에 해당한다.

04 정당제도에 관한 설명으로 가장 적절하지 않은 것은? (다툼이 있는 경우 판례에 의함)

① 헌법 제8조 제1항은 복수정당제를 제도적으로 보장하고 있으며, 복수정당제도의 당연한 법적 산물인 '정당을 설립할 권리'를 국민의 기본권으로서 보장하고 있다.

② 정당설립의 자유는 국민 개인과 정당 그리고 '권리능력 없는 사단'의 실체를 가지고 있는 등록취소된 정당에게 인정되는 '기본권'이다.

③ 정당설립의 자유는 설립에 대응하는 정당해산의 자유, 합당의 자유, 분당의 자유도 포함한다. 뿐만 아니라 정당설립의 자유는 개인이 정당 일반 또는 특정 정당에 가입하지 아니할 자유, 가입했던 정당으로부터 탈퇴할 자유 등 소극적 자유도 포함한다.

④ 입법자는 정당설립의 자유를 최대한 보장하는 방향으로 입법하여야 하고, 헌법재판소는 정당설립의 자유를 제한하는 법률의 합헌성을 심사할 때에 헌법 제37조 제2항에 따라 엄격한 비례심사를 하여야 한다.

05 정당제도에 관한 설명으로 가장 적절하지 않은 것은?

① 정당은 수도에 소재하는 중앙당과 특별시·광역시·도에 각각 소재하는 시·도당으로 구성한다.

② 정당은 중앙당이 중앙선거관리위원회에 등록함으로써 성립한다.

③ 18세 이상의 국민은 공무원 그 밖에 그 신분을 이유로 정당가입이나 정치활동을 금지하는 다른 법령의 규정에 불구하고 누구든지 정당의 발기인 및 당원이 될 수 있다.

④ 정당의 당원은 같은 정당의 타인의 당비를 부담할 수 없으며, 타인의 당비를 부담한 자와 타인으로 하여금 자신의 당비를 부담하게 한 자는 당비를 낸 것이 확인된 날부터 1년간 당해 정당의 당원자격이 정지된다.

06 위헌정당해산제도에 관한 설명으로 가장 적절하지 않은 것은? (다툼이 있는 경우 판례에 의함)

① 정당의 목적이나 활동이 민주적 기본질서에 위배될 때에는 국회는 헌법재판소에 그 해산을 제소할 수 있고, 정당은 헌법재판소의 심판에 의하여 해산된다.

② 파시즘과 전체주의에 경도된 정당이 민주주의 체제를 공격함으로써 이를 폐지하거나 혹은 심각하게 훼손시켜 그것이 유명무실해지도록 만드는 것을 사전에 방지할 제도적 장치로서 정당해산심판제도의 필요성이 인정된다.

③ 정당해산심판제도는 정부의 일방적인 행정처분에 의해 진보적 야당이 등록취소되어 사라지고 말았던 우리 현대사에 대한 반성의 산물로서 제3차 헌법 개정을 통해 헌법에 도입되었다.

④ 어떤 정당이 민주적 기본질서를 부정하고 이를 적극적으로 공격하는 것으로 보인다 하더라도 국민의 정치적 의사형성에 참여하는 정당으로서 존재하는 한 헌법에 의해 최대한 두텁게 보호된다.

07 위헌정당해산제도에 관한 설명으로 가장 적절하지 않은 것은? (다툼이 있는 경우 판례에 의함)

① 헌법 제8조 제4항의 정당의 목적이란, 어떤 정당이 추구하는 정치적 방향이나 지향점 혹은 현실 속에서 구현하고자 하는 정치적 계획 등을 통칭한다.

② 헌법 제8조 제4항의 정당의 활동이란, 정당 기관의 행위나 주요 정당관계자, 당원 등의 행위로서 그 정당에게 귀속시킬 수 있는 활동 일반을 의미한다.

③ 정당 소속의 국회의원 등은 비록 헌법상으로는 정당의 대표자가 아닌 국민 전체의 대표자이나 정당과 밀접한 관련성을 가지므로 그들의 행위를 곧바로 정당의 활동으로 귀속시킬 수 있다.

④ 정당에 속한 개인이나 단체의 활동은 정당이 그러한 활동을 할 권한을 부여하거나 그 활동을 독려하였는지 여부, 사후에 그 활동을 적극적으로 옹호하는 등 사실상 정당의 활동으로 추인한 것과 같다고 볼 수 있는 사정이 있는지 여부 등을 구체적으로 살펴 전체적이고 종합적으로 판단해야 한다.

08 위헌정당해산제도에 관한 설명으로 가장 적절하지 않은 것은? (다툼이 있는 경우 판례에 의함)

① 근대의 입헌적 민주주의 체제는 사회의 공적 자율성에 기한 정치적 의사결정을 추구하는 민주주의 원리와, 국가권력이나 다수의 정치적 의사로부터 개인의 권리, 즉 개인의 사적 자율성을 보호해 줄 수 있는 법치주의 원리라는 두 가지 주요한 원리에 따라 구성되고 운영된다.

② 정당해산심판제도가 수호하고자 하는 민주적 기본질서는 민주적이고 자율적인 정치적 절차를 통해 국민적 의사를 형성·실현하기 위한 요소(민주주의 원리)와 이러한 정치적 절차를 운영하고 보호하는 데에 필요한 기본적인 요소(법치주의 원리) 중에서 필요불가결한 부분이 중심이 되어야 한다.

③ 헌법 제8조 제4항이 의미하는 민주적 기본질서는 모든 폭력적·자의적 지배를 배제하고, 다수를 존중하면서도 소수를 배려하는 민주적 의사결정과 자유·평등을 기본원리로 하여 구성되고 운영되는 정치적 질서를 말한다.

④ 민주 사회에서 정당의 자유가 지니는 중대한 함의나 정당해산심판제도의 남용가능성 등을 감안한다면, 헌법 제8조 제4항의 민주적 기본질서는 최대한 넓은 의미로 이해해야 한다.

09 위헌정당해산제도에 관한 설명으로 가장 적절한 것은? (다툼이 있는 경우 판례에 의함)

① 헌법 제8조 제4항의 민주적 기본질서는 현행 헌법이 채택한 민주주의의 구체적 모습과 동일하게 보아야 한다.

② 어떤 정당이 특정 이념을 표방한다 하더라도 그 정당의 목적이나 활동이 민주적 기본질서의 내용들을 침해하는 것이 아닌 한 그 특정 이념의 표방 그 자체만으로 곧바로 위헌적인 정당으로 볼 수는 없다.

③ 헌법 제8조 제4항에서 말하는 민주적 기본질서의 위배란, 민주적 기본질서에 대한 단순한 위반이나 저촉을 의미한다.

④ 헌법재판소가 정당해산결정을 내리기 위해서는 그 해산결정이 비례원칙에 부합하는지를 숙고해야 하는바, 이 경우의 비례원칙 준수 여부는 그것이 통상적으로 기능하는 위헌심사의 척도이다.

10 위헌정당해산제도에 관한 설명으로 가장 적절하지 않은 것은?

① 헌법재판소는 정당해산심판의 청구를 받은 때에 청구인의 신청 또는 직권으로 종국결정의 선고 시까지 피청구인의 활동을 정지하는 결정을 할 수 있다.

② 정당의 해산을 명하는 헌법재판소의 결정은 중앙선거관리위원회가 정당법의 규정에 의하여 이를 집행한다.

③ 헌법재판소장은 정당해산심판의 청구가 있는 때, 가처분결정을 한 때 및 그 심판이 종료한 때에는 그 사실을 정부와 중앙선거관리위원회에 통지하여야 한다.

④ 정당해산심판에 관하여는 헌법재판소법에 특별한 규정이 있는 경우를 제외하고는 헌법재판의 성질에 반하지 아니하는 한도 내에서 민사소송에 관한 법령을 준용한다.

경찰헌법 6회 모의고사

01 위헌정당해산제도에 관한 설명으로 가장 적절하지 않은 것은? (다툼이 있는 경우 판례에 의함)

① 국회의원은 현대 정당민주주의의 발전과 더불어 현실적으로 소속 정당의 공천을 받아 소속 정당의 지원이나 배경 아래 당선되고 당원의 한 사람으로서 사실상 정치의사 형성에 대한 정당의 규율이나 당론 등에 영향을 받아 정당의 이념을 대변하는 지위도 함께 가지게 되었다.
② 국회의원이 헌법기관으로서 정당기속과 무관하게 국민의 자유위임에 따라 정치활동을 할 수 있는 것은 헌법의 테두리 안에서 우리 헌법이 추구하는 민주적 기본질서를 존중하고 실현하는 경우에만 가능하다.
③ 정당해산제도의 취지 등에 비추어 볼 때 헌법재판소의 정당해산결정이 있는 경우 그 정당 소속 국회의원의 의원직은 당선 방식을 불문하고 모두 상실되어야 한다.
④ 정당해산심판절차에서는 재심을 허용하지 아니함으로써 얻을 수 있는 법적 안정성의 이익이 재심을 허용함으로써 얻을 수 있는 구체적 타당성의 이익보다 더 크므로 재심을 허용할 수 없다.

02 정치자금에 관한 설명으로 가장 적절하지 않은 것은? (다툼이 있는 경우 판례에 의함)

① 수수한 금품이 '정치자금'에 해당하는지 여부는 그 금품이 '정치활동'을 위해서 제공되었는지 여부에 달려 있는 것인데, 대통령선거에 출마할 정당의 후보자를 선출하거나 정당 대표를 선출하는 당내 경선은 그 성격상 정치활동에 해당한다.
② 선거관리위원회는 타인의 명의나 가명으로 납부된 당비는 국고에 귀속시켜야 한다.
③ 경상보조금을 지급받은 정당은 그 경상보조금 총액의 100분의 30 이상은 정책연구소에, 100분의 10 이상은 시・도당에 배분・지급하여야 하며, 100분의 10 이상은 여성정치발전을 위하여, 100분의 5 이상은 청년정치발전을 위하여 사용하여야 한다.
④ 외국인, 국내・외의 법인 또는 단체는 정치자금을 기부할 수 없고, 누구든지 국내・외의 법인 또는 단체와 관련된 자금으로 정치자금을 기부할 수 없다.

03 선거제도에 관한 설명으로 가장 적절하지 않은 것은? (다툼이 있는 경우 판례에 의함)

① 국민의 선거권 행사는 국민주권의 현실적 행사수단으로서 한편으로는 국민의 의사를 국정에 반영할 수 있는 중요한 통로로서 기능하며, 다른 한편으로는 주기적 선거를 통하여 국가권력을 통제하는 수단으로서의 기능도 수행한다.
② 대의제민주주의에 있어서 선거제도는 정치적 안정의 요청이나 나라마다의 정치적・사회적・역사적 상황 등을 고려하여 각기 그 나라의 실정에 맞도록 결정되는 것이고 거기에 논리 필연적으로 요청되는 일정한 형태가 있는 것은 아니다.
③ 대선거구 소수대표제는 다수의 사표를 발생시킬 수 있는 문제점이 제기됨에도 불구하고 정치의 책임성과 안정성을 강화하고 인물 검증을 통해 당선자를 선출하는 등 장점을 가진다.
④ 비례대표제는 거대정당에게 일방적으로 유리하고, 다양해진 국민의 목소리를 제대로 대표하지 못하며 사표를 양산하는 다수대표제의 문제점에 대한 보완책으로 고안・시행되는 것이다.

04 선거제도에 관한 설명으로 가장 적절하지 않은 것은? (다툼이 있는 경우 판례에 의함)

① 선거는 오늘날의 대의민주주의에서 국민이 주권을 행사할 수 있는 가장 중요한 방법으로서, 선거를 통하여 국민은 선출된 국가기관과 그의 국가권력의 행사에 대하여 민주적 정당성을 부여한다.

② 원칙적으로 모든 국민이 균등하게 선거에 참여할 것을 요청하는 보통·평등선거원칙은 국민의 자기지배를 의미하는 국민주권의 원리에 입각한 민주국가를 실현하기 위한 필수적 요건이다.

③ 선거구의 획정은 사회적·지리적·역사적·경제적·행정적 연관성 및 생활권 등을 고려하여 특단의 불가피한 사정이 없는 한 인접지역이 1개의 선거구를 구성하도록 함이 상당하며, 이 또한 선거구획정에 관한 국회의 재량권의 한계이다.

④ 역사적으로 직접선거의 원칙은 중간선거인의 부정을 의미하였고, 비례대표제하에서는 이러한 의미만으로도 충분하다.

05 선거제도에 관한 설명으로 가장 적절하지 않은 것은? (다툼이 있는 경우 판례에 의함)

① 자유선거의 원칙은 비록 우리 헌법에 명문으로 규정되어 있지만, 민주국가의 선거제도에 내재하는 법 원리로서, 국민주권의 원리, 의회민주주의의 원리 및 참정권에 관한 규정에서도 그 근거를 찾을 수 있다.

② 자유선거의 원칙은 선거의 전과정에 요구되는 선거권자의 의사형성의 자유와 의사실현의 자유를 말하고, 구체적으로는 투표의 자유, 입후보의 자유 나아가 선거운동의 자유를 뜻한다.

③ 선거공영제는 선거의 관리·운영에 필요한 비용을 후보자 개인에게 부담시키지 않고 국민 모두의 공평부담으로 하고자 하는 원칙이다.

④ 선거에서의 공무원의 정치적 중립의무는 국민 전체에 대한 봉사자로서의 공무원의 지위를 규정하는 헌법 제7조 제1항, 자유선거원칙을 규정하는 헌법 제41조 제1항 및 제67조 제1항 및 정당의 기회균등을 보장하는 헌법 제116조 제1항으로부터 나오는 헌법적 요청이다.

06 선거구획정에 관한 설명으로 가장 적절하지 않은 것은? (다툼이 있는 경우 판례에 의함)

① 입법자가 국회의원 선거제도를 형성함에 있어 헌법 제41조 제1항에 명시된 보통·평등·직접·비밀선거의 원칙과 자유선거 등 국민의 선거권이 부당하게 제한되지 않는 한 헌법에 위반된다고 할 수 없다.

② 선거구획정에 있어서 인구비례원칙에 의한 투표가치의 평등은 헌법적 요청은 아니지만 다른 요소에 비하여 기본적이고 일차적인 기준이기 때문에, 합리적 이유 없이 투표가치의 평등을 침해하는 선거구획정은 자의적인 것으로서 헌법에 위반된다.

③ 특정 지역의 선거인들이 자의적인 선거구획정으로 인하여 정치과정에 참여할 기회를 잃게 되었거나, 그들이 지지하는 후보가 당선될 가능성을 의도적으로 박탈당하고 있음이 입증되어 특정 지역의 선거인들에 대하여 차별하고자 하는 국가권력의 의도와 그 집단에 대한 실질적인 차별효과가 명백히 드러난 경우, 그 선거구획정은 헌법에 위반된다.

④ 헌법재판소가 입법개선시한을 정하여 헌법불합치결정을 하였음에도 국회가 입법개선시한까지 개선입법을 하지 아니하여 국회의원의 선거구에 관한 법률이 존재하지 아니하게 된 경우, 국회는 이를 입법하여야 할 헌법상 의무가 있다.

07 선거구획정에 관한 설명으로 가장 적절한 것은?

① 국회의원선거구획정위원회는 국회에 두되, 직무에 관하여 독립의 지위를 가진다.
② 국회의원은 국회의원선거구획정위원회의 위원이 될 수 있다.
③ 국회는 국회의원지역구를 선거일 전 180일까지 확정하여야 한다.
④ 하나의 자치구・시・군의원지역구에서 선출할 지역구자치구・시・군의원정수는 2인 이상 4인 이하로 한다.

08 비례대표제도에 관한 설명으로 가장 적절하지 않은 것은? (다툼이 있는 경우 판례에 의함)

① 국회의원 선거에 있어 다수대표제만을 택하고 비례대표제를 택하지 않을 경우, 지역구의 개별후보자에 대한 국민의 지지만을 정확하게 반영하여도 민주주의 원리에 반한다.
② 정당명부식 비례대표제를 병행하는 한 정당에 대한 국민의 지지의사를 충실히 반영할 것까지 요구되며, 그 결과 정당에 대한 의석배분도 국민의 지지 및 선호와 일치되어야 한다.
③ 비례대표의원의 선거는 지역구의원의 선거와는 별도의 선거이므로 이에 관한 유권자의 별도의 의사표시, 즉 정당명부에 대한 별도의 투표가 있어야 한다.
④ 확정된 정당명부를 보고 유권자들이 그 선호에 따라 투표할 수 있는 한 '선거권자의 투표로 최종적으로 결정한다'는 직접선거의 최소한의 요구는 충족된다.

09 선거권에 관한 설명으로 가장 적절하지 않은 것은? (다툼이 있는 경우 판례에 의함)

① 국민주권주의와 대의제 민주주의하에서는 국민의 선거권 행사를 통해서만 국가와 국가권력의 구성과 창설이 비로소 가능해지고 국가와 국가권력의 민주적 정당성이 마련된다.
② 오늘날 넓은 의미의 국방은 재외국민의 애국심과 협력에 의존하는 바도 적지 않다는 점, 현재 병역의무가 남자에게만 부여되고 있다는 점 등을 감안하면 선거권과 병역의무 간에 필연적 견련관계를 인정하기 어렵다.
③ 지방자치단체의 장 선거권 역시 다른 선거권과 마찬가지로 헌법 제24조에 의해 보호되는 기본권으로 인정하여야 한다.
④ 헌법 제24조는 모든 국민은 '법률이 정하는 바에 의하여' 선거권을 가진다고 규정함으로써 법률유보의 형식을 취하고 있는데, 이것은 국민의 선거권이 '법률이 정하는 바에 따라서만 인정될 수 있다'는 포괄적인 입법권의 유보하에 있음을 의미한다.

10 선거권자와 피선거권자에 관한 설명으로 가장 적절하지 않은 것은? (다툼이 있는 경우 판례에 의함)

① 선거일 현재 18세 이상의 국민은 대통령 및 국회의원의 선거권이 있다.
② 선거인명부작성기준일 현재 18세 이상으로서 「출입국관리법」에 따른 영주의 체류자격 취득일 후 3년이 경과한 외국인으로서 해당 지방자치단체의 외국인등록대장에 올라 있는 사람은 그 구역에서 선거하는 지방자치단체의 의회의원 및 장의 선거권이 있다.
③ 선거일 현재 1년 이상의 징역 또는 금고의 형의 선고를 받고 그 집행이 종료되지 아니하거나 그 집행을 받지 아니하기로 확정되지 아니한 사람은 그 형의 집행유예를 선고받고 유예기간 중에 있는 사람을 제외하고 피선거권이 없다.
④ 범죄자에 대해 형벌의 내용으로 선거권을 제한하는 경우에도 선거권 제한 여부 및 적용범위의 타당성에 관하여 보통선거의 원칙에 입각한 선거권 보장과 그 제한의 관점에서 헌법 제37조 제2항에 따라 엄격한 비례심사를 하여야 한다.

경찰헌법 7회 모의고사

01 선거기간과 선거일에 관한 설명으로 가장 적절하지 않은 것은?

① 대통령선거의 선거기간은 23일이고, 국회의원선거와 지방자치단체의 의회의원 및 장 선거의 선거기간은 14일이다.
② 국회의원 선거와 지방자치단체의 의회의원 및 장 선거의 선거기간은 후보자등록 마감일의 다음 날부터 선거일까지이다.
③ 대통령의 임기가 만료되는 때에는 임기만료 70일 내지 40일 전에 후임자를 선거한다.
④ 대통령이 궐위된 때 또는 대통령 당선자가 사망하거나 판결 기타의 사유로 그 자격을 상실한 때에는 60일 이내에 후임자를 선거한다.

02 당내경선에 관한 설명으로 가장 적절하지 않은 것은? (다툼이 있는 경우 판례에 의함)

① 정당은 공직선거후보자를 추천하기 위하여 당내경선을 실시하여야 한다.
② 정당의 내부경선에 참여할 권리는 헌법이 보장하는 공무담임권의 내용에 포함된다고 보기 어렵다.
③ 당내경선은 공직선거 자체와는 구별되는 정당 내부의 자발적인 의사결정에 해당하고, 경선운동은 원칙적으로 공직선거에서의 당선 또는 낙선을 위한 행위인 선거운동에 해당하지 않는다.
④ 국회의원 비례대표 후보자 명단을 확정하기 위한 당내경선에도 선거권을 가진 당원들의 직접·평등·비밀투표 등 일반적인 선거의 원칙이 그대로 적용되고, 대리투표는 허용되지 않는다.

03 기탁금에 관한 설명으로 가장 적절하지 않은 것은? (다툼이 있는 경우 판례에 의함)

① 선거에서 후보난립을 방지하고 선거비용 중 일부를 예납하도록 하기 위한 기탁금제도는 그 기탁금액이 과다하지 않는 한 헌법상 허용된다.
② 기탁금제도 자체가 합헌일지라도 그 액수는 그야말로 불성실한 입후보를 차단하는 데 필요한 최소한에 그치고 진지한 자세로 입후보하려는 국민의 피선거권을 제한하는 정도여서는 아니 된다.
③ 관할선거구선거관리위원회는 후보자가 당선되거나 사망한 경우와 유효투표총수의 100분의 15 이상(후보자가 장애인복지법에 따라 등록한 장애인이거나 선거일 현재 39세 이하인 경우에는 유효투표총수의 100분의 10 이상)을 득표한 경우에는 기탁금의 100분의 50에 해당하는 금액을 기탁자에게 반환한다.
④ 예비후보자등록을 신청하는 사람은 해당 선거 기탁금의 100분의 20에 해당하는 금액을 중앙선거관리위원회규칙으로 정하는 바에 따라 관할선거구선거관리위원회에 기탁금으로 납부하여야 한다.

04 선거운동에 관한 설명으로 가장 적절하지 않은 것은? (다툼이 있는 경우 판례에 의함)

① 선거운동이란 특정 후보자의 당선 내지 이를 위한 득표에 필요한 모든 행위 또는 특정 후보자의 낙선에 필요한 모든 행위를 말한다.
② 설날·추석 등 명절 및 석가탄신일·기독탄신일 등에 하는 의례적인 인사말을 문자메시지(그림말·음성·화상·동영상 등 포함)로 전송하는 행위는 선거운동이 아니다.
③ 선거운동은 각급 선거관리위원회의 관리하에 법률이 정하는 범위 안에서 하되, 균등한 기회가 보장되어야 한다.
④ 선거운동은 국민주권 행사의 일환일 뿐만 아니라, 정치적 표현의 자유의 영역에 속하는 것으로 민주사회를 구성하고 작동하는 요소이므로 제한입법에 대해서는 엄격한 심사기준이 적용된다.

05 선거운동의 제한에 관한 설명으로 가장 적절하지 않은 것은?

① 선거운동은 선거기간 개시일부터 선거일 투표 마감 시각까지 할 수 있다.
② 공무원 등 법령에 따라 정치적 중립을 지켜야 하는 자는 직무와 관련하여 또는 지위를 이용하여 선거에 부당한 영향력을 행사하는 등 선거에 영향을 미치는 행위를 할 수 없다.
③ 누구든지 선거일 전 6일부터 선거일의 투표 마감 시각까지 선거에 관하여 정당에 대한 지지도나 당선인을 예상하게 하는 여론조사의 경위와 그 결과를 공표하거나 인용하여 보도할 수 없다.
④ 공직선거법에 규정한 죄의 공소시효는 당해 선거일 후 6개월을 경과함으로써 완성한다. 다만, 범인이 도피한 때나 범인이 공범 또는 범죄의 증명에 필요한 참고인을 도피시킨 때에는 그 기간은 3년으로 한다.

06 당선인 결정에 관한 설명으로 가장 적절하지 않은 것은?

① 대통령선거에 있어서는 중앙선거관리위원회가 유효투표의 다수를 얻은 자를 당선인으로 결정하고, 이를 중앙선거관리위원회 위원장에게 통지하여야 한다.
② 대통령선거에 있어서 최고득표자가 2인 이상인 때에는 국회의 재적의원 과반수가 출석한 공개회의에서 다수표를 얻은 자를 당선자로 한다.
③ 대통령 후보자가 1인일 때에는 그 득표수가 선거권자 총수의 3분의 1 이상이 아니면 대통령으로 당선될 수 없다.
④ 지역구 국회의원선거에 있어서는 선거구 선거관리위원회가 당해 국회의원 지역구에서 유효투표의 다수를 얻은 자를 당선인으로 결정한다. 다만, 최고득표자가 2인 이상인 때에는 연장자를 당선인으로 결정한다.

07 직업공무원제도에 관한 설명으로 가장 적절하지 않은 것은? (다툼이 있는 경우 판례에 의함)

① 직업공무원제도란 공무원이 집권 세력의 논공행상의 제물이 되는 엽관제도를 지양하고 정권교체에 따른 국가작용의 중단과 혼란을 예방하고 일관성 있는 공무수행의 독자성을 유지하기 위하여 헌법과 법률에 의하여 공무원의 신분이 보장되는 공직제도를 말한다.
② 직업공무원제도에서 말하는 공무원은 국가 또는 공공단체와 근로관계를 맺고 이른바 공법상 특별권력관계 내지 특별행정법관계 아래 공무를 담당하는 것을 직업으로 하는 협의의 공무원을 말하며 정치적 공무원이라든가 임시적 공무원도 포함된다.
③ 직업공무원제도는 지방자치제도, 복수정당제도, 혼인제도 등과 함께 “제도보장”의 하나로서 이는 일반적인 법에 의한 폐지나 제도본질의 침해를 금지한다는 의미의 최소보장의 원칙이 적용된다.
④ 공무원이 정년까지 근무할 수 있는 권리는 헌법의 공무원 신분보장 규정에 의하여 보호되는 기득권으로서 그 침해 내지 제한은 신뢰보호의 원칙에 위배되지 않는 범위 내에서만 가능하다.

08 공무원의 신분보장에 관한 설명으로 가장 적절하지 않은 것은? (다툼이 있는 경우 판례에 의함)

① 공무원의 신분은 무제한 보장되는 것이 아니라 공무원의 지위 및 공무의 특수성을 고려하여 헌법이 정한 신분보장의 원칙 아래 법률로 그 내용이 정하여진다.

② 공무원의 보수청구권은 법률 및 법률의 위임을 받은 하위법령에서 보수의 구체적 수준이 형성되면 직업공무원제도의 한 내용으로서 재산권적 성격이 인정되는 공법상 권리가 된다.

③ 본인의 의사에 반한 불리한 처분이나 부작위에 관한 행정소송은 소청심사위원회의 심사・결정을 거치지 아니하면 제기할 수 없다.

④ 공무원으로 채용된 공무원을 퇴직시키는 것은 공무원이 장기간 쌓은 지위를 박탈해 버리는 것이므로 같은 입법목적을 위한 것이라면 당연퇴직사유를 임용결격사유와 동일하게 취급하는 것은 타당하다.

09 지방자치제도에 관한 설명으로 가장 적절하지 않은 것은? (다툼이 있는 경우 판례에 의함)

① 지방자치제도는 '제도적 보장'의 하나로서, 제도적 보장은 객관적 제도를 헌법에 규정하여 당해 제도의 본질을 유지하려는 것이다.

② 헌법 제117조 및 제118조가 보장하고 있는 본질적인 내용은 '자치단체의 보장', '자치기능의 보장' 및 '자치사무의 보장'으로 어디까지나 지방자치단체의 자치권이다.

③ 지방자치제도의 보장은 지방자치단체에 의한 자치행정을 일반적으로 보장한다는 것뿐이고 특정자치단체의 존속을 보장한다는 것은 아니다.

④ 제도적 보장으로서 주민의 자치권은 원칙적으로 개별 주민들에게 인정된 권리라 볼 수 있다. 즉, 헌법상의 주민자치의 범위는 법률에 의하여 형성되고, 핵심영역이 아닌 한 법률에 의하여 제한될 수 있다.

10 지방자치제도에 관한 설명으로 가장 적절하지 않은 것은? (다툼이 있는 경우 판례에 의함)

① 지방자치단체는 주민의 복리에 관한 사무를 처리하고 재산을 관리하며 조례의 범위 안에서 자치에 관한 규정을 제정할 수 있다.

② 현행법에 따른 지방자치단체의 중층구조 또는 지방자치단체로서 특별시・광역시 및 도와 함께 시・군 및 구를 계속하여 존속하도록 할지 여부는 입법자의 입법형성권의 범위에 해당한다.

③ 지방의회의 의장은 지방의회 사무직원을 지휘・감독하고 법령과 조례・의회규칙으로 정하는 바에 따라 그 임면・교육・훈련・복무・징계 등에 관한 사항을 처리한다.

④ 지방자치단체의 장이 그 직을 가지고 그 지방자치단체의 장 선거에 입후보하면 예비후보자 또는 후보자로 등록한 날부터 선거일까지 부단체장이 그 지방자치단체의 장의 권한을 대행한다.

경찰헌법 8회 모의고사

01 지방자치단체의 사무에 관한 설명으로 가장 적절하지 않은 것은? (다툼이 있는 경우 판례에 의함)

① 지방자치단체의 사무에는 자치사무와 위임사무가 있다. 위임사무는 지방자치단체가 위임받아 처리하는 국가사무임에 반하여, 자치사무는 지방자치단체가 주민의 복리를 위하여 처리하는 사무이다.

② 자치사무는 법령의 범위 안에서 그 처리 여부와 방법을 자기책임 아래 결정할 수 있는 사무로서 지방자치권의 최소한의 본질적 사항이므로 지방자치단체의 자치권을 보장한다고 한다면 최소한 자치사무의 자율성만은 침해해서는 안 된다.

③ 지방자치단체 주민으로서의 자치권 또는 주민권은 헌법에 의하여 직접 보장된 개인의 주관적 공권이다.

④ 국가가 영토고권을 가지는 것과 마찬가지로, 지방자치단체에게 자신의 관할구역 내에 속하는 영토, 영해, 영공을 자유로이 관리하고 관할구역 내의 사람과 물건을 독점적, 배타적으로 지배할 수 있는 권리가 부여되어 있다고 할 수는 없다.

02 지방자치단체의 자치권에 관한 설명으로 가장 적절하지 않은 것은? (다툼이 있는 경우 판례에 의함)

① 헌법이 규정하는 자치권 가운데에는 자치에 관한 규정을 스스로 제정할 수 있는 자치입법권은 물론이고 그밖에 그 소속 공무원에 대한 인사와 처우를 스스로 결정하고 이에 관련된 예산을 스스로 편성하여 집행하는 권한이 성질상 당연히 포함된다.

② 지방자치단체의 자치권은 헌법상 보장을 받고 있으므로 비록 법령에 의하여 이를 제한하는 것이 가능하다고 하더라도 그 제한이 불합리하여 자치권의 본질을 훼손하는 정도에 이른다면 이는 헌법에 위반된다.

③ 지방자치법 제4조 제1항에 규정된 지방자치단체의 구역은 주민・자치권과 함께 자치단체의 구성요소이며, 자치권이 미치는 관할구역의 범위에는 육지는 물론 바다도 포함되므로, 공유수면에 대한 지방자치단체의 자치권한이 존재한다.

④ 헌법 제117조 제1항에서 규정하고 있는 법령에 법률 이외에 헌법 제75조 및 제95조 등에 의거한 대통령령, 총리령 및 부령과 같은 법규명령이 포함되는 것은 물론이지만, 법규명령으로서 기능하는 행정규칙이 포함되는 것은 아니다.

03 지방자치단체의 자치권의 범위에 관한 설명으로 가장 적절하지 않은 것은? (다툼이 있는 경우 판례에 의함)

① 지방자치단체가 자치조례를 제정할 수 있는 사항은 지방자치단체의 고유사무인 자치사무와 개별법령에 의하여 지방자치단체에 위임된 단체위임사무에 한하는 것이고, 기관위임사무는 어떠한 경우에도 조례의 제정범위에 속하지 않는다.

② 지금까지 우리 법체계에서는 공유수면의 행정구역 경계에 관한 명시적인 법령상의 규정이 존재한 바 없으므로, 공유수면에 대한 행정구역 경계가 불문법상으로 존재한다면 그에 따라야 한다.

③ 해상경계에 관한 불문법도 존재하지 않으면, 헌법재판소가 지리상의 자연적 조건, 관련 법령의 현황, 연혁적인 상황, 행정권한 행사 내용, 사무 처리의 실상, 주민의 사회・경제적 편익 등을 종합하여 형평의 원칙에 따라 합리적이고 공평하게 해상경계선을 획정할 수밖에 없다.

④ 조례에 대한 법률의 위임은 법규명령에 대한 법률의 위임과 같이 반드시 구체적으로 범위를 정하여 할 필요가 없으며 '포괄적인 것으로 족'하다.

04 지방자치단체의 주민에 관한 설명으로 가장 적절하지 않은 것은? (다툼이 있는 경우 판례에 의함)

① 지방자치단체의 장은 주민에게 과도한 부담을 주거나 중대한 영향을 미치는 지방자치단체의 주요 결정사항 등에 대하여 주민투표에 부칠 수 있다.
② 주민투표권은 법률이 보장하는 권리일 뿐이지 헌법이 보장하는 기본권 또는 헌법상 제도적으로 보장되는 주관적 공권으로 볼 수 없다.
③ 주민투표에 부쳐진 사항은 주민투표권자 총수의 4분의 1 이상의 투표와 유효투표수 과반수의 득표로 확정된다.
④ 주민은 그 지방자치단체의 장과 지역구 및 비례대표 지방의회의원을 소환할 권리를 가진다.

05 혼인과 가족제도에 관한 설명으로 가장 적절하지 않은 것은? (다툼이 있는 경우 판례에 의함)

① 헌법은 가족제도를 특별히 보장함으로써, 양심의 자유, 종교의 자유, 언론의 자유, 학문과 예술의 자유와 같이 문화국가의 성립을 위하여 불가결한 기본권의 보장과 함께, 견해와 사상의 다양성을 그 본질로 하는 문화국가를 실현하기 위한 필수적인 조건을 규정한 것이다.
② 개인의 인격권·행복추구권은 개인의 자기운명결정권을 그 전제로 하고 있으며, 이 자기운명결정권에는 성적자기결정권 특히 혼인의 자유와 혼인에 있어서 상대방을 결정할 수 있는 자유가 포함되어 있다.
③ 부모의 자녀 양육권은 공권력으로부터 자녀의 양육을 방해받지 않을 권리라는 점에서는 자유권적 기본권으로서의 성격을 가지는 것이지, 자녀의 양육에 관하여 국가의 지원을 요구할 수 있는 사회권적 기본권으로서의 성격을 가지는 것은 아니다.
④ 특정한 법률조항이 혼인한 자를 불리하게 하는 차별취급은 중대한 합리적 근거가 존재하여 헌법상 정당화되는 경우에만 제36조 제1항에 위배되지 아니한다.

06 기본권에 관한 설명으로 가장 적절하지 않은 것은? (다툼이 있는 경우 판례에 의함)

① 인권이란 대한민국헌법 및 법률에서 보장하거나 대한민국이 가입·비준한 국제인권조약 및 국제관습법에서 인정하는 인간으로서의 존엄과 가치 및 자유와 권리를 말한다.
② 인간의 존엄과 가치조항은 헌법이념의 핵심으로 국가는 헌법에 규정된 개별적 기본권을 비롯하여 헌법에 열거되지 아니한 자유와 권리까지도 이를 보장하여야 하고, 이를 통하여 개별 국민이 가지는 인간으로서의 존엄과 가치를 존중하고 확보하여야 한다는 헌법의 기본원리를 선언한 것이다.
③ 헌법 제37조 제1항은 헌법에 명시적으로 규정되지 아니한 자유와 권리라도 헌법 제10조에서 규정한 인간의 존엄과 가치를 위하여 필요한 것일 때에는 이를 모두 보장함을 천명한 것이다.
④ 헌법상의 기본권은 개인의 자유로운 영역을 공권력의 침해로부터 보호하기 위한 방어적 권리이므로 사인 간의 사적인 법률관계가 헌법상의 기본권 규정에 적합하게 규율되어야 하는 것은 아니다.

07 기본권의 주체에 관한 설명으로 가장 적절하지 않은 것은? (다툼이 있는 경우 판례에 의함)

① 헌법 전문은 헌법을 제정한 주체는 국민임을 밝히고 있고, 제1조 제2항은 "대한민국의 주권은 국민에게 있다."고 하여 '국민'이 주권자임을 선언하고 있지만, '국민'이 기본권의 주체임을 명시하고 있지는 않다.
② 초기 배아는 수정이 된 배아라는 점에서 형성 중인 생명의 첫걸음을 떼었다고 볼 여지가 있기는 하나 기본권 주체성을 인정하기 어렵다.
③ 모든 인간은 헌법상 생명권의 주체가 되며, 형성 중의 생명인 태아에게도 생명에 대한 권리가 인정되어야 한다.
④ 공권력 작용이 넓은 의미의 국가조직영역 내에서 공적 과제를 수행하는 주체의 권한 내지 직무영역을 제약하는 성격이 강한 경우에는 기본권 주체성이 부정된다.

08 기본권의 주체에 관한 설명으로 가장 적절하지 않은 것은? (다툼이 있는 경우 판례에 의함)

① 공직자가 국가기관의 지위에서 순수한 직무상의 권한행사와 관련하여 기본권 침해를 주장하는 경우에는 기본권의 주체성을 인정하기 어렵다.
② 국민의 권리가 아니라 인간의 권리로 볼 수 있는 기본권에 대해서는 외국인도 기본권의 주체가 될 수 있다.
③ 인간의 권리로서 외국인에게도 주체성이 인정되는 기본권이라 하더라도 불법체류 외국인에게는 인정되지 아니한다.
④ 참정권과 입국의 자유에 대한 외국인의 기본권 주체성이 인정되지 않고, 외국인이 복수국적을 누릴 자유가 우리 헌법상 행복추구권에 의하여 보호되는 기본권이라고 보기 어렵다.

09 법인의 기본권 주체성에 관한 설명으로 가장 적절하지 않은 것은? (다툼이 있는 경우 판례에 의함)

① 법인은 사단법인 · 재단법인 또는 영리법인 · 비영리법인을 가리지 아니하고 헌법상 보장된 기본권이 침해되었음을 이유로 헌법소원심판을 청구할 수 있다.
② 공법인은 기본권의 수범자이지 기본권의 주체로서 그 소지자가 아니고 오히려 국민의 기본권을 보호 내지 실현해야 할 책임과 의무를 지니고 있다.
③ 공법인도 공무를 수행하거나 고권적 행위를 하는 경우, 사경제 주체로서 활동하는 경우나 조직법상 국가로부터 독립한 고유 업무를 수행하는 경우, 다른 공권력 주체와의 관계에서 지배복종관계가 성립되어 일반 사인처럼 그 지배하에 있는 경우 등에는 기본권 주체가 될 수 있다.
④ 정당은 국민의 정치적 의사형성에 참여하기 위한 조직으로 성격상 권리능력 없는 단체에 속하지만, 구성원과는 독립하여 그 자체로서 기본권의 주체가 될 수 있다.

10 기본권 주체에 관한 설명으로 가장 적절하지 않은 것은? (다툼이 있는 경우 판례에 의함)

① 외국인이 국내에서 누리는 직업의 자유는 법률 이전에 헌법에 의해서 부여된 기본권이라고 할 수는 없고, 법률에 따른 정부의 허가에 의해 비로소 발생하는 권리이다.
② 근로의 권리 중 인간의 존엄성 보장에 필요한 최소한의 근로조건을 요구할 수 있는 '일할 환경에 관한 권리'는 외국인에게 보장된다.
③ 평등권 및 평등선거의 원칙으로부터 나오는 선거에 있어서 기회균등의 원칙은 후보자에 대하여서는 물론 정당에 대하여서도 보장된다.
④ 법인의 목적과 사회적 기능에 비추어 볼 때, 법인에게는 인격권의 한 내용인 사회적 신용이나 명예 등의 주체가 될 수 없다.

MEMO

PART

02

형사법

문제편

형사법 1회 모의고사

01 위임입법의 허용 여부에 대한 판례이다. 판례의 입장과 다른 것은?

① 성문법률주의란 범죄와 형벌은 성문의 법률로 규정되어야 한다는 원칙을 말하며 여기서의 법률은 형식적 의미의 법률의 의미한다.

② 특히 긴급한 필요가 있거나 미리 법률로써 자세히 정할 수 없는 부득이한 사정이 있는 경우에 한하여 수권법률(위임법률)이 구성요건의 점에서는 처벌대상인 행위가 어떠한 것인지 이를 예측할 수 있을 정도로 구체적으로 정하고, 형벌의 점에서는 형벌의 종류 및 그 상한과 폭을 명확히 규정하는 것을 전제로 위임입법이 허용된다.

③ 일반적으로 법률의 위임에 의하여 효력을 갖는 법규명령의 경우 구법에 위임의 근거가 없어 무효더라도 사후에 법 개정으로 위임의 근거가 부여되면 그때부터는 유효한 법규명령이 된다.

④ 특정범죄 가중처벌 등에 관한 법률의 위임을 받은 동법 시행령에서 농업협동조합중앙회를 '정부관리기업체'의 하나로 규정한 경우 위임입법의 한계를 벗어난 것이다.

02 위임입법의 허용 여부에 관한 판례의 입장과 다른 것은?

① 의료법 제41조가 "환자의 진료 등에 필요한 당직의료인을 두어야 한다."라고 규정하고 있을 뿐인데도 시행령 조항은 당직의료인의 수와 자격 등 배치기준을 규정하고 이를 위반하면 의료법 제90조에 의한 처벌의 대상이 되도록 한 경우 위임입법의 한계를 벗어난 것으로서 무효이다.

② 지방공기업법 제83조에서 지방공사와 지방공단의 임원 및 직원을 공무원으로 본다고 규정한 경우 죄형법정주의에 반하지 않는다.

③ 공직선거법에서 간판 등의 시설물설치를 금지하고, 설치가 허용되는 간판의 규격과 같은 세부적 사항은 선거관리위원회 규칙으로 정하도록 한 경우 포괄적 위임으로 죄형법정주의에 반한다.

④ 청소년 보호법에서 직접 청소년유해매체물의 범위를 확정하지 아니하고 행정기관(청소년보호위원회 등)에 위임하여 그 행정기관으로 하여금 청소년유해매체물을 확정하도록 한 경우 죄형법정주의에 반하지 않는다.

03 소급효금지의 원칙에 관한 설명으로 옳지 않은 것은? (다툼이 있으면 판례에 의함)

① 가정폭력범죄의 처벌 등에 관한 특례법상 사회봉사명령을 부과하면서, 행위시법상 사회봉사명령 부과시간의 상한인 100시간을 초과하여 200시간으로 올린 신법을 적용한 것은 위법하다.

② 게임산업진흥에 관한 법률과 동법 시행령의 개정으로 게임머니의 환전, 환전 알선, 재매입 영업행위를 처벌하게 되었던 바, 그 시행일 이전에 행해졌던 환전, 환전 알선, 재매입영업행위를 처벌하는 것은 형벌법규의 소급효금지의 원칙에 위배된다.

③ 구성요건이 신설된 상습강제추행죄가 시행되기 이전의 범행은 상습강제추행죄로는 처벌할 수 없고 행위시법에 기초하여 강제추행죄로 처벌할 수 있을 뿐이며, 이 경우 그 소추요건도 상습강제추행죄에 관한 것이 아니라 강제추행죄에 관한 것이 구비되어야 한다.

④ 형을 종전보다 가볍게 형벌법규를 개정하면서 그 부칙으로 개정된 법의 시행 전의 범죄에 대하여 종전의 형벌법규를 적용하도록 규정하는 것은 헌법상 형벌불소급의 원칙에 반하는 것이다.

04 소급효금지의 원칙에 관한 다음 설명 중 판례의 태도와 일치하는 것은?

① 보호관찰은 과거의 불법에 대한 책임에 기초하고 있는 제재가 아니라 장래의 위험성으로부터 행위자를 보호하고 사회를 방위하기 위한 합목적적인 조치이므로 소급효금지의 원칙이 적용되지 아니한다.

② 행위 당시의 판례에 의하면 처벌대상이 아니었던 행위를 판례의 변경에 따라 처벌하는 것은 평등의 원칙과 형벌불소급의 원칙에 반한다.
③ 가정폭력범죄의 처벌 등에 관한 특례법이 정한 보호처분 중의 하나인 사회봉사명령은 가정폭력범죄를 범한 자에 대하여 환경의 조정과 성행의 교정을 목적으로 하는 것이므로 원칙적으로 형벌불소급의 원칙이 적용되지 아니한다.
④ 대법원 양형위원회의 양형기준은 법관이 합리적인 양형을 정하는 데 참고할 수 있는 구체적이고 객관적인 기준으로 마련된 것으로 법적 구속력을 가지지 아니하나, 법관의 양형에 있어서 그 존중이 요구되는 것이므로 대법원 양형위원회가 설정한 '양형기준'이 발효하기 전에 공소가 제기된 범죄에 대하여 위 '양형기준'을 참고하여 형을 양정함으로써 결과적으로 형이 더 무거워졌다면 피고인에게 불리한 법률을 소급하여 적용한 위법이 있다고 할 수 있다.

05 소급효에 관한 설명으로 옳지 않은 것은? (다툼이 있으면 판례에 의함)

① 운전면허취소처분을 받은 후 자동차를 운전한 경우, 해당 면허취소처분이 행정쟁송절차에 의하여 취소되었다 하더라도 무면허운전은 아니다.
② 가축분뇨 배출시설을 설치한 자가 설치 당시에 신고대상자가 아니었다면 그 후 법령의 개정에 따라 그 시설이 신고대상에 해당하게 되었더라도, 가축분뇨의 관리 및 이용에 관한 법률상 신고대상자인 '배출시설을 설치하고자 하는 자'에 해당한다고 볼 수 없다.
③ 특정 범죄자에 대한 위치추적 전자장치 부착 등에 관한 법률에 의한 전자감시제도에 관한 법률이 개정되어 부착명령기간을 연장하도록 규정한 경우 행위자에게 불리하게 적용되는 것이므로 소급입법금지의 원칙에 반한다.
④ 부(父)가 혼인 외의 출생자를 인지하는 경우에 있어서는 민법 제860조에 의하여 그 자(子)의 출생시에 소급하여 인지의 효력이 생기는 것이며, 이와 같은 인지의 소급효는 친족상도례에 관한 규정의 적용에도 미친다고 보아야 할 것이므로 인지가 범행 후에 이루어진 경우라고 하더라도 그 소급효에 따라 형성되는 친족관계를 기초로 하여 친족상도례의 규정이 적용된다.

06 명확성의 원칙에 관한 판례의 설명으로 옳지 않은 것은?

① 구 도시 및 주거환경정비법상 '정비사업 시행에 관한 서류와 관련 자료에 대한 열람·등사 요청에 즉시 응할 의무'를 규정한 경우 '즉시'라는 표현은 명확성의 원칙에 반한다.
② '아동의 덕성을 심히 해할 우려가 있는 도서, 간행물, 광고물 기타 내용물의 제작 등의 행위'를 금지하고 이를 위반하는 자를 처벌하는 구 아동복지법 제18조 제11호, 제34조 제4호는 명확성의 원칙에 반한다.
③ 형법 제243조, 제244조에서 규정한 '음란'의 규정은 명확성의 원칙에 반하지 않는다.
④ "계간 기타 추행한 자는 1년 이하의 징역에 처한다."라고 규정한 군형법 제92조 중 '기타 추행' 부분은 명확성의 원칙에 반하지 않는다.

07 다음은 유추해석금지의 원칙에 관련된 판례이다. 옳은 것은? (다툼이 있으면 판례에 의함)

① 저작권법 제98조 제1호(개정 이전) 소정의 권리침해태양인 '복제·공연·방송·전시 등'에 '배포'행위가 포함된다는 해석은 유추해석금지의 원칙에 반하지 않는다.
② '화상채팅 서비스'가 청소년 보호법 제8조 등에 의한 구 청소년보호위원회 고시에서 규정하는 '불건전 전화 서비스 등'에 포함된다고 해석하는 것은 죄형법정주의에 의하여 금지되는 확장해석 내지 유추해석에 해당한다.
③ 외국환관리법상의 추징은 관세법상의 추징과는 그 조문의 규정 내용과 형식이 모두 다르므로 외국환관리법 위반의 경우에까지 공동연대추징의 유추해석을 도출하는 것은 죄형법정주의의 원칙에 위배된다.
④ 형벌법규인 축산물가공처리법의 '수축' 중의 하나인 '양'의 개념 속에 '염소'가 당연히 포함되는 것으로 해석할 수는 없다.

08 유추해석금지의 원칙에 관한 판례의 설명으로 옳지 않은 것은?

① 형벌법규의 해석에서 위법성 및 책임의 조각사유나 소추조건 또는 처벌조각사유인 형 면제사유에 관하여 그 범위를 제한적으로 유추적용하게 되면 행위자의 가벌성 범위는 축소된다.

② 견인료납부를 요구하는 교통관리 직원을 승용차 앞범퍼 부분으로 들이받아 폭행한 행위를 폭력행위 등 처벌에 관한 법률 제3조 제1항의 ‘위험한 물건을 휴대한 행위’로 처벌하는 것은 유추해석금지의 원칙에 반하지 않는다.

③ 자신의 뇌물수수 혐의에 대한 결백을 주장하기 위하여 제3자로부터 사건 관련자들이 주고받은 이메일 출력물을 교부받아 징계위원회에 제출한 행위를 ‘정보통신망에 의하여 처리 · 보관 또는 전송되는 타인의 비밀’인 이메일의 내용을 누설하는 행위에 해당한다고 보는 것은 죄형법정주의에 반하는 확장해석이라고 할 수 없다.

④ “약국개설자가 아니면 의약품을 판매하거나 판매목적으로 취득할 수 없다.”라고 규정한 구 약사법 제44조 제1항의 ‘판매’에 무상으로 의약품을 양도하는 ‘수여’를 포함하는 해석은 죄형법정주의에 위배되지 아니한다.

09 유추해석금지의 원칙에 관한 판례의 태도로 옳지 않은 것은?

① 일반음식점 영업자인 피고인이 주로 술과 안주를 판매함으로써 구 식품위생법상 준수사항을 위반하였다는 내용으로 기소된 사안에서 준수사항 중 ‘주류만을 판매하는 행위’에 안주류와 함께 주로 주류를 판매하는 행위도 포함된다고 해석하는 것은 죄형법정주의에 위배된다.

② 초병이 하자 있는 의사에 의하여 총기를 편취당한 경우를 군용물분실죄의 분실에 해당한다고 해석하는 것은 죄형법정주의에 위배된다.

③ 식품판매자가 식품을 판매하면서 특정 구매자에게 그 식품이 질병의 치료에 효능이 있다고 설명하고 상담한 행위는 구 식품위생법 제13조 제1항에서 금지하는 ‘식품에 관하여 의약품과 혼동할 우려가 있는 광고’에 해당한다고 보는 것은 죄형법정주의에 위배되지 아니한다.

④ 구 전자금융거래법상 금지 · 처벌의 대상인 ‘접근매체의 양도’에 단순히 접근매체를 빌려 주거나 일시적으로 사용하게 하는 행위가 포함된다고 해석하는 것은 죄형법정주의에 위배된다.

10 유추해석금지의 원칙에 관한 판례의 설명 중 옳지 않은 것은?

① 부작용이 있는 건강보조제를 비만치료에 효력이 있다고 판매하고 설사증세 등에 관하여 상담하는 것을 무면허의료행위에 포함하는 것은 죄형법정주의에 반하지 않는다.

② 쏘아 올리는 꽃불류의 사용에서의 ‘사용’에 꽃불류의 설치행위까지 포함한다고 해석한 경우 죄형법정주의에 반하지 않는다.

③ 형사처벌되는 미등록 주택건설사업의 기준이 단독주택 20호, 공동주택 20세대로 규정되어 있는데, 각 기준에는 미달하지만 단독주택과 공동주택을 ‘합하여’ 20호(또는 세대) 이상이 되는 경우까지 위 규정을 적용하는 경우 죄형법정주의에 반한다.

④ 어떤 단체가 특정 후보자를 지지 · 추천하는지 여부를 공직선거법 제250조 제1항에 규정한 허위사실공표죄에서 말하는 ‘경력’에 포함된다고 해석하는 것은 죄형법정주의에 반하지 않는다.

형사법 2회 모의고사

01 형법의 시간적 적용범위에 관한 설명 중 가장 적절하지 않은 것은? (다툼이 있으면 판례에 의함)

① 범죄 후 여러 차례 법률이 변경되어 행위시법과 재판시법 사이에 중간시법이 있는 경우 그 중 가장 형이 경한 법률을 적용해야 한다.
② 범죄 후 법률의 변경에 의하여 형이 구법보다 경한 때에는 신법에 의한다고 규정하고 있으나 신법에 경과규정을 두어 이러한 신법의 적용을 배제하는 것도 허용된다.
③ 범죄 후 법률의 개정에 의하여 법정형이 가벼워진 경우라도 공소시효의 특성상 범죄시에 적용되었던 구법의 법정형이 공소시효기간의 기준이 된다.
④ '범죄의 성립과 처벌은 행위 시의 법률에 의한다(형법 제1조 제1항)'고 할 때의 '행위 시'라 함은 범죄행위의 종료 시를 의미한다.

02 「형법」의 적용범위에 대한 설명으로 가장 적절하지 않은 것은? (다툼이 있는 경우 판례에 의함)

① 외국인 甲이 대한민국 영역 외에서 대한민국 국민의 법익이 직접적으로 침해되는 결과를 야기하는 범죄를 범한 경우에도 대한민국 「형법」을 적용할 수 있다.
② 한국인 乙이 외국에서 미결구금되었다가 무죄판결을 받은 경우 그 미결구금일수는 국내에서 동일한 행위로 인하여 선고받은 형에 산입하여야 한다.
③ 한국인 丙이 도박죄를 처벌하지 않는 외국 카지노에서 도박을 한 경우에도 대한민국 「형법」을 적용할 수 있다.
④ 외국인 丁이 외국에서 서울지방경찰청장 명의의 운전면허증을 위조한 경우에도 대한민국 「형법」을 적용할 수 있다.

03 형법의 적용범위에 대한 설명 중 가장 적절하지 않은 것은? (다툼이 있는 경우 판례에 의함)

① 포괄일죄로 되는 개개의 범죄행위가 법 개정의 전후에 걸쳐서 행하여진 경우에는 신·구법의 법정형에 대한 경중을 비교하여 볼 필요도 없이 범죄 실행 종료시의 법이라고 할 수 있는 신법을 적용하여 포괄일죄로 처단하여야 한다.
② 범죄 후 법률의 변경에 의하여 형이 구법보다 가벼운 때에는 원칙적으로 신법에 따라야 하므로, 신법에 경과규정을 두어 이러한 신법의 적용을 배제하는 것도 허용되지 않는 것으로서, 형을 종전보다 가볍게 형벌법규를 개정하면서 그 부칙에서 개정된 법의 시행 전의 범죄에 대하여는 종전의 형벌법규를 적용하도록 규정하였다면 신법우선의 원칙에 반한다.
③ 한국인 甲이 도박이 허용되는 외국의 카지노에서 도박을 한 경우 형법 제3조 속인주의 원칙에 따라 대한민국 형법이 적용된다.
④ 중국인 甲이 중국 북경시에 소재한 대한민국 영사관에서 A명의의 여권발급신청서를 위조한 경우 외국인의 국외범에 해당하므로 대한민국 형법이 적용되지 않는다.

04 법인의 범죄능력과 양벌규정에 대한 설명으로 가장 적절하지 않은 것은? (다툼이 있는 경우 판례에 의함)

① 법인이 처리할 의무를 지는 타인의 사무에 관하여는 법인이 배임죄의 주체가 될 수는 없고 그 법인을 대표하여 사무를 처리하는 자연인인 대표기관이 바로 타인의 사무를 처리하는 자 즉 배임죄의 주체가 된다.
② 형벌의 자기책임원칙에 비추어 볼 때 양벌규정은 법인이 사용인 등에 의하여 위반행위가 발생한 그 업무와 관련하여 상당한 주의 또는 관리감독 의무를 게을리한 때에 한하여 적용된다.
③ 양벌규정이 있는 경우에도 당해 양벌규정에 법인격 없는 사단이 명시되어 있지 않은 경우라면 법인격 없는 사단에 양벌규정을 적용할 수 없다.

④ 지방자치단체라도 국가로부터 위임받은 기관위임사무가 아니라 그 고유의 자치사무를 처리하는 경우에는 국가기관의 일부가 아니라 국가기관과는 별도로 독립한 공법인으로서 양벌규정에 의한 처벌대상이 되는 법인에 해당하지 않는다.

05 법인의 범죄능력과 양벌규정에 대한 설명 중 가장 적절한 것은? (다툼이 있는 경우 판례에 의함)

① 합병으로 인하여 소멸한 법인이 그 종업원 등의 위법행위에 대해 양벌규정에 따라 부담하던 형사책임은 합병으로 인하여 존속하는 법인에 승계된다.

② 양벌규정에 의해서 법인 또는 영업주를 처벌하는 경우 그 처벌은 직접 법률을 위반한 행위자에 대한 처벌에 종속하므로 행위자에 대한 처벌은 법인 또는 개인에 대한 처벌의 전제조건이 된다.

③ 회사 대표자의 위반행위에 대하여 징역형의 형량을 작량감경하고 병과하는 벌금형에 대하여 선고유예를 하였다면 양벌규정에 따라 그 회사를 처단함에 있어서도 같은 조치를 취하여야 한다.

④ 지입차주가 세무관서에 독립된 사업자등록을 하고 지입된 차량을 직접 운행·관리하면서 그 명의로 운송계약을 체결하였다고 하더라도, 지입차주는 객관적으로나 외형상으로나 그 차량의 소유자인 지입회사와의 위탁계약에 의하여 그 위임을 받아 운행·관리를 대행하는 지위에 있는 자로서 구 「도로법」 제100조 제1항에서 정한 대리인·사용인 그 밖의 종업원에 해당한다.

06 범죄의 종류에 대한 설명으로 가장 적절하지 않은 것은? (다툼이 있는 경우 다수설에 의함)

① 구체적 위험범은 법익침해의 현실적 위험이 야기된 경우에 구성요건이 충족되는 범죄를 말한다.

② 부진정신분범은 신분으로 인하여 형이 가중·감경되는 범죄이다.

③ 상태범은 기수와 범죄행위의 종료 시, 범죄행위의 종료시와 위법상태의 종료 시가 모두 일치한다.

④ 거동범의 예로는 폭행죄, 주거침입죄가 있다.

07 계속범에 대한 설명으로 가장 적절한 것은? (다툼이 있는 경우 판례에 의함)

① 「형법」 제276조 제1항의 체포죄는 일시적으로 신체의 자유를 박탈하는 것으로서 계속범이 아니다.

② 계속범에 있어 공소시효의 기산점은 범행의 종료시점이 아니라 기수시점이다.

③ 일반적으로 계속범의 경우 실행행위가 종료되는 시점에서의 법률이 적용되어야 할 것이나, 법률이 개정되면서 그 부칙에서 '개정된 법 시행 전의 행위에 대한 벌칙의 적용에 있어서는 종전의 규정에 의한다'는 경과규정을 두고 있는 경우 개정된 법이 시행되기 전의 행위에 대해서는 개정 전의 법을, 그 이후의 행위에 대해서는 개정된 법을 각각 적용하여야 한다.

④ 「형법」 제185조의 일반교통방해죄에 있어 교통방해 행위는 계속범이 아닌 즉시범의 성질을 가진다.

08 형법상 부작위범에 관한 설명 중 가장 적절하지 않은 것은? (다툼이 있는 경우 판례에 의함)

① 피고인이 조카인 피해자(10세)를 살해할 것을 마음먹고 저수지로 데리고 가서 미끄러지기 쉬운 제방 쪽으로 유인하여 함께 걷다가 피해자가 물에 빠지자 그를 구호하지 아니하여 피해자를 익사하게 한 경우 피고인에게는 부작위에 의한 살인죄가 성립한다.

② 일반 거래의 경험칙상 상대방이 그 사실을 알았다면 당해 법률행위를 하지 않았을 것이 명백한 경우에는 신의칙에 비추어 그 사실을 고지할 법률상 의무가 인정된다.

③ 구 도로교통법 제50조의 교통사고 운전자의 사상자 구호조치의무는 위법한 선행행위의 경우에만 작위의무를 인정한 것이라고 할 수 있다.

④ 의사 甲이 특정시술을 받으면 아들을 낳을 수 있을 것이라는 착오에 빠져있는 피해자들에게 그 시술의 효과와 원리에 관하여 사실대로 고지하지 아니한 채 아들을 낳을 수 있는 시술인 것처럼 가장하여 일련의 시술과 처방을 행한 경우 부작위에 의한 사기죄가 성립한다.

09 부작위범에 대한 설명 중 가장 적절하지 않은 것은? (다툼이 있는 경우 판례에 의함)

① 부작위범에 대한 교사는 가능하지만, 부작위에 의한 교사는 불가능하다.
② 부진정부작위범은 작위범에 비해 불법의 정도가 가벼우므로 「형법」 제18조에 의하여 형을 감경할 수 있도록 규정하고 있다.
③ 진정부작위범 사이의 공동정범은 다수의 부작위범에게 공통된 의무가 부여되어 있고 그 의무를 공통으로 이행할 수 있을 때에만 성립한다.
④ 의사 甲이 특정시술을 받으면 아들을 낳을 수 있을 것이라는 착오에 빠져있는 피해자들에게 그 시술의 효과와 원리에 관하여 사실대로 고지하지 아니한 채 아들을 낳을 수 있는 시술인 것처럼 가장하여 일련의 시술과 처방을 한 경우 부작위에 의한 사기죄가 성립한다.

10 부작위범에 관한 설명 중 가장 적절하지 않은 것은? (다툼이 있는 경우 판례에 의함)

① 진정부작위범과 부진정부작위범의 구별에 관한 학설 중 실질설은 거동범에 대하여는 부진정부작위범이 성립할 여지가 없다고 보는 반면에, 형식설은 결과범은 물론 거동범에 대하여도 부진정부작위범이 성립할 수 있다고 본다.
② 부작위에 의한 방조범이 보증인 지위에 있는 자로 한정되는 반면, 부작위범에 대한 교사범은 보증인 지위에 있는 자로 한정되지 않는다.
③ 보증인 지위와 보증인의무를 모두 부진정부작위범의 구성요건요소로 이해하는 견해에 따르면 부진정부작위범의 구성요건해당성이 지나치게 확대된다.
④ 하나의 행위가 작위범과 부작위범의 구성요건을 동시에 충족하는 경우도 있다.

형사법 3회 모의고사

01 인과관계에 관한 설명 중 가장 적절하지 않은 것은? (다툼이 있으면 판례에 의함)

① 임산부를 강타한 것이 그 이후 낙태로 이어지고, 그에 따른 심근경색으로 임산부가 사망한 경우 피고인의 구타행위와 피해자의 사망 사이에는 인과관계가 인정된다.

② 임차인이 자신의 비용으로 설치·사용하던 가스설비의 휴즈콕크를 아무런 조치 없이 제거하고 이사를 간 후 주밸브가 열려져 가스가 유입되어 폭발사고가 발생한 경우 임차인의 과실과 가스폭발사고 사이에 상당인과관계가 인정되지 않는다.

③ 피고인들이 공동으로 피해자를 폭행하여 당구장 3층에 있는 화장실에 숨어 있던 피해자를 다시 폭행하려고 피고인 甲은 화장실을 지키고, 피고인 乙은 당구큐대로 화장실 문을 내리쳐 부수자 위협을 느낀 피해자가 화장실 창문 밖으로 숨으려다가 실족하여 떨어짐으로써 사망한 경우 피고인들의 위 폭행행위와 피해자 사망 사이에는 인과관계가 인정된다.

④ 운전자가 상당한 거리에서 보행자의 무단횡단을 미리 예상할 수 없는 야간에 고속도로를 무단횡단하는 보행자를 충격하여 사망에 이르게 한 운전자의 과실과 사고 사이에는 상당인과관계가 인정되지 않는다.

02 인과관계에 대한 설명이다. 아래 ㉠부터 ㉣까지의 설명 중 옳고 그름의 표시(○, ×)가 바르게 된 것은? (다툼이 있는 경우 판례에 의함)

> ㉠ 행위가 결과를 발생하게 한 유일하거나 직접적인 원인이 된 경우만이 아니라, 그 행위와 결과 사이에 피해자나 제3자의 과실 등 다른 사실이 개재된 때에도 그와 같은 사실이 통상 예견될 수 있는 것이라면 상당인과관계를 인정할 수 있다.
> ㉡ 피고인이 자동차를 운전하다 횡단보도를 건던 보행자 갑을 들이받아 그 충격으로 횡단보도 밖에서 갑과 동행하던 피해자 을이 밀려 넘어져 상해를 입은 경우, 피고인의 운전과 을의 상해 사이에는 인과관계가 부정된다.
> ㉢ 「아동·청소년의 성보호에 관한 법률」 제7조 제5항의 미성년자에 대한 위계간음죄에 있어 위계와 간음행위 사이의 인과관계를 판단함에 있어서는 일반적·평균적 판단능력을 갖춘 성인 또는 충분한 보호와 교육을 받은 또래의 시각에서 인과관계를 판단하여야 하며, 구체적인 범행상황에 놓인 피해자의 입장과 관점을 고려할 것은 아니다.
> ㉣ 강간을 당한 피해자가 집에 돌아가 음독자살하기에 이르른 원인이 강간을 당함으로 인하여 생긴 수치심과 장래에 대한 절망감 등에 있었다면 그 자살행위가 바로 강간행위로 인하여 생긴 당연의 결과라고 볼 수 있으므로 강간행위와 피해자의 자살행위 사이에 인과관계를 인정할 수 있다.

	㉠	㉡	㉢	㉣
①	㉠ (○)	㉡ (○)	㉢ (×)	㉣ (○)
②	㉠ (○)	㉡ (×)	㉢ (○)	㉣ (×)
③	㉠ (○)	㉡ (×)	㉢ (×)	㉣ (×)
④	㉠ (×)	㉡ (○)	㉢ (○)	㉣ (○)

03 인과관계에 대한 설명 중 옳은 것을 모두 고른 것은? (다툼이 있는 경우 판례에 의함)

㉠ 의사가 설명의무를 위반한 채 의료행위를 하여 피해자에게 상해가 발생하였다고 하더라도, 업무상 과실로 인한 형사책임을 지기 위해서는 피해자의 상해와 의사의 설명의무 위반 내지 승낙취득 과정의 잘못 사이에 상당인과관계가 존재하여야 한다.
㉡ 살인의 실행행위가 피해자의 사망이라는 결과를 발생하게 한 유일한 원인일 필요는 없으나 직접적인 원인이어야만 하므로, 살인의 실행행위와 피해자의 사망 사이에 다른사실이 개재되어 그 사실이 치사의 직접적인 원인이 되었다면, 그와 같은 사실이 통상 예견할 수 있는지를 불문하고 살인의 실행행위와 피해자의 사망 사이에 인과관계가 있는 것으로 보아야 한다.
㉢ 폭행 또는 협박으로 타인의 재물을 강취하려는 행위와 이에 극도의 흥분을 느끼고 공포심에 사로잡혀 이를 피하려다 상해에 이르게 된 사실과는 상당인과관계가 인정될 수 없으므로, 이 경우 강취 행위자가 상해의 결과 발생을 예견할 수 있었다고 하더라도 이를 강도치상죄로 다스릴 수 없다.
㉣ 피고인이 칼로 찌른 행위가 피해자를 사망하게 한 직접적 원인은 아니었다 하더라도 이로부터 발생된 다른 간접적 원인이 결합되어 사망의 결과를 발생하게 한 경우 그 행위와 사망 간에는 인과관계가 있다.

① ㉠, ㉡ ② ㉠, ㉣
③ ㉡, ㉢ ④ ㉢, ㉣

04 고의에 대한 설명으로 가장 적절하지 않은 것은? (다툼이 있는 경우 판례에 의함)

① 행위자가 범죄사실이 발생할 가능성을 용인하고 있었는지의 여부는 행위자의 진술에 의존하지 아니하고 외부에 나타난 행위의 형태와 행위의 상황 등 구체적인 사정을 기초로 하여 일반인이라면 당해 범죄사실이 발생할 가능성을 어떻게 평가할 것인가를 고려하면서 일반인의 입장에서 그 심리상태를 추인하여야 한다.
② 절도죄에 있어서 재물의 타인성을 오신하여 그 재물이 자기에게 취득할 것이 허용된 동일한 물건으로 오인하고 가져온 경우에는 범죄사실에 대한 인식이 있다고 할 수 없으므로 고의가 인정되지 않는다.
③ 불미스러운 소문의 진위를 확인하고자 질문을 하는 과정에서 타인의 명예를 훼손하는 발언을 한 경우에는 그 동기에 비추어 명예훼손의 고의를 인정하기 어렵다.
④ 부진정 부작위범의 고의는 반드시 구성요건적 결과발생에 대한 목적이나 계획적인 범행 의도가 있어야 하는 것은 아니고 법익침해의 결과발생을 방지할 법적 작위의무를 가지고 있는 사람이 의무를 이행함으로써 결과발생을 쉽게 방지할 수 있었음을 예견하고도 결과발생을 용인하고 이를 방관한 채 의무를 이행하지 아니한다는 인식을 하면 족하다.

05 다음 중 고의의 인식대상을 모두 고른 것은? (다툼이 있는 경우 판례에 의함)

㉠ 수뢰죄에 있어서 공무원이라는 신분
㉡ 사전수뢰죄에 있어서 공무원 또는 중재인이 된 사실
㉢ 친족상도례가 적용되는 범죄에 있어서 친족관계
㉣ 특수폭행죄에 있어서 위험한 물건을 휴대한다는 사실
㉤ 친고죄에 있어서 피해자의 고소

① ㉠, ㉣ ② ㉡, ㉢
③ ㉠, ㉣, ㉤ ④ ㉡, ㉢, ㉤

06 고의(범의)에 관한 설명 중 가장 적절하지 않은 것은? (다툼이 있으면 판례에 의함)

① 어부인 피고인들이 어로저지선을 넘어 어업을 하였다고 하더라도 북괴경비정이 출현하는 경우 납치되어 가더라도 좋다고 생각하면서 어로저지선을 넘어서 어로작업을 한 것이 아니라면 북괴집단의 구성원들과 회합이 있을 것이라는 미필적 고의가 있었다고 단정할 수 없다.
② 전당포영업자가 보석들을 전당잡으면서 인도받을 당시 장물인 정을 몰랐다가 그 후 장물일지도 모른다고 의심하면서 소유권포기각서를 받은 경우 장물취득죄에 해당하지 않는다.
③ 공무집행방해죄에 있어서의 범의는 상대방이 직무를 집행하는 공무원이라는 사실, 그리고 이에 대하여 폭행 또는 협박을 한다는 사실을 인식하는 것을 그 내용으로 하며, 그 직무집행을 방해할 의사를 필요로 하지 아니한다.
④ 이미 적성검사 미필로 면허가 취소된 전력이 있는데도 면허증에 기재된 유효기간이 5년 이상 지나도록 적성검사를 받지 아니한 채 자동차를 운전하였다 하더라도 적성검사 미필로 인한 운전면허 취소사실이 통지되지 아니하고 공고되었다면 운전자가 면허취소 사실을 알고 있었다고 보기 어려우므로 무면허운전죄가 성립하지 않는다.

07 사실의 착오에 대한 설명으로 가장 적절하지 않은 것은?

① 甲이 상해의 고의로 乙을 향해 돌을 던졌으나 빗나가서 옆에 있던 丙이 맞은 경우, 법정적 부합설에 따르면 丙에 대한 상해기수죄가 성립한다.
② 甲이 乙을 살해할 의사로 乙의 물병에 독약을 탔으나 乙의 개가 이 물을 마시고 죽은 경우 구체적 부합설에 따르면 살인미수죄와 손괴죄의 상상적 경합이 성립한다.
③ 甲이 丙을 乙로 오인하고 살해하려고 총을 쏘아 丙이 사망한 경우에 구체적 부합설과 법정적 부합설의 결론은 동일하다.
④ 甲이 손괴의 고의로 乙의 집 창문을 향해 돌을 던졌는데 빗나가서 옆에 있던 丙에게 상해를 입힌 경우 구체적 부합설에 따르면 손괴미수죄와 과실치상죄의 상상적 경합이 성립한다.

08 사실의 착오에 대한 설명 중 가장 적절하지 않은 것은? (다툼이 있는 경우 판례에 의함)

① 甲이 형 A를 살해하기 위하여 집에 들어가 칼로 찔렀는데, 아버지 B를 A로 오인하고 살해한 경우 판례에 따르면 A에 대한 살인미수죄와 B에 대한 존속살해죄의 상상적 경합이 된다.
② 甲이 A를 살해하기 위하여 A의 집안에 독극물이 든 음료수를 두었는데, 예상과 달리 놀러 온 친구 B가 이를 마시고 사망한 경우 판례에 따르면 B에 대한 살인죄가 성립한다.
③ 甲이 상해의 고의로 A를 향해 돌을 던졌으나 빗나가는 바람에 옆에 있던 B가 맞아 상해를 입은 경우 구체적 부합설에 따르면 A에 대한 상해미수죄와 B에 대한 과실치상죄의 상상적 경합이 된다.
④ 甲은 자신을 괴롭히는 직장동료 A를 상해하기 위하여 늦은 밤 퇴근하는 A의 무릎을 몽둥이로 강타하였는데, 알고 보니 외모가 비슷한 B가 맞아 상해를 입은 경우 법정적 부합설에 따르면 B에 대한 상해죄가 성립한다.

09 다음 사례에 대한 설명으로 가장 적절하지 않은 것은? (형법 이외에 특별법의 적용은 고려하지 않음)

> 갑은 A가 키우는 강아지가 시끄럽게 짖자, A의 강아지를 죽이기 위해 소지하던 엽총을 발사하였다. 하지만 총알이 빗나가 강아지가 아닌 A가 맞아 현장에서 사망하였다.

① 사례는 구성요건적 착오(사실의 착오)의 문제로 추상적 사실의 착오 중 방법의 착오에 해당한다.
② 사례에 있어 법정적 부합설과 추상적 부합설의 결론은 동일하다.
③ 구체적 부합설에 의하면 강아지에 대한 손괴미수죄와 A에 대한 과실치사죄의 상상적 경합이 성립한다.
④ 만약 갑이 A의 부인을 쏘려고 하였으나 빗나가 A가 맞고 사망했다면, 판례는 갑에게 A에 대한 살인죄의 성립을 긍정한다.

10 다음 사례에 대한 설명으로 적절한 것을 모두 고른 것은?

> 사 례
>
> 甲은 A를 살해하기 위하여 돌멩이로 A의 머리를 내리쳐서(제1 행위) A가 정신을 잃고 쓰러지자 그가 사망한 것으로 오인하고 증거를 인멸할 목적으로 A를 그곳에서 150m 떨어진 개울가로 끌고 가 웅덩이를 파고 A를 매장하였는데(제2 행위), A는 제1 행위가 아닌 제2 행위로 인하여 질식사하였다.

> ㉠ 판례는 전과정을 개괄적으로 보면 피해자의 살해라는 처음에 예견된 사실이 결국은 실현된 것으로 본다.
> ㉡ 甲이 증거를 인멸할 목적으로 A를 매장하였더라도 증거인멸죄는 성립하지 않는다.
> ㉢ 판례는 각 행위의 독립적 성격을 강조하여 살인미수죄와 과실치사죄의 실체적 경합범을 인정한다.
> ㉣ 위와 유사한 사례에서 판례는 상해의 고의로 구타하여 피해자가 정신을 잃고 빈사상태에 빠지자(제1 행위) 사망한 것으로 오인하고 자신의 행위를 은폐하기 위하여 피해자를 베란다 아래로 떨어뜨려 사망하게 한 경우(제2 행위), 그 행위들을 포괄하여 단일의 살인죄에 해당한다고 본다.

① ㉠, ㉡ ② ㉠, ㉡, ㉢
③ ㉠, ㉡, ㉣ ④ ㉡, ㉢, ㉣

형사법 4회 모의고사

01 과실에 관한 설명 중 가장 적절하지 않은 것은? (다툼이 있으면 판례에 의함)

① 차량의 운전자가 횡단보도의 신호가 적색인 상태에서 반대 차선상에 정지하여 있는 차량의 뒤로 보행자가 건너오는 사태를 예상하여야 할 주의의무가 없다.
② 술을 마시고 찜질방에 들어온 甲이 찜질방 직원 몰래 후문으로 나가 술을 더 마신 다음 후문으로 다시 들어와 발한실에서 잠을 자다가 사망한 경우 찜질방 직원 및 영업주에게 몰래 후문으로 출입하는 모든 자를 통제・관리하여야 할 업무상 주의의무가 있다고 보기 어렵다.
③ 의사 甲이 간호사에게 환자에 대한 수혈을 맡겼는데, 간호사가 다른 환자에게 수혈할 혈액을 당해 환자에게 잘못 수혈하여 환자가 사망한 경우 甲의 행위를 과실범으로 처벌할 수 있다.
④ 골프경기 중 골프공을 쳐서 아무도 예상하지 못한 자신의 등 뒤편으로 보내어 등 뒤에 있던 경기보조원(캐디)이 상해를 입은 경우에는 주의의무를 위반한 것으로 볼 수 없으므로 과실치상죄가 성립하지 않는다.

02 과실범에 관한 설명 중 가장 적절한 것은? (다툼이 있는 경우 판례에 의함)

① 의료과오사건에서 의사의 과실 유무를 판단할 때에는 동일 업종에 종사하는 일반적 보통인의 주의정도를 표준으로 하고, 사고 당시의 일반적인 의학수준과 의료환경 및 조건 등을 고려하여야 한다.
② 형법 제10조 제3항(원인에 있어서 자유로운 행위)은 고의에 의한 원인에 있어서의 자유로운 행위만을 규정하며, 과실에 의한 원인에 있어서의 자유로운 행위까지 포함하는 것은 아니다.
③ 교량붕괴 사고와 관련하여, 건설업자 甲과 이를 감독하는 공무원 乙 및 완공된 교량의 관리를 담당하는 공무원 丙의 과실이 서로 합쳐져 교량이 붕괴된 사실이 인정되더라도 과실범의 공동정범이 성립되지 않는다.
④ 택시운전기사가 심야에 밀집된 주택 사이의 좁은 골목길이자 직각으로 구부러져 가파른 비탈길의 내리막에서 그다지 속도를 줄이지 않고 진행하다가 내리막에 누워 있던 피해자의 몸통 부위를 택시 바퀴로 역과하여 그 자리에서 사망에 이르게 한 경우 그에게 업무상 주의의무 위반을 인정할 수 없다.

03 과실범에 관한 설명 중 가장 적절하지 않은 것은? (다툼이 있는 경우 판례에 의함)

① 공동정범은 고의범이나 과실범을 불문하고 의사의 연결이 있는 경우이면 그 성립을 인정할 수 있다.
② 고속국도를 주행하는 차량의 운전자는 도로 양측에 휴게소가 있다 하더라도 동 도로상에 보행자가 있을 것을 예상하여 감속 등 조치를 할 주의의무는 없다.
③ 술을 마시고 찜질방에 들어온 甲이 찜질방 직원 몰래 후문으로 나가 술을 더 마신 다음 후문으로 다시 들어와 발한실(發汗室)에서 잠을 자다가 사망한 경우 찜질방 직원 및 영업주에게 몰래 후문으로 출입하는 모든 자를 통제・관리하여야 할 업무상 주의의무가 있다고 보기 어렵다.
④ 과실일수죄는 형법상 처벌규정이 있으나 과실교통방해죄는 형법상 처벌규정이 없다.

04 과실범에 관한 다음 설명 중 가장 적절하지 않은 것은? (다툼이 있는 경우 판례에 의함)

① 현행 형법에는 과실범의 미수를 처벌하는 규정이 없다.
② 형법 제10조 제3항(원인에 있어서 자유로운 행위)은 고의에 의한 원인에 있어서의 자유로운 행위만을 규정하며, 과실에 의한 원인에 있어서의 자유로운 행위까지 포함하는 것은 아니다.
③ 폭발물사용죄는 과실범 처벌규정이 없으나, 폭발성물건파열죄는 과실범 처벌규정이 있다.
④ 업무상과실장물취득죄는 단순과실장물취득죄보다 형이 가중되는 가중적 구성요건이 아니며 부진정신분범이 아니다.

05 과실범에 관한 설명 중 가장 적절하지 않은 것은? (다툼이 있는 경우 판례에 의함)

① 형법상 과실범의 미수를 처벌하는 규정은 존재하지 않는다.

② 행정상의 단속을 주 내용으로 하는 법규라고 하더라도 '명문규정이 있거나 해석상 과실범도 벌할 뜻이 명확한 경우'를 제외하고는 형법의 원칙에 따라 고의가 있어야 벌할 수 있다.

③ 공사현장 감독인이 공사의 발주자에 의하여 현장감독에 임명된 것이 아니고, 건설업법상 요구되는 현장건설기술자의 자격도 없다면 업무상 과실책임을 물을 수 없다.

④ 택시운전기사가 심야에 밀집된 주택 사이의 좁은 골목길이자 직각으로 구부러져 가파른 비탈길의 내리막에서 그다지 속도를 줄이지 않고 진행하다가 내리막에 누워 있던 피해자의 몸통 부위를 택시 바퀴로 역과하여 그 자리에서 사망에 이르게 한 경우 그에게 업무상 주의의무 위반을 인정할 수 있다.

06 교통사고와 의료사고에 대한 설명으로 가장 적절하지 않은 것은? (다툼이 있는 경우 판례에 의함)

① 비가 내려 노면이 미끄러운 고속도로의 주행선을 진행하던 추월선상의 A 차량이 갑자기 甲의 차선으로 들어왔고, 甲이 A 차량을 피하다가 빗길에 미끄러져 중앙분리대를 넘어가 반대편 추월선상의 B 차량과 충돌하여, B 차량의 운전자가 사망하였다면 甲의 업무상 과실이 인정되지 않는다.

② 야간 당직간호사가 담당 환자의 심근경색 증상을 당직의사에게 제대로 보고하지 않아 당직의사가 필요한 조치를 취하지 못한 채 환자가 사망한 경우, 당직간호사에게 업무상 과실이 인정된다.

③ 피해자를 감시하도록 업무를 인계받지 않은 간호사 A가 자기 환자의 회복처치에 전념하고 있었다면 회복실에 다른 간호사가 남아 있지 않은 경우에도 회복실 내의 모든 환자에 대하여 적극적, 계속적으로 주시, 점검을 할 의무가 있다고 할 수 없다.

④ 교차로를 녹색등화에 따라 직진하는 차량의 운전자는 다른 차량이 신호를 위반하고 직진하는 차량의 앞을 가로질러 좌회전할 경우까지를 예상하여 그에 따른 사고발생을 미연에 방지할 업무상의 주의의무는 없다.

07 과실범에 대한 설명으로 가장 적절하지 않은 것은? (다툼이 있는 경우 판례에 의함)

① 골프 카트 운전자는 골프 카트 출발 전에 승객들에게 안전손잡이를 잡도록 고지하고 승객이 안전 손잡이를 잡은 것을 확인하고 출발하여야 할 업무상 주의의무가 있다.

② 의료사고에 있어서 의사의 과실 유무를 판단할 때에는 같은 업무와 직종에 종사하는 일반적 보통인의 주의 정도를 표준으로 하여야 하며, 이때 사고 당시의 일반적인 의학의 수준과 의료환경 및 조건, 의료행위의 특수성 등을 고려하여야 한다.

③ 도급인이 수급인에게 공사의 시공이나 개별 작업에 관하여 구체적으로 지시·감독하였더라도, 법령에 의하여 도급인에게 구체적인 관리·감독의무가 부여되어 있지 않다면 도급인에게는 수급인의 업무와 관련하여 사고방지에 필요한 안전조치를 해야 할 주의의무가 없다.

④ 교통이 빈번한 간선도로에서 횡단보도의 보행자 신호등이 적색으로 표시된 경우 운전자는 보행자가 동 적색신호를 무시하고 갑자기 뛰어나올 가능성에 대비하여 운전하여야 할 업무상 주의의무는 없다.

08 과실에 대한 설명으로 가장 적절한 것은? (다툼이 있는 경우 판례에 의함)

① 의료사고에서 의사에게 과실이 있다고 하기 위하여는 의사가 결과발생을 예견할 수 있고 또 회피할 수 있었는데도 이를 예견하지 못하거나 회피하지 못하였음이 인정되어야 하며, 과실의 유무를 판단할 때에는 구체적인 경우 당해 행위자가 기울일 수 있었던 주의정도를 표준으로 한다.

② 과실범에 관한 이른바 신뢰의 원칙은 상대방이 이미 비정상적인 행태를 보이고 있는 경우에는 적용될 여지가 없는 것이고, 이는 행위자가 경계의무를 게을리하는 바람에 상대방의 비정상적인 행태를 미리 인식하지 못한 경우에도 마찬가지이다.

③ 고속국도에서는 보행으로 통행, 횡단하거나 출입하는 것이 금지되어 있지만, 도로양측에 휴게소가 있는 경우에는 고속국도를 주행하는 차량의 운전자는 동 도로상에 보행자가 있음을 예상하여 감속 등 조치를 할 주의의무가 있다 할 것이다.

④ 피고인이 성냥불로 담배를 붙인 다음 그 성냥불이 꺼진 것을 확인하지 아니한 채 휴지가 들어 있는 플라스틱 휴지통에 던진 것으로는 「형법」 제171조 중실화죄에 있어 중대한 과실이 있는 경우에 해당한다고 할 수 없다.

09 과실범에 대한 설명으로 가장 적절한 것은? (다툼이 있는 경우 판례에 의함)

① 甲이 사업 당시 공사현장감독자이기는 하였으나 해당 공사의 발주자에 의하여 현장감독에 임명된 것이 아니고 구 「건설업법」상 요구되는 현장건설기술자의 자격도 없었다면, 비록 그의 현장감독 부주의로 인하여 근로자가 다쳤다고 하더라도 甲에게 업무상 과실책임을 물을 수 없다.

② 의사가 설명의무를 위반한 채 의료행위를 하였다가 환자에게 사망의 결과가 발생한 경우, 의사에게 업무상 과실로 인한 형사책임을 지우기 위하여 의사의 설명의무위반과 환자의 사망사이에 상당인과관계가 존재할 필요는 없다.

③ 의료사고에서 의사의 과실을 인정하기 위해서는 의사가 결과발생을 예견할 수 있었음에도 이를 예견하지 못하였고 결과발생을 회피할 수 있었음에도 이를 회피하지 못한 과실이 검토되어야 하고, 과실의 유무를 판단할 때에는 같은 업무와 직무에 종사하는 보통인의 주의정도를 표준으로 하여야 한다.

④ 법인 대표자의 법규위반행위에 대한 법인의 책임은 법인 자신의 법규위반행위로 평가될 수 있는 행위에 대한 법인의 직접책임으로서의 성격을 가지지만, 대표자의 과실에 의한 위반행위에 대하여는 법인 자신의 과실에 의한 책임이라고 할 수 없다.

10 인과관계에 관한 다음 설명 중 가장 적절하지 않은 것은? (다툼이 있는 경우 판례에 의함)

① 운전자가 차를 세워 시동을 끄고 1단 기어가 들어가 있는 상태에서 시동열쇠를 끼워 놓은 채 11세 남짓한 어린이를 조수석에 남겨두고 차에서 내려온 동안 동인이 시동열쇠를 돌리며 악셀레이터 페달을 밟아 차량이 진행하여 사고가 발생한 경우, 운전자의 과실은 사고 결과와 인과관계가 없다.

② 파도수영장에서 물놀이하던 초등학교 6학년생이 수영장 안에 엎어져있는 것을 수영장 안전요원이 발견하여 인공호흡을 실시한 뒤 의료기관에 후송하였으나 후송 도중 사망한 사고에 있어서 그 사망원인이 구체적으로 밝혀지지 아니한 경우, 수영장 안전요원과 수영장 관리책임자에게 업무상 주의의무를 게을리한 과실이 있다거나 그 주의의무 위반으로 인하여 피해자가 사망하였다고 볼 수 없다.

③ 피고인이 자동차를 운전하다 횡단보도를 걷던 보행자 甲을 들이받아 그 충격으로 횡단보도 밖에서 甲과 동행하던 피해자 乙이 밀려 넘어져 상해를 입은 경우, 피고인의 (구)도로교통법 제27조 제1항에 따른 주의의무를 위반하여 운전한 업무상 과실과 乙의 상해 사이에는 인과관계가 인정된다.

④ 선행과 후행 교통사고 중 어느 쪽이 원인이 되어 피해자가 사망에 이르게 되었는지 밝혀지지 않은 경우, 후행 교통사고를 일으킨 사람의 과실과 피해자의 사망 사이에 인과관계가 인정되기 위해서는 후행 교통사고를 일으킨 사람이 주의의무를 게을리하지 않았다면 피해자가 사망에 이르지 않았을 것이라는 사실이 증명되어야 한다.

형사법 5회 모의고사

01 죄형법정주의에 관한 설명 중 옳지 않은 것은? (다툼이 있으면 판례에 의함)

① 블로그 등 사적 인터넷 게시공간의 운영자가 게시공간에 게시된 이적표현물인 타인의 글을 삭제할 권한이 있는데도 이를 삭제하지 않고 그대로 둔 경우, 그 운영자의 행위를 「국가보안법」 제7조 제5항의 '소지'로 보는 것은 유추해석금지원칙에 반한다.

② 구 「특정 범죄자에 대한 위치추적 전자장치 부착 등에 관한 법률」 제5조 제1항 제3호에서 부착명령청구 요건으로 정한 '성폭력범죄를 2회 이상 범하여(유죄의 확정판결을 받은 경우를 포함한다)'에 '「소년법」에 의한 보호처분을 받은 전력'이 포함된다고 보는 것은 유추해석금지원칙에 반하지 않는다.

③ 「가정폭력범죄의 처벌 등에 관한 특례법」이 정한 사회봉사명령은 형사처벌 대신 부과되는 것으로서 가정폭력범죄를 범한 자에게 의무적 노동을 부과하고 여가시간을 박탈하여 실질적으로 신체적 자유를 제한하게 되므로, 이에 대해서는 형벌불소급원칙이 적용된다.

④ 구 「청소년의 성보호에 관한 법률」 제16조의 반의사불벌죄의 경우 성범죄의 피해자인 청소년에게 의사능력이 있는 이상, 그 청소년의 처벌희망 의사표시의 철회에 법정대리인의 동의가 필요하다고 보는 것은 유추해석금지원칙에 반한다.

02 다음 설명 중 가장 옳지 않은 것은? (다툼이 있으면 판례에 의함)

① 범죄가 성립하는지 여부는 행위가 종료되었을 때의 법률에 의한다.

② 포괄일죄 범행이 계속되는 사이 법률이 개정된 경우 행위가 종료된 때의 신법을 적용해야 하나, 신법 부칙에서 '이 법 시행 전의 행위에 대한 벌칙의 적용에 있어서는 종전의 규정에 따른다.'는 규정을 두었다면 구법을 적용해야 한다.

③ 포괄일죄로 되는 개개의 범죄행위가 법 개정의 전후에 걸쳐서 행하여진 경우에는 신・구법의 법정형에 대한 경중을 비교하여 볼 필요도 없이 범죄 실행 종료 시의 법인 신법을 적용하여 포괄일죄로 처단하여야 한다.

④ 범죄행위 시와 재판 시 사이 여러 번 법이 개정되어 형이 변경된 경우, 그중 가장 형이 가벼운 법을 적용해야 한다.

03 계속범에 관한 다음 설명 중 옳지 않은 것은? (다툼이 있으면 판례에 의함)

① 내란죄는 국토를 참절하거나 국헌을 문란할 목적으로 폭동한 행위로서, 다수인이 결합하여 위와 같은 목적으로 한 지방의 평온을 해할 정도의 폭행・협박행위를 하면 기수가 되고, 그 목적의 달성 여부는 이와 무관한 것으로 해석되므로, 다수인이 한 지방의 평온을 해할 정도의 폭동을 하였을 때 이미 내란의 구성요건은 완전히 충족된다고 할 것이어서 계속범이 아니라 상태범에 해당한다.

② 부설주차장을 주차장 외의 용도로 사용하여 주차장법을 위반한 죄는 계속범이므로, 종전의 용도 외 사용행위에 대하여 처벌받은 일이 있다고 하더라도, 그 후에도 계속하여 용도 외로 사용하고 있는 이상 종전 재판 후의 사용에 대하여 다시 처벌할 수 있다.

③ 계속범의 경우 실행행위가 종료되는 시점의 법률이 적용되어야 하므로, 법률이 개정되면서 그 부칙에 '개정된 법 시행 전의 행위에 대한 벌칙의 적용에 있어서는 종전의 규정에 의한다'는 경과규정을 두고 있는 경우에도 행위 전체에 대해 개정된 법을 적용하여야 한다.

④ 허가받지 아니한 업체와 건설폐기물의 처리를 위한 도급계약을 체결한 자가 무허가 건설폐기물 처리업체에 위탁하여 건설폐기물을 처리하는 행위를 처벌하는 법률이 신설된 후에도 그 도급계약에 따른 건설폐기물의 처리행위를 계속하였다면, 처벌규정 신설 후에 이루어진 무허가 처리업체에 의한 건설 폐기물의 위탁처리에 대하여 위 법률 조항이 적용된다.

04 부작위범에 대한 설명으로 옳은 것은? (다툼이 있으면 판례에 의함)

① 보증인 의무와 보증인 지위를 구별하는 이원설에 따르면, 보증인 의무에 대한 착오는 구성요건적 착오가 되고 보증인 지위에 대한 착오는 금지착오가 된다.
② 도로교통법 제54조와 같이 법령상 특별한 의무가 주어진 경우에는 위법하지 않은 선행행위로부터도 작위의무가 발생한다.
③ 작위의무는 법률에 근거를 둔 법적인 의무이어야 하므로 신의성실의 원칙이나 사회상규 혹은 조리상 작위의무가 기대되는 경우는 포함되지 않는다.
④ 과실에 의한 부진정부작위범의 성립은 불가능하지만 부작위범에 대한 과실에 의한 교사와 방조는 가능하다.

05 다음 중 인과관계가 인정되는 경우가 아닌 것은? (다툼이 있으면 판례에 의함)

① 자동차 운전자의 과실로 열차 건널목을 그대로 건너는 바람에 자동차와 열차가 충돌하였는데 자동차 왼쪽에서 열차가 지나가기를 기다리고 있던 피해자가 위 충돌사고로 놀라 넘어져 상해를 입은 경우, 자동차 운전자의 과실과 피해자가 입은 상해 간의 관계
② 임차인이 자신의 비용으로 설치·사용하던 가스설비의 휴즈콕크를 아무런 조치 없이 제거하고 이사를 간 후 주밸브가 열려져 가스가 유입되어 폭발사고가 발생한 경우, 임차인의 과실과 가스폭발사고 간의 관계
③ 건축자재인 철판 수백 장의 운반을 의뢰한 자가 절단면이 날카롭고 무거운 철판을 묶기에 매우 부적합한 폴리에스터 끈을 사용하여 철판 묶음 작업을 하는 등의 과실로 철판 쏠림 현상이 발생하였고, 이로 인하여 철판을 차에서 내리는 과정에서 철판이 쏟아져 내려 화물차 운전자가 사망한 경우, 운반 의뢰인의 과실과 화물차 운전자의 사망 간의 관계
④ 술을 마시고 찜질방에 들어온 甲이 찜질방 직원 몰래 후문으로 나가 술을 더 마신 다음 후문으로 다시 들어와 발한실에서 잠을 자다가 사망한 경우, 찜질방 직원 및 영업주가 통제·관리하지 않은 부분과 甲의 사망 간의 관계

06 고의에 대한 설명으로 옳지 않은 것은? (다툼이 있으면 판례에 의함)

① 살인예비죄가 성립하기 위해서는 살인죄를 범할 목적 외에도 살인의 준비에 관한 고의가 있어야 한다.
② 채권자가 채무자의 신용상태를 인식하고 있어 장래의 변제지체 또는 변제불능에 대한 위험을 예상하고 있거나 예상할 수 있었다면, 채무자가 구체적인 변제의사·변제능력·거래조건 등 거래 여부를 결정할 수 있는 중요한 사항을 허위로 말하였다는 등의 사정이 없는 한, 채무자가 그 후 제대로 변제하지 못하였다는 사실만 가지고 사기죄의 고의가 있었다고 단정할 수 없다.
③ 상해죄의 성립에는 상해의 원인인 폭행에 관한 인식이 있는 것으로 충분하지 않고 상해를 가할 의사의 존재가 필요하다.
④ 허위사실 적시에 의한 명예훼손죄 및 사자명예훼손죄는 미필적 고의에 의해서도 성립하므로 허위사실에 대한 인식은 확정적일 필요가 없다.

07 사실의 착오에 대한 설명으로 가장 적절한 것은?

① 甲이 A를 살해할 의사로 돌로 머리를 내리쳐 정신을 잃고 쓰러지자 A가 죽은 것으로 오인하고 죄적을 인멸하기 위해 A를 웅덩이에 묻었으나 사실은 A가 매장으로 인하여 질식사한 경우 판례에 따르면 甲에게 A에 대한 살인미수죄와 과실치사죄의 실체적 경합이 성립한다.
② 甲이 형 A를 살해하려고 기다리다가 아버지 B를 A로 오인하고 살해한 경우 판례에 따르면 甲에게 보통살인죄의 미수와 존속살해죄의 상상적 경합이 성립한다.

③ 甲이 형수 A를 살해하기 위하여 몽둥이를 휘둘렀으나 몽둥이가 빗나가서 형수 A가 업고 있던 조카 B가 맞고 사망한 경우 법정적 부합설에 따르면 甲에게 A에 대한 살인미수죄와 B에 대한 과실치사죄의 상상적 경합이 성립한다.
④ 甲이 A를 살해하기 위하여 총을 발사하였으나 빗나가 주차되어 있는 자동차 유리창만 깨뜨린 경우 구체적 부합설에 따르면 甲에게 A에 대한 살인미수죄가 성립한다.

08 甲의 죄책에 대한 다음 설명 중 옳지 않은 것은?

① 甲은 乙, 丙과 시비가 붙어 싸우다가 乙, 丙에 대하여 상해고의로 식칼을 휘둘렀다. 그런데 지나가다가 싸움을 말리던 丁이 칼에 맞아 상해를 입었다. 판례에 의하면 甲은 丁에 대한 상해기수의 죄책을 진다.
② 甲은 乙을 향해 돌을 던졌는데 丙의 자동차에 맞아 유리창이 깨진 경우 구체적 부합설과 법정적 부합설 중 어느 학설에 의하더라도 동일한 결과에 이른다.
③ 甲은 심야에 짖어대는 乙의 개 丙을 죽이려고 총을 발사하였다. 그런데 조준에 실패하여 乙이 총에 맞아 사망하였다. 추상적 부합설에 의할 경우 甲은 丙에 대한 재물손괴기수와 乙에 대한 살인미수죄의 상상적 경합범이 된다.
④ 캄캄한 밤중에 자신의 장모를 처로 오인하고 살해한 경우 판례에 따르면 형법 제15조 제1항에 의하여 보통살인죄로 처벌된다.

09 과실범에 관한 설명 중 옳은 것은? (다툼이 있으면 판례에 의함)

① 의사 甲이 고령의 간경변증 환자 A에게 수술 과정에서 출혈 등으로 신부전이 발생하여 생명이 위험할 수 있다는 점에 대하여 설명하지 아니하고 수술하던 도중 출혈 등으로 A가 사망한 경우, A가 당해 수술의 위험성을 충분히 인식하고 있어 甲이 설명의무를 다하였더라도 A가 수술을 거부하지 않았을 것으로 인정된다면 甲의 설명의무위반과 A의 사망 사이에 인과관계가 부정된다.
② 도급인이 수급인에게 공사의 시공이나 개별 작업에 관하여 구체적으로 지시·감독하였더라도, 법령에 의하여 도급인에게 구체적인 관리·감독의무가 부여되어 있지 않다면 도급인에게는 수급인의 업무와 관련하여 사고방지에 필요한 안전조치를 해야 할 주의의무가 없다.
③ 안전배려 내지 안전관리사무에 계속적으로 종사하지 않았더라도 건물의 소유자로서 건물을 비정기적으로 수리하거나 건물의 일부분을 임대한 자는 건물에 화재가 발생하는 것을 미리 막아야 할 업무상 주의의무를 부담한다.
④ 행정상의 단속을 주안으로 하는 법규의 위반행위는 과실범 처벌규정은 없으나 해석상 과실범도 벌할 뜻이 명확한 경우에도 형법의 원칙에 따라 고의가 있어야 벌할 수 있다.

10 과실범에 대한 설명으로 옳은 것은? (다툼이 있으면 판례에 의함)

① 공사현장감독인이 공사의 발주자에 의하여 현장감독에 임명된 것이 아니고, 건설업법상 요구되는 현장건설기술자의 자격도 없다면 업무상과실 책임을 물을 수 없다.
② 의사 甲이 수술 전에 피해자에 대한 혈청에 의한 간기능검사를 하였더라면 피해자가 사망하지 않았을 것임이 입증되지 않더라도 간기능검사를 시행하지 않은 甲의 과실과 피해자의 사망 사이에는 인과관계가 있다.
③ 환자의 주치의 겸 정형외과 전공의 甲이 같은 과 수련의 乙의 처방에 대한 감독의무를 소홀히 한 나머지, 환자가 乙의 잘못된 처방으로 인하여 상해를 입게 된 경우, 甲은 업무상과실치상죄가 성립한다.
④ 과실범의 주의의무위반은 정상의 주의를 태만히 하는 것을 의미하고, 그 과실의 유무를 판단함에는 행위 당시의 행위자 자신이 기울일 수 있었던 주의 정도를 기준으로 판단한다.

형사법 6회 모의고사

01 정당방위 및 과잉방위에 대한 설명으로 가장 적절하지 않은 것은? (다툼이 있는 경우 판례에 의함)

① 경찰관의 불법한 현행범체포에 대해 그 체포를 면하려고 반항하는 과정에서 그 경찰관에게 상해를 입힌 행위는 정당방위에 해당하여 위법성을 조각한다.

② 정당방위의 상당성 판단에는 상대적 최소침해의 원칙 이외에 보충성의 원칙이 필수적으로 요구된다.

③ 「형법」 제21조 제2항에 의하면 과잉방위의 경우에는 그 형을 감면할 수 있다.

④ 정당방위의 방어행위에는 순수한 수비적 방어뿐만 아니라 적극적 반격을 포함하는 반격방어의 형태도 포함된다.

02 정당방위에 관한 설명 중 가장 적절한 것은? (다툼이 있는 경우 판례에 의함)

① 피고인이 아들이 타인이 보는 자리에서 자신을 폭행하려고 하자 아들을 1회 구타하였는데, 아들이 넘어져 머리에 상처를 입고 사망한 경우 정당방위에 해당한다.

② 치한이 심야에 혼자 귀가 중인 부녀자에게 달려들어 양팔을 붙잡고 어두운 골목길로 끌고 들어가 하체를 더듬으며 억지로 키스를 하려 하자, 그 부녀자가 치한의 혀를 깨물어 0.5cm 절단한 경우에는 정당방위가 인정되지 않는다.

③ 이혼소송 중인 남편이 찾아와 가위로 폭행하고 변태적 성행위를 강요하는 데에 격분하여 처가 칼로 남편의 복부를 찔러 사망에 이르게 한 경우, 그 행위는 정당방위에 해당한다.

④ 피고인이 피해자로부터 빰을 맞고 손톱깎이 칼에 찔려 약 1cm 정도의 상처를 입게 되자, 20cm의 과도로 피해자의 복부를 찌른 것은 정당방위에 해당한다.

03 다음 정당방위에 관한 설명 중 가장 적절하지 않은 것은? (다툼이 있는 경우 판례에 의함)

① 국군보안사령부의 민간인에 대한 정치사찰을 폭로한다는 명목으로 군무를 이탈한 행위는 정당방위나 정당행위에 해당하지 않는다.

② 싸움을 함에 있어서 격투를 하는 자 중의 한 사람의 공격이 그 격투에서 당연히 예상할 수 있는 정도를 초과하여 살인의 흉기 등을 사용하여 온 경우에는 이를 '부당한 침해'라고 아니할 수 없으므로 이에 대하여는 정당방위를 허용하여야 한다고 해석하여야 할 것이다.

③ 乙이 술에 만취하여 누나 丙과 말다툼을 하다가 丙의 머리채를 잡고 때리자, 丙의 남편인 甲이 이를 목격하고 화가 나서 乙과 싸우게 되었는데, 그 과정에서 몸무게가 85kg 이상이나 되는 乙이 62kg의 甲을 침대 위에 넘어뜨리고 가슴 위에 올라타 목 부분을 누르자 호흡이 곤란하게 된 甲이 안간힘을 쓰면서 허둥대다가 침대 위에 놓여있던 과도로 乙에게 상해를 가한 경우, 甲의 행위는 자신의 신체에 대한 현재의 부당한 침해를 방위하기 위한 행위가 그 정도를 초과한 경우인 과잉방위행위에 해당한다.

④ 甲은 자신이 점유하던 공사현장에 乙이 실력으로 행사하여 들어와 현수막 및 간판을 설치하고 담장에 글씨를 쓰자 그 현수막을 찢고 간판 및 담장에 쓰인 글씨를 지운 것은 그 침해를 방어하기 위한 행위로서 정당방위에 해당한다.

04 정당방위에 대한 설명으로 가장 적절하지 않은 것은? (다툼이 있는 경우 판례에 의함)

① 사용자가, 적법한 직장폐쇄 기간 중 일방적으로 업무에 복귀하겠다고 하면서 자신의 퇴거요구에 불응한 채 계속하여 사업장 내로 진입을 시도하는 해고 근로자를 폭행·협박한 행위는 사업장 내의 평온과 노동조합의 업무방해행위를 방지하기 위한 행위로서 정당방위 또는 정당행위에 해당한다.

② 불법체포에 대항하기 위하여 경찰관에게 상해를 가한 경우 이는 부당한 침해에서 벗어나기 위한 행위로서 정당방위에 해당한다.

③ 검사 甲이 검찰청에 자진출석한 乙변호사사무실 사무장 丙을 합리적 근거 없이 긴급체포하자 변호사 乙이 이를 제지하는 과정에서 검사 甲에게 상해를 가한 행위는 정당방위에 해당한다.

④ 공직선거 후보자 甲이 연설 중 유권자들의 적절한 투표권 행사를 위해 다른 후보자 乙의 과거 행적에 대한 신문에 게재된 자료를 제시하면서 후보자의 자질을 문제 삼자 乙이 물리력으로 甲의 연설을 중단시킨 것은 정당방위에 해당한다.

05 긴급피난의 본질에 대한 설명으로 옳지 않은 것은?

① 이분설에서는 「형법」 제22조 제1항을 정당화적(위법조각적) 긴급피난의 근거로 파악하고 있다.

② 위법성조각설에서는 생명과 생명의 법익이 충돌하는 경우와 같이 이익형량이 불가능한 경우의 불처벌 근거를 적법행위에 대한 기대불가능성에서 찾는다.

③ 위법성조각설에 대하여는 "자기에게 닥친, 불법하지 아니한 위난을 타인에게 전가시켜 같은 가치의 법익을 침해하는 행위는 사회윤리적 규범에 반하는 것이므로 위법하다고 해야 한다."는 비판이 있다.

④ 책임조각설은 '자신을 위한 긴급피난'의 경우에 비하여 '타인을 위한 긴급피난'의 경우의 불처벌 근거를 설명하는 데 보다 적합하다.

06 다음과 같은 근거로 벌하지 아니하는 경우는?

> 자기 또는 타인의 법익에 대한 현재의 위난을 피하기 위한 행위는 상당한 이유가 있는 때에는 벌하지 아니한다.

① 선장이 피조개양식장에 피해를 주지 않기 위해 양식장까지의 거리가 약 30미터가 되도록 선박의 닻줄을 7샤클(175미터)에서 5샤클(125미터)로 감아놓았는데, 태풍을 갑자기 만나게 되면서 선박의 안전을 위하여 어쩔 수 없이 선박의 닻줄을 7샤클로 늘여 놓았다가 피조개양식장을 침범하여 물적 피해를 야기한 경우

② 자신의 진돗개를 물어뜯는 공격을 하였다는 이유로 소지하고 있던 기계톱으로 타인의 개를 내리쳐 등 부분을 절개하여 죽인 경우

③ 아파트 입주자대표회의 회장이 다수 입주민들의 민원에 따라 위성방송 수신을 방해하는 케이블TV방송의 시험방송 송출을 중단시키기 위하여 위 케이블TV방송의 방송안테나를 절단하도록 지시한 경우

④ 운전자가 경찰관의 불심검문을 받아 운전면허증을 교부한 후 경찰관에게 큰 소리로 욕설을 하였는데, 경찰관이 자신을 모욕죄의 현행범으로 체포하려고 하자 반항하면서 경찰관에게 가벼운 상해를 입힌 경우

07 긴급피난에 관한 설명 중 가장 적절하지 않은 것은? (다툼이 있는 경우 판례에 의함)

① 긴급피난의 경우에는 위난과 무관한 제3자에게 위험을 전가하는 방식으로 이루어지는 이익 내지 가치의 재분배가 법질서에 의하여 허용된다고 하더라도, 피난행위의 상당성을 판단함에 있어서는 이러한 제3자의 입장을 고려하여야 하므로 보충성 및 우월적 이익의 원칙을 요구하게 된다.
② 피고인이 스스로 야기한 강간범행의 와중에서 피해자가 피고인의 손가락을 깨물며 반항하자, 물린 손가락을 비틀어 잡아 뽑다가 피해자에게 치아결손의 상해를 입힌 행위는 긴급피난에 해당하지 않는다.
③ 신고된 甲대학교에서의 집회가 집회장소 사용 승낙을 하지 아니한 甲대학교 측의 요청으로 경찰관들에 의하여 저지되자, 신고 없이 乙대학교로 옮겨 집회를 한 것은 긴급피난에 해당한다고 볼 수 없다.
④ 甲이 고가의 밍크코트 소유자인 A의 진지하고 적법한 승낙을 받아 이를 훼손하려 하자, 이를 막기 위해 乙이 몽둥이로 甲의 손을 내리쳐 전치 3주의 상해를 입힌 행위는 긴급피난에 의하여 위법성이 조각된다.

08 다음 중 긴급피난과 의무의 충돌에 관한 설명으로 부당한 것은?

① 긴급피난에서는 법익형량을 하는 반면에 의무충돌에서는 의무형량을 한다.
② 긴급피난에서는 피난행위가 강제되지 않으나 의무의 충돌에서는 그 이행이 강제된다.
③ 긴급피난과 같이 의무의 충돌에 있어서 우월적 이익의 원칙이 적용된다.
④ 긴급피난에서는 위난의 원인은 불문하나 의무의 충돌은 법적의무일 것을 요한다.

09 위법성조각사유에 대한 설명으로 가장 적절한 것은? (다툼이 있는 경우 판례에 의함)

① 정당방위는 부당한 침해에 대한 방어행위인데 반해 긴급피난은 부당한 침해가 아닌 위난에 대해서도 가능하다.
② 「형법」 제23조에 의하면 과잉자구행위가 야간 기타 불안스러운 상태하에서 공포·경악·흥분 또는 당황으로 인한 때에는 벌하지 아니한다.
③ 「형법」 제23조 제1항은 타인의 청구권 보전을 위한 자구행위도 가능한 것으로 명시하고 있다.
④ 건물의 소유자라고 주장하는 피고인과 그것을 점유·관리하고 있는 피해자 사이에 건물의 소유권에 대한 분쟁이 계속되고 있는 상황이라면, 피고인이 그 건물에 침입하였다 하더라도 피해자의 추정적 승낙이 있었다거나 피고인의 행위가 사회상규에 위배되지 않는다고 볼 수 있다.

10 정당방위, 긴급피난, 자구행위에 관한 설명으로 옳지 않은 것은?

① 정당방위는 보호되는 법익에 제한이 없는 반면, 자구행위는 보호되는 법익이 자기의 청구권에 한정된다.
② 긴급피난은 엄격한 이익형량의 원칙이 적용되나, 자구행위는 엄격한 이익형량의 원칙이 적용되지 않는다.
③ 교통사고로 의식을 잃고 있는 운전자를 구하기 위하여 그의 차문을 손괴하는 행위는 긴급피난으로서 위법성이 조각된다는 것이 통설이다.
④ 정당방위에 있어서 원칙적으로 침해법익과 보호법익간의 형량은 고려할 필요가 없다.

형사법 7회 모의고사

01 피해자의 승낙에 대한 설명으로 가장 적절하지 않은 것은? (다툼이 있는 경우 판례에 의함)

① 사문서변조죄와 관련하여 행위 당시 명의자의 현실적인 승낙은 없었지만 명의자가 그 사실을 알았다면 당연히 승낙했을 것이라고 추정되는 경우에는 사문서변조죄가 성립하지 아니한다.
② 피고인이 피해자가 사용 중인 공중화장실의 용변칸에 노크하여 남편으로 오인한 피해자가 용변칸 문을 열자 강간할 의도로 용변칸에 들어갔다면, 피해자가 명시적 또는 묵시적으로 이를 승낙하였다고 볼 수 없다.
③ 무고죄는 부수적으로 부당하게 처벌 또는 징계받지 아니할 개인의 이익을 보호하는 죄이므로 피무고인이 무고사실에 대하여 승낙한 경우 무고인을 처벌할 수 없다.
④ 의사의 불충분한 설명을 근거로 환자가 수술에 동의한 경우, 피해자의 승낙으로 수술의 위법성이 조각되지 않는다.

02 피해자의 승낙에 대한 설명 중 가장 적절하지 않은 것은? (다툼이 있는 경우 판례에 의함)

① 문서의 위조라고 하는 것은 작성권한 없는 자가 타인 명의를 모용하여 문서를 작성하는 것을 말하는 것이므로 사문서를 작성함에 있어 그 명의자의 명시적이거나 묵시적인 승낙(위임)이 있었다면 이는 사문서위조에 해당한다고 할 수 없다.
② 甲이 동거 중인 피해자의 지갑에서 현금을 꺼내가는 것을 피해자가 현장에서 목격하고도 만류하지 아니하였다면 피해자가 이를 허용하는 묵시적 의사가 있었다고 볼 수 있으므로 절도죄가 성립하지 않는다.
③ 甲이 기관장들의 조찬모임에서의 대화내용을 도청하기 위한 도청장치를 설치할 목적으로 손님을 가장하여 그 조찬모임 장소인 음식점에 들어간 경우 주거침입죄는 성립하지 않는다.
④ 甲이 피해자 A와 공모하여 교통사고를 가장하여 보험금을 편취할 목적으로 피해자에게 동의를 받아 상해를 가한 경우 피해자의 승낙으로 위법성이 조각된다.

03 정당행위에 대한 설명 중 가장 적절하지 않은 것은? (다툼이 있는 경우 판례에 의함)

① 甲이 자신의 차를 손괴하고 도망하려는 피해자를 도망하지 못하게 멱살을 잡고 흔들어 피해자에게 전치 14일의 흉부찰과상을 가한 경우 정당행위에 해당한다.
② 분쟁중인 부동산관계로 따지러 온 피해자가 甲의 가게안에 들어와서 甲 및 그의 아버지에게 행패를 부리자, 이에 甲이 피해자를 가게 밖으로 밀어내려다가 피해자를 넘어지게 한 경우 사회통념상 용인될 만한 상당성이 있는 행위로 위법성이 없다.
③ 甲이 외국에서 침구사자격을 취득하였으나 국내에서 침술행위를 할 수 있는 면허나 자격을 취득하지 못하였음에도 불구하고 단순한 수지침 정도의 수준을 넘어 체침을 시술한 경우 사회 상규에 위배되지 아니하는 무면허 의료행위로 인정될 수 없다.
④ 국회의원 甲이 대기업 고위관계자와 중앙일간지 사주 간의 사적 대화를 불법 녹음한 자료를 입수한 후 그 대화내용과 위 대기업으로부터 이른바 떡값 명목의 금품을 수수하였다는 검사들의 실명이 게재된 보도자료를 작성하여 자신의 인터넷 홈페이지에 게재한 경우 공익에 대한 중대한 침해가 발생할 가능성이 현저한 경우로서 비상한 공적 관심의 대상이 되고, 방법의 상당성도 갖추었으므로 정당행위에 해당한다.

04 위법성조각사유에 대한 설명 중 가장 적절하지 않은 것은? (다툼이 있는 경우 판례에 의함)

① 방위행위가 그 정도를 초과한 경우에 야간이나 그 밖의 불안한 상태에서 공포를 느끼거나 경악하거나 흥분하거나 당황하였기 때문에 그 행위를 하였을 때에는 그 형을 감경하거나 면제할 수 있다.

② 외관상 서로 격투를 하는 것처럼 보이는 경우라고 할지라도 실지로는 한쪽 당사자가 일방적으로 불법한 공격을 가하고 甲이 이러한 공격으로부터 자신을 보호하고 이를 벗어나기 위한 저항수단으로 유형력을 행사한 경우라면 위법성이 조각된다.

③ 검사가 참고인 조사를 받는 줄 알고 검찰청에 자진 출석한 변호사 甲의 사무실 사무장을 합리적 근거 없이 긴급체포하자 甲이 이를 제지하는 과정에서 검사에게 상해를 가한 경우 정당방위에 해당한다.

④ 甲이 피해자와 공모하여 교통사고를 가장하여 보험금을 편취할 목적으로 피해자에게 상해를 가하였다면 피해자의 승낙이 있었다고 하더라도 甲의 행위가 피해자의 승낙에 의하여 위법성이 조각된다고 할 수 없다.

05 다음 중 위법성이 조각되는 경우는? (다툼이 있는 경우 판례에 의함)

① 인근 상가의 통행로로 이용되고 있는 토지의 사실상 지배권자가 그 토지에 철주와 철망을 설치하고 포장된 아스팔트를 걷어냄으로써 통행로로 이용하지 못하게 한 경우

② 집회장소 사용 승낙을 하지 않은 A대학교 측의 집회 저지 협조요청에 따라 경찰관들이 A대학교 출입문에서 신고된 A대학교에서의 집회에 참가하려는 자의 출입을 저지하자, 그 때문에 소정의 신고 없이 B대학교로 장소를 옮겨서 집회를 한 경우

③ 아파트 입주자 대표회의 회장이 다수 입주민들의 민원에 따라 위성방송수신을 방해하는 케이블 TV방송의 시험방송 송출을 중단시키기 위하여 위 케이블 방송의 방송 안테나를 절단하도록 지시한 경우

④ 선거관리위원회가 주최한 합동연설회장에서 일간지의 신문기사를 읽는 방법으로 상대 후보의 전과사실을 적시한 사안에서, 상대 후보의 평가를 저하시켜 스스로 자신이 당선되려는 사적 이익도 동기가 되었지만 유권자들에게 상대후보의 자질에 대한 자료를 제공함으로써 적절한 투표권을 행사하도록 하려는 공적 동기도 있었던 경우

06 원인에 있어서 자유로운 행위에 관한 설명 중 가장 적절한 것은? (다툼이 있는 경우 판례에 의함)

① 우리 형법상 원인에 있어서 자유로운 행위에는 심신상실, 심신미약 규정을 적용하지 아니하므로 책임조각 내지 책임감경이 되지 아니하고 책임능력자로 취급하여 처벌하고 있다.

② 원인에 있어서 자유로운 행위의 가벌성의 근거를 자신을 도구로 이용하는 간접정범으로 이해하여 원인설정행위를 실행행위로 파악하여 원인설정행위 시의 책임능력을 기초로 책임을 인정하는 견해는 구성요건의 정형성을 중시하여 죄형법정주의의 보장적 기능을 관철하는데 부합하는 이론이다.

③ 원인에 있어서 자유로운 행위의 가벌성의 근거를 원인설정행위와 실행행위의 불가분적 관련에서 찾는 견해는 행위와 책임능력의 동시존재의 원칙을 따르는 이론이다.

④ 원인에 있어서 자유로운 행위에 관한 형법 제10조 제3항은 위험의 발생을 예견할 수 있었는데도 자의로 심신장애를 야기한 경우에는 적용되지 않는다.

07 원인에 있어서 자유로운 행위에 대한 설명으로 가장 적절하지 않은 것은? (다툼이 있는 경우 판례에 의함)

① 원인에 있어서 자유로운 행위는 「형법」상 책임능력자의 행위와 동일하게 처벌된다.
② 판례는 「형법」 제10조 제3항이 고의에 의한 원인에 있어서의 자유로운 행위뿐만 아니라 과실에 의한 원인에 있어서의 자유로운 행위까지도 포함하는 것이라고 판시하였다.
③ 실행의 착수시기와 관련하여 원인행위를 실행행위로 보는 견해에 의하면 행위와 책임의 동시존재의 원칙을 유지할 수 있다.
④ 원인에 있어서 자유로운 행위의 가벌성 근거를 원인행위 자체에서 찾는 견해에 따르면 책임능력 결함상태에서 구성요건 해당행위를 시작한 때에 실행의 착수가 있는 것으로 본다.

08 책임능력에 대한 설명 중 가장 적절하지 않은 것은? (다툼이 있는 경우 판례에 의함)

① 정신적 장애가 있는 자는 범행 당시 정상적인 사물변별능력과 행위통제능력이 있었다고 하더라도 심신장애에 해당한다.
② 심신장애로 인하여 사물을 변별할 능력이나 의사를 결정할 능력이 미약한 자의 행위는 형을 감경할 수 있다.
③ 범행을 기억하고 있지 않다는 사실만으로 바로 범행 당시 심신상실 상태에 있었다고 단정할 수는 없다.
④ 피고인이 음주운전을 할 의사를 가지고 음주만취한 후 운전을 결행하여 교통사고를 일으켰다면 피고인은 음주 시에 교통사고를 일으킬 위험성을 예견하였는데도 자의로 심신장애를 야기한 경우에 해당하므로 심신장애로 인한 감경 등을 할 수 없다.

09 책임능력에 대한 설명으로 가장 적절한 것은? (다툼이 있는 경우 판례에 의함)

① 「형법」 제10조 제3항은 고의에 의한 원인에 있어 자유로운 행위만이 아니라 과실에 의한 원인에 있어 자유로운 행위까지도 적용된다.
② 「형법」 제10조 제2항에 의하면 심신미약자의 행위는 형을 감경하여야 한다.
③ 「형법」 제10조에서 말하는 사물을 판별할 능력 또는 의사를 결정할 능력은 자유의사를 전제로 한 의사결정의 능력에 관한 것으로서, '그 능력의 유무와 정도' 및 '그 능력에 관해 확정된 사실이 심신상실 또는 심신미약에 해당하는지 여부'는 모두 감정사항에 속하는 사실문제에 해당한다.
④ 법률상 감경을 규정한 「소년법」 제60조 제2항의 적용대상인 소년인지 여부를 판단하는 기준시점은 사실심 판결선고 시가 아니라 행위 시이다.

10 책임능력에 대한 설명 중 가장 적절하지 않은 것은? (다툼이 있는 경우 판례에 의함)

① 정신적 장애가 있는 자라고 하여도 범행 당시 정상적인 사물판별능력이나 행위통제능력이 있었다면 심신장애로 볼 수 없다.
② 심신장애로 인하여 사물을 변별할 능력이 없거나 의사를 결정할 능력이 없는 자의 행위는 벌하지 아니하며, 심신장애로 인하여 위의 능력이 미약한 자의 행위에 대해서는 형을 감경한다.
③ 스스로 절도의 충동을 억제하지 못하는 충동조절장애와 같은 성격적 결함은 원칙적으로 심신장애에 해당한다고 볼 수 없고, 다만 그 증상이 매우 심각하여 원래의 의미의 정신병이 있는 사람과 동등하다고 평가할 수 있다면 심신장애를 인정할 여지가 있다.
④ 형법 제10조 제3항은 고의에 의한 원인에 있어서의 자유로운 행위만이 아니라 과실에 의한 원인에 있어서의 자유로운 행위까지도 포함하는 것으로서 위험의 발생을 예견할 수 있었는데도 자의로 심신장애를 야기한 경우 그 적용대상이 된다.

형사법 8회 모의고사

01 법률의 착오에 관한 설명 중 가장 적절하지 않은 것은? (다툼이 있으면 판례에 의함)

① 자기의 행위가 법령에 의하여 죄가 되지 아니하는 것으로 오인한 행위는 그 오인에 정당한 이유가 있는 때에 한하여 벌하지 아니한다.
② 행위자가 자기의 행위와 관련된 금지규범을 알지 못한 경우도 그 부지에 정당한 이유가 있는 경우에는 벌하지 않는다.
③ 범죄의 성립에 있어서 위법성의 인식은 그 범죄사실이 사회정의와 조리에 어긋난다는 것을 인식하는 것으로 족하며, 구체적인 해당 법조문까지 인식할 필요는 없다.
④ '타인의 상품과 피고인의 상품이 유사하지 않다'라는 변리사의 감정결과와 특허국의 등록사정을 믿고 발가락 5개의 양말을 제조・판매한 경우 형법 제16조에 해당하여 벌할 수 없다.

02 법률의 착오에 관한 설명 중 가장 적절하지 않은 것은? (다툼이 있는 경우 판례에 의함)

① 마약취급면허가 없는 자가 제약회사에 근무한다는 자로부터 마약이 없어 약을 제조하지 못하니 구해 달라는 거짓 부탁을 받고 제약회사에서 쓰는 마약은 구해 주어도 죄가 되지 아니하는 것으로 믿고 생아편을 구해 주었다 하더라도 오인에 정당한 이유가 있는 경우라고 볼 수 없다.
② 정부공인 체육종목인 '활법'의 사회체육지도사 자격증을 취득한 자가 기공원을 운영하면서 환자들을 대상으로 척추교정시술행위를 한 자신의 행위가 무면허 의료행위에 해당되지 아니하여 죄가 되지 않는다고 믿었다면 정당한 이유가 있는 법률의 착오에 해당한다.
③ 채광업자가 허가를 담당하는 공무원에게 문의한 결과 허가를 요하지 않는다고 잘못 알려준 것을 믿고 허가 없이 산림을 훼손한 경우에는 허가를 받지 않더라도 죄가 되지 않는 것으로 착오를 일으킨데 대하여 정당한 이유가 있는 경우에 해당한다.
④ 20여년간 경찰공무원으로 근무해온 형사계 강력반장이 검사의 수사지휘대로 하면 적법한 것이라 믿고 허위공문서를 작성한 경우에는 그 오인에 정당한 이유가 있다고 볼 수 없다.

03 법률의 착오에 관한 다음 설명 중 가장 적절하지 않은 것은? (다툼이 있는 경우 판례에 의함)

① 우리 형법은 법률의 착오를 명문으로 규정하고 있으며, 판례는 단순한 법률의 부지를 법률의 착오로 인정하고 있지 않다.
② 남편이 부인을 구타하면서 징계권이 있다고 오인한 경우는 위법성 조각사유의 한계에 대한 착오이다.
③ 초등학교 교장이 도교육위원회의 지시에 따라 교과내용으로 되어 있는 꽃양귀비를 교과식물로 비치하기 위하여 양귀비 종자를 사서 교무실 앞 화단에 심은 행위는 법률의 착오에 해당된다.
④ 허가를 담당하는 공무원이 허가를 요하지 않는다고 잘못 알려 준 것을 믿은 경우, 자기의 행위가 죄가 되지 않는 것으로 오인한 데 정당한 이유가 있다.

04 법률의 착오에 관한 설명 중 가장 적절하지 않은 것은? (다툼이 있는 경우 판례에 의함)

① 변호사 자격을 가진 국회의원이 낙천대상자로 선정된 사유에 대한 해명을 넘어 다른 동료의원들이나 네티즌의 낙천대상자 선정이 부당하다는 취지의 반론을 담은 의정보고서를 발간하는 과정에서 보좌관을 통하여 선거관리위원회 직원에게 문의하여 답변받은 결과 선거법규에 저촉하지 않는다고 오인한 경우, 형법 제16조의 정당한 이유가 인정되지 않는다.
② 일반수요자가 아닌 장의사영업허가를 받은 상인이 장의에 소요되는 기구, 물품을 판매하는 도매업을 하기 위해 관할관청에 영업허가를 신청하자 관할관청이 이 경우 영업허가가 필요없다고 해석하여 영업허가를 해주지 않고 있다

면, 이를 믿고 영업허가 없이 위와 같은 도매업을 해온 경우 형법 제16조의 정당한 이유가 인정된다.
③ 위법성인식의 체계적 지위에 관한 엄격책임설에 대해서는 상습범 또는 확신범 등을 고의범으로 처벌할 수 없고 특별히 과실범 처벌규정이 있는 경우에 한하여 과실범으로 처벌할 수 밖에 없는 형사정책적인 결함을 가진다는 비판이 있다.
④ 자기의 행위가 법령에 의하여 죄가 되지 아니하는 것으로 오인한 행위는 그 오인에 정당한 이유가 있는 때에 한하여 벌하지 아니한다.

05 법률의 착오에 대한 설명으로 가장 적절하지 않은 것은? (다툼이 있는 경우 판례에 의함)

① 자기의 행위가 법령에 의하여 죄가 되지 아니하는 것으로 오인한 행위는 그 오인에 정당한 이유가 있는 때에 한하여 벌하지 아니한다.
② 「자격기본법」에 의한 민간자격관리자로부터 대체의학자격증을 수여받은 자가 사업자등록을 한 후 침술원을 개설하였다고 한다면, 자신의 행위가 무면허 의료행위에 해당되지 아니하여 죄가 되지 않는다고 믿은 데에 정당한 사유가 있었다고 볼 수 있다.
③ 숙박업자가 자신이 운영하는 숙박업소에서 위성방송수신장치를 이용하여 수신한 외국의 음란한 위성방송프로그램을 투숙객 등에게 제공하였는데, 그 이전에 그와 유사한 행위로 '혐의없음' 처분을 받은 전력이 있다거나 일정한 시청차단장치를 설치하였더라도 「형법」 제16조의 정당한 이유가 있다고 볼 수 없다.
④ 광역시의회 의원이 선거구민들에게 의정보고서를 배부하기에 앞서 관할 선거관리위원회 소속 공무원들에게 자문을 구하고 그들의 지적에 따라 수정한 의정보고서를 배부한 경우, 「형법」 제16조의 정당한 이유가 있다고 볼 수 있다.

06 금지착오에 대한 설명 중 가장 적절하지 않은 것은? (다툼이 있는 경우 판례에 의함)

① 행위자가 처벌되지 않는 행위를 처벌되는 행위로 오인하고 행위를 한 경우 금지착오에 해당하며 오인에 정당한 이유가 있으면 책임이 조각된다.
② 사인이 현행범인을 체포하면서 그 범인을 자기 집안에 24시간까지 감금할 수 있다고 오인하고 감금한 경우 금지착오에 해당한다.
③ 단순한 법률의 부지의 경우는 「형법」 제16조의 적용대상이 되지 않는다는 것이 판례의 입장이다.
④ 약 23년간 경찰공무원으로 근무해 온 형사계 강력 1반장이 검사의 수사지휘대로만 하면 모두 적법한 것이라고 믿고 허위공문서를 작성한 경우 오인에 정당한 이유가 없다.

07 금지착오에 대한 설명 중 가장 적절한 것은? (다툼이 있는 경우 판례에 의함)

① 위법성의 인식에 필요한 노력의 정도는 행위자 개인의 인식능력과 행위자가 속한 사회집단에 따라 달리 평가되어서는 안되며, 사회 평균적 일반인의 입장에서 객관적으로 판단되어야 한다.
② 숙박업자가 자신이 운영하는 숙박업소에서 위성방송수신장치를 이용하여 수신한 외국의 음란한 위성방송프로그램을 투숙객등에게 제공한 경우 그 이전에 그와 유사한 행위로 '혐의없음' 처분을 받은 전력이 있거나 일정한 시청차단장치를 설치하였다면 형법 제16조의 정당한 이유가 인정된다.
③ 법률 위반 행위 중간에 일시적으로 판례에 따라 그 행위가 처벌대상이 되지 않는 것으로 해석되었던 적이 있었다고 하더라도 그것만으로 자신의 행위가 처벌되지 않는 것으로 믿은 데에 정당한 이유가 있다고 할 수 없다.
④ 처벌규정이 존재함에도 불구하고 행위자가 처벌규정의 존재를 인식하지 못한 법률의 부지의 경우 그 오인에 정당한 이유가 있으면 벌하지 아니한다.

08 위법성조각사유의 전제사실에 대한 착오의 설명으로 가장 적절한 것은? (다툼이 있는 경우 판례에 의함)

① 엄격책임설에 의하면 위법성조각사유의 전제사실에 대한 착오의 경우 「형법」 제13조를 직접 적용함으로써 고의범의 성립이 부정되고 과실이 있는 경우 과실범으로 처벌한다.

② 위법성조각사유의 요건을 총체적 불법구성요건의 소극적 표지로 이해하는 소극적 구성요건표지이론에 의하면 위법성조각사유의 전제사실에 대한 착오를 고의범으로 처벌한다.

③ 고의설과 법효과제한책임설은 위법성조각사유의 전제사실에 대한 착오의 법적 효과에 있어 동일한 결론을 취한다.

④ 유추적용설에 의하면 위법성조각사유의 전제사실에 대한 착오의 경우 「형법」 제13조를 유추적용함으로써 구성요건적 고의는 인정되지만 책임고의를 부정하여 고의범의 성립을 부정한다.

09 기대가능성에 대한 설명으로 가장 적절하지 않은 것은? (다툼이 있는 경우 판례에 의함)

① 피고인에게 적법행위를 기대할 가능성이 있는지 여부를 판단하기 위하여는 행위 당시의 구체적인 상황하에 행위자 대신에 사회적 평균인을 두고 이 평균인의 관점에서 그 기대가능성 유무를 판단하여야 한다.

② 「형법」 제12조 소정의 '저항할 수 없는 폭력'은 심리적인 의미에 있어서 육체적으로 어떤 행위를 절대적으로 할 수밖에 없게 하는 경우와 윤리적 의미에서 강압된 경우를 의미한다.

③ 이미 유죄의 확정판결을 받은 피고인이라도 자신의 형사사건에서 시종일관 범행을 부인하였다면, 그 피고인이 별건으로 기소된 공범의 형사사건에서 증인으로 진술하는 경우 자기부죄거부의 권리에 입각하여 그 피고인에게 사실대로 진술할 것을 기대할 수는 없다.

④ 직장 상사의 지시로 인하여 그 부하가 범법행위에 가담한 경우 비록 직무상 지휘·복종 관계가 인정된다고 하더라도 그것 때문에 범법행위에 가담하지 않을 기대가능성이 부정된다고 볼 수는 없다.

10 책임에 대한 설명으로 가장 적절한 것은? (다툼이 있는 경우 판례에 의함)

① 자신의 강도상해 범행을 일관되게 부인하였으나 유죄판결이 확정된 甲이 별건으로 기소된 공범의 형사사건에서 유죄가 확정된 자신의 범행사실을 부인하는 증언을 한 경우, 甲에게 사실대로 진술할 기대가능성이 없어 위증죄가 성립하지 않는다.

② 심신장애로 인하여 사물을 변별할 능력이나 의사를 결정할 능력이 미약한 자의 행위는 형을 감경한다.

③ 모든 성의와 노력을 다했어도 임금이나 퇴직금의 체불이나 미불을 방지할 수 없었다는 것이 사회통념상 긍정할 정도가 되어 사용자에게 더 이상의 적법행위를 기대할 수 없거나 불가피한 사정이었음이 인정되는 경우, 그러한 사유는 「근로기준법」이나 「근로자퇴직급여 보장법」에서 정하는 임금 및 퇴직금 등의 기일 내 지급의무 위반죄의 책임조각사유가 된다.

④ 사춘기 이전의 소아들을 상대로 한 성행위를 중심으로 성적 흥분을 강하게 일으키는 공상, 성적 충동, 성적 행동이 반복되어 나타나는 소아기호증과 같은 질환이 있다는 사정은 그 자체만으로 형의 감면사유인 심신장애에 해당한다.

형사법 9회 모의고사

01 책임에 관한 설명 중 옳지 않은 것은?

① 책임능력의 판단기준으로 사물변별능력과 의사결정능력을 규정하는 형법 제10조는 책임의 근거로 인간의 의사자유에서 구하는 도의적 책임론에 입각한 규정으로 해석된다.

② 순수한 규범적 책임론에 의하면 고의에 위법성 인식을 포함시켜 위법성인식의 체계적 지위에서 고의설을 채택하게 된다.

③ 책임능력을 형벌능력이라고 이해하는 경우 형법이 심신상실자를 책임능력이 없는 것으로 취급하는지를 설명할 수 없다는 비판을 받는다.

④ 책임능력을 범죄능력이라고 이해하는 경우 범죄능력이 부정되면 범죄행위를 할 수 없으므로 책임무능력자의 행위는 범죄가 아니다. 따라서 형벌을 부과할 수 없고, 단지 보안처분만 과할 수 있다고 한다.

02 책임능력에 관한 다음 설명 중 옳지 않은 것은?

① 심신장애 여부는 피고인의 행동 기타 재판기록에 나타난 제반자료와 공판정에서의 피고인의 태도 등을 종합하여 판단할 수 있는 것이며, 반드시 전문가인 정신과 의사의 감정에 의하여 판단해야 하는 것은 아니다.

② 피고인이 범행 당시 심신장애의 정도가 불분명한 경우에는 먼저 정신의로 하여금 감정을 하게 한 다음, 그 감정결과를 주요한 참고자료로 삼아 범행 당시의 심신상실 여부를 경험칙에 비추어 규범적으로 판단하여야 한다.

③ 사물변별능력이나 의사결정능력은 사실의 인식능력이나 기억능력과 반드시 일치하는 것은 아니다.

④ 충동조절장애와 같은 성격적 결함은 정신병질이 아니기 때문에 그 정도를 불문하고 심신장애에 해당되지 않는다.

03 甲은 丙을 살해하기로 결심하였으나 자신이 직접 살해하면 쉽게 의심받을 것 같아 친구인 乙에게 丙을 살해해 주면 1억원을 주기로 약속하였다. 乙은 丙을 살해하기로 마음먹었으나 소심하여 맨 정신으로는 丙을 살해할 수 없을 것 같아 술을 마시고 만취하여 심신상실상태에서 丙의 집 근처에서 丁을 丙으로 오인하고 살해하였다. 곧이어 乙은 丁이 차고 있던 손목시계를 빼가지고 현장을 떠났다. 법정적 부합설에 의할 때 甲과 乙의 죄책은?

	甲의 죄책	乙의 죄책
①	살인죄의 교사범	살인죄
②	살인미수죄의 교사범	살인죄와 절도죄
③	살인죄의 교사범	살인죄와 점유이탈물횡령죄
④	살인예비·음모죄	살인죄

04 위법성의 인식에 관하여 옳게 기술한 것은?

① 위법성의 인식은 결국 구체적인 법조문을 인식하였는가의 문제로 귀결된다.

② 고의설과 책임설의 대립은 범죄성립에 위법성의 인식이 필요한가의 여부에 관한 것이다.

③ 고의설은 위법성의 인식을 구성요건요소로 보는 반면 책임설은 위법성의 인식을 책임요소로 본다.

④ 엄격고의설에 의하면 위법성을 인식하지 못하고 한 행위는 여하한 경우에도 고의범으로 처벌할 수 없다.

05 甲은 자기에게 길을 물으러 다가오는 행인을 강도로 오인하여 방어할 생각으로 그를 때려 상해를 입혔다. 그 오인에 과실이 있는 경우 甲의 형사책임에 대하여 옳지 않은 것은?

① 소극적 구성요건표지(요소)이론에 의하면 법률의 착오에 해당하여 오인함에 정당한 이유가 없는 때에는 상해죄가 성립한다.
② 엄격고의설에 의하면 과실이 있는 때에는 과실치상죄가 성립한다.
③ 엄격책임설에 의하면 금지착오에 해당하여 오인함에 정당한 이유가 없는 때에는 상해죄가 성립한다.
④ 법효과제한적 책임설에 의하면 고의불법은 성립되지만 고의 책임이 조각되어 오인함에 과실이 있는 때에는 과실치상죄가 성립한다.

06 다음 중 판례의 태도로 틀린 것은?

① 행정청의 허가를 담당하는 공무원이 허가를 요하지 않는 것으로 잘못 알려주어 이를 믿었기 때문에 허가를 받지 아니하고 행위한 것은 죄가 되지 않는 것으로 착오를 일으킨 데 대하여 정당한 이유가 있는 경우에 해당한다.
② 쌀과자를 만들면서 구청에 질의한 결과 양곡관리법이나 식품위생법 위반은 아니라고 회신을 받고 쌀과자를 만들어 판매한 경우 정당한 이유가 인정된다.
③ 한약업자 면허나 의약품판매업 허가 없이 의약품을 판매한 것에 대하여 지방검찰청으로부터 혐의 없음 결정을 받은 사실이 있었다는 것만으로는 죄가 되지 않은 것으로 오인함에 정당한 이유가 인정되지 않는다.
④ 활법의 사회체육지도자 자격증을 취득한 자가 척추교정시술행위를 하는 것은 괜찮다고 생각하고 척추교정시술을 한 경우 정당한 이유가 인정되지 않는다.

07 법률의 착오에 관하여 판례가 취하는 태도가 아닌 것은?

① 장애인복지법에 따른 보장구제조업 허가를 받아 이를 제조하는 자가 별도의 허가를 받지 않고 정형외과용 의료도구인 다리교정장치를 제조하면서 죄가 되지 않는 것으로 생각하는 경우 정당한 이유가 없다.
② 학장으로 위촉된 자가 자신이 부임하는 학교 명칭이 적법하게 사용되는 것이고 기존 건물의 용도로 교육용으로 허가되어 있는 것이라고 믿고 행동한 경우 정당한 이유가 없다.
③ 당국이 탐정업의 사업자 등록을 받아 주었다고 하여 신용조사업법상 금지된 사생활조사 등의 행위가 죄가 되지 않는다고 믿는 데에 정당한 이유가 있다고 볼 수 없다.
④ 수사처리의 관례상 일부 상치된 내용을 일치시키기 위하여 적법하게 작성된 참고인 진술조서를 찢어버리고 진술인의 진술을 듣지 아니하고 그 내용을 일치시킨 새로운 진술조서를 작성한 행위는 그 행위를 적법한 것으로 믿은 데 정당한 이유가 있다.

08 판례에 의할 때 강요된 행위에 대한 설명으로 옳지 않은 것은?

① 저항할 수 없는 폭력은 심리적 의미에 있어서 육체적으로 어떤 행위를 절대적으로 하지 아니할 수 없게 하는 경우와 윤리적 의미에 있어서 강압된 경우를 말한다.
② 어떤 사람의 성장교육과정을 통하여 형성된 내재적인 관념 내지 확신으로 인하여 행위자 스스로의 의사결정이 사실상 강제되는 결과를 낳게 하는 경우는 강요된 행위에 포함되지 않는다.
③ 선원으로 월선조업을 하다가 납북되었다가 돌아온 경험이 있는 자가 월선하고자 상의하여 월선조업을 하다가 납치되어 북한 관헌의 물음에 답하여 일정 사실을 제공한 경우는 강요된 행위에 해당한다.
④ 18세 소년이 취직할 수 있다는 감언에 속아 도일(渡日)하여 조총련 간부들의 감시 내지 감금하에 강요에 못 이겨 공산주의자가 되어 북한에 갈 것을 서약한 행위는 강요된 행위에 해당한다.

09 예비 · 음모에 대한 설명 중 가장 틀린 것은?

① 예비죄는 기본범죄를 범할 목적이 있어야 하는 목적범이다.
② 평소 잘 아는 피해자에게 전화채권을 사주겠다며 골목길로 유인, 돈을 절취하려고 기회를 엿본 행위는 절도예비행위로서 불가벌이다.
③ 음모란 2인 이상의 자 사이에 성립한 범죄실행의 합의를 말하는 것으로 객관적으로 보아 특정한 범죄의 실행을 위한 준비행위라는 것이 명백히 인식되고, 그 합의에 실질적인 위험성이 인정될 때 음모죄가 성립한다.
④ 관세를 포탈할 목적으로 수입물품의 수량과 가격이 낮게 기재된 계약서를 첨부하여 수입예정 물품 전부에 대한 과세가격사전심사를 신청함으로써 이에 따른 과세가격사전심사서를 미리 받아두는 경우 관세포탈의 실행의 착수가 인정되어 관세포탈죄의 미수가 성립한다.

10 예비죄에 관한 설명 중 옳지 않은 것은?

① 형법은 예비죄의 법정형을 각칙에서 별도로 규정하고 있다.
② 범행을 교사하였으나 정범이 예비에 그친 경우 형법은 교사자도 예비 또는 음모에 준하여 처벌하도록 규정하고 있다.
③ 판례는 예비죄의 공동정범 성립을 인정한다.
④ 예비 · 음모 처벌한다는 규정은 있으나 그 형을 따로 정하지 않더라도 처벌할 수 있다.

형사법 10회 모의고사

01 실행의 착수가 인정되는 경우로 가장 적절하지 않은 것은? (다툼이 있으면 판례에 의함)

① 소매치기의 경우 피해자의 양복상의 주머니로부터 금품을 절취하려고 그 호주머니에 손을 뻗쳐 그 겉을 더듬은 때
② 공범들이 피해회사 건물의 담을 넘어 마당에 들어가 그중 1명이 그 곳에 있는 구리를 찾기 위해 담에 붙어 걸어간 때
③ 평소 잘 아는 피해자에게 전화채권을 사주겠다고 하면서 골목길로 유인하여 돈을 절취하려고 기회를 엿본 경우
④ 피해자 소유 자동차 안에 들어 있는 밍크코트를 발견하고 이를 절취할 생각으로 공범이 위 차 옆에서 망을 보는 사이, 위 차 오른쪽 앞문을 열려고 앞문 손잡이를 잡아당긴 때

02 실행의 착수시기에 관한 설명 중 가장 적절하지 않은 것은? (다툼이 있는 경우 판례에 의함)

① 피고인이 노상에 세워 놓은 자동차 안에 있는 물건을 훔칠 생각으로 유리창을 따기 위해 면장갑을 끼고 칼을 소지한 채 자동차의 유리창을 통하여 그 내부를 손전등으로 비추어 보았다면 절도의 실행의 착수에 이른 것이다.
② 사기도박에서 사기적인 방법으로 도금을 편취하려고 하는 자가 상대방에게 도박에 참가할 것을 권유하는 때에 실행의 착수가 있다.
③ 현주건조물에 방화하기 위하여 매개물에 불을 붙인 경우에는 현주건조물방화죄의 실행의 착수가 있다.
④ 간첩의 목적으로 외국 또는 북한에서 국내에 침투 또는 월남하는 경우에는 기밀탐지가 가능한 국내에 침투·상륙함으로써 간첩죄의 실행의 착수가 있다.

03 실행의 착수시기에 관한 설명 중 가장 적절하지 않은 것은? (다툼이 있는 경우 판례에 의함)

① 주거침입의 실행의 착수는 주거자, 관리자, 점유자 등의 의사에 반하여 주거나 관리하는 건조물 등에 들어가는 행위, 즉 구성요건의 일부를 실현하는 행위까지 요구하는 것은 아니고, 범죄구성요건의 실현에 이르는 현실적 위험성을 포함하는 행위를 개시하는 것으로 족하다.
② 입영대상자가 병역면제처분을 받을 목적으로 병원으로부터 허위의 병사용진단서를 발급받은 행위만으로는 사위행위에 의한 병역기피를 이유로 한 병역법위반죄의 실행에 착수한 것이 아니다.
③ 피담보채권인 공사대금 채권을 실제와 달리 허위로 부풀려 유치권에 의한 경매를 신청한 경우 소송사기죄의 실행의 착수가 인정되지 않는다.
④ 위조사문서행사죄는 상대방이 위조된 문서의 내용을 실제로 인식할 필요 없이 상대방으로 하여금 위조된 문서를 인식할 수 있는 상태에 둠으로써 기수가 된다.

04 미수에 관한 설명으로 가장 적절하지 않은 것은? (다툼이 있으면 판례에 의함)

① 원료불량으로 인한 제조상의 애로, 제품의 판로문제, 범행 탄로시의 처벌공포, 원심 상피고인의 포악성 등으로 인하여 히로뽕 제조를 단념한 경우, 그와 같은 사정이 있었다는 것만으로서는 이를 중지미수라 할 수 없다.
② 가압류는 강제집행의 보전방법에 불과한 것이어서 허위의 채권을 피보전권리로 삼아 가압류를 하였다고 하더라도 그 채권에 관하여 현실적으로 청구의 의사표시를 한 것이라고는 볼 수 없으므로, 본안소송을 제기하지 아니한 채 가압류를 한 것만으로는 사기죄의 실행에 착수하였다고 할 수 없다.
③ 불능미수의 위험성 판단과 관련하여 행위자가 인식한 사정과 일반인이 인식할 수 있었던 사정이 일치하지 않는 경우에 어느 사정을 기초

로 판단할 것인지가 명확하지 않다는 비판을 받고 있는 견해에 의하면, 명백히 사정거리 밖에 있는 자에 대해 사정거리 안에 있는 것으로 오인하고 총격한 경우에 위험성이 부정된다.

④ 히로뽕 제조를 공모하고 그 제조원료인 염산에페트린과 파라디움, 에테르 등 수종의 화공약품을 사용하여 히로뽕 제조를 시도하였으나 그 제조기술의 부족으로 히로뽕 완제품을 제조하지 못하였고 미완성품에서도 히로뽕 성분이 검출되지 아니하였다면 향정신성의약품제조미수죄가 성립한다고 할 수 없다.

05 실행의 착수시기 및 미수에 대한 설명으로 가장 적절한 것은? (다툼이 있는 경우 판례에 의함)

① 피고인이 임야를 편취할 목적으로 소송을 제기하였으나 소 제기시 이미 소송의 상대방이 사망하였을 경우에는 소송에서 승소판결을 받는다고 하더라도 판결의 효력이 해당 임야의 재산상속인에게 미칠 수 없으므로 이는 사기죄의 불능미수에 해당한다.

② 행위자가 처음부터 미수에 그치겠다는 고의를 가진 경우라도 미수범이 성립할 수 있다.

③ 금융기관 직원이 전산단말기를 이용하여 다른 공범들이 지정한 특정계좌에 돈이 입금된 것처럼 허위의 정보를 입력하는 방법으로 위 계좌로 입금되도록 한 경우, 그 후 그러한 입금이 취소되어 현실적으로 인출되지 못한 경우는 컴퓨터등사용사기미수죄에 해당한다.

④ 甲이 부동산 경매절차에서 피담보채권인 공사대금채권을 실제와 달리 허위로 부풀려 유치권에 의한 경매를 신청한 경우 소송사기죄의 실행의 착수에 해당한다.

06 실행의 착수에 대한 설명으로 가장 적절하지 않은 것은? (다툼이 있는 경우 판례에 의함)

① 유치권자가 피담보채권인 공사대금 채권을 실제와 달리 허위로 부풀려 유치권에 의한 경매를 신청한 경우 소송사기죄의 실행의 착수가 인정된다.

② 2인 이상이 합동하여 주간에 절도의 목적으로 타인의 주거에 침입하였으나 아직 절취할 물건의 물색행위를 시작하기 전이라면 「형법」 제331조 제2항의 특수절도죄의 실행에 착수한 것은 아니다.

③ 법원을 기망하여 자기에게 유리한 판결을 얻고자 소송을 제기한 자가 상대방의 주소를 허위로 기재하여 소송을 제기함으로써 그 허위주소로 소송서류가 송달되어 그로 인하여 상대방이닌 다른 사람이 그 서류를 받아 소송을 진행한 경우에는 소송사기죄의 실행의 착수가 인정되지 않는다.

④ 필로폰을 매수하려는 자에게서 필로폰을 구해달라는 부탁과 함께 돈을 지급받았다고 하더라도, 당시 필로폰을 소지 또는 입수한 상태에 있었다는 등 매매행위에 근접·밀착한 상태에서 대금을 지급받은 것이 아니라 단순히 필로폰을 구해 달라는 부탁과 함께 대금 명목으로 돈을 지급받은 것에 불과한 경우에는 필로폰 매매행위의 실행의 착수에 이른 것이라고 볼 수 없다.

07 불능미수에 대한 설명 중 가장 적절하지 않은 것은? (다툼이 있는 경우 판례에 의함)

① 불능미수는 실행의 수단이나 대상의 착오로 처음부터 구성요건이 충족될 가능성이 없는 경우로, 결과적으로 구성요건의 충족은 불가능하지만 그 행위의 위험성이 있으면 불능미수로 처벌한다.

② 불능미수는 행위자가 실제로 존재하지 않는 사실을 존재한다고 오인하였다는 측면에서 존재하는 사실을 인식하지 못한 사실의 착오와 다르다.

③ '결과 발생의 불가능'은 실행의 수단 또는 대상의 원시적 불가능성으로 인하여 범죄가 기수에 이를 수 없는 것을 의미한다고 보아야 한다.

④ 불능범과 구별되는 불능미수의 성립요건인 '위험성'은 행위 당시에 행위자가 인식한 사정과 일반인이 인식할 수 있는 사정을 기초로 일반적 경험법칙에 따라 판단해야 한다.

08 다음의 설명 중 가장 적절하지 않은 것은? (다툼이 있는 경우 판례에 의함)

① 강도예비·음모죄가 성립하기 위해서는 예비·음모 행위자에게 미필적으로라도 '강도'를 할 목적이 있음이 인정되어야 하고 그에 이르지 않고 단순히 '준강도'할 목적이 있음에 그치는 경우에는 강도예비·음모죄로 처벌할 수 없다.

② 필로폰을 매수하려는 자에게서 필로폰을 구해 달라는 부탁과 함께 돈을 지급받았다고 하더라도, 당시 필로폰을 소지 또는 입수한 상태에 있었거나 그것이 가능하였다는 등 매매행위에 근접·밀착한 상태에서 대금을 지급받은 것이 아니라 단순히 필로폰을 구해 달라는 부탁과 함께 대금 명목으로 돈을 지급받은 것에 불과한 경우에는 필로폰 매매행위의 실행의 착수에 이르렀다고 볼 수 없다.

③ 도박장소등개설죄는 영리의 목적으로 도박을 하는 장소나 공간을 개설하면 기수에 이르고, 실제로 도박이 행하여져야 기수가 되는 것은 아니다.

④ 장애미수는 형을 감경할 수 있고, 중지미수는 형을 감경 또는 면제할 수 있으며, 불능미수는 형을 감경 또는 면제한다.

09 미수에 대한 설명으로 가장 적절한 것은? (다툼이 있는 경우 판례에 의함)

① 불능미수의 성립요건인 '위험성'은 피고인이 행위 당시에 인식한 사정과 일반인이 인식할 수 있었던 사정을 놓고 일반인이 객관적으로 판단하여 결과 발생의 가능성이 있는지 여부를 따져야 한다.

② 불능미수에서 '결과의 발생이 불가능'하다는 것은 범죄행위의 성질상 그 어떠한 경우에도 구성요건의 실현이 불가능하다는 것을 의미한다.

③ 예비·음모의 행위를 한 후 실행의 착수로 나아가기 전에 자의로 중지한 경우에는 예비·음모죄의 중지미수를 인정할 수 있다.

④ 타인의 재물을 공유하는 자가 공유자의 승낙을 받지 않고 공유대지를 담보에 제공하고 가등기를 경료한 후 자의로 가등기를 말소하였다면 이는 횡령죄의 중지미수에 해당한다.

10 미수에 대한 설명 중 가장 적절한 것은? (다툼이 있는 경우 판례에 의함)

① 준강도죄의 기수 여부는 구성요건적 행위인 폭행 또는 협박이 종료되었는가의 여부에 따라 결정된다.

② 소송비용을 이미 송금받았음에도 불구하고 소송비용을 편취할 의사로 소송비용의 지급을 구하는 손해배상청구의 소를 제기한 경우 사기죄의 불능범에 해당한다.

③ 피해자를 살해하려고 그의 목 부위와 왼쪽 가슴 부위를 칼로 수 회 찔렀으나 피해자의 가슴 부위에서 많은 피가 흘러나오는 것을 발견하고 겁을 먹고 그만 둔 경우 살인죄의 중지미수에 해당한다.

④ 불능범과 구별되는 불능미수의 성립요건인 '위험성'은 행위 당시 행위자가 인식한 사정과 일반인이 인식할 수 있었던 사정을 기초로 일반적 경험법칙에 따라 객관적 사후적으로 판단하여야 한다.

PART

03

경찰학

문제편

경찰학 1회 모의고사

01 경찰개념의 변천과정에 대한 설명 중 적절하지 않은 것은?

① 16세기 독일의 제국경찰법(1530년)에서 교회행정을 제외한 모든 국가활동을 경찰이라 했다.
② 17세기 경찰국가시대의 경찰개념은 외교·국방·재정·사법을 제외한 내무행정 전반을 의미했다.
③ 18세기 계몽철학의 영향으로 경찰의 개념이 소극적 위험방지 분야로 한정되었다.
④ 프로이센 경찰행정법(1931년)은 경찰의 직무를 적극적 복리증진으로 규정했다.

02 다음 중 경찰의 개념에 대한 설명으로 가장 옳은 것은?

① 「프로이센 일반란트법」에서 경찰을 행정경찰과 사법경찰로 최초로 구분하였다.
② 법치국가 시대의 주요 법령과 판례는 『프로이센의 일반란트법 → 프로이센의 제국경찰법 → 프로이센의 크로이츠베르크 판결 → 프랑스의 지방자치법전 → 프랑스의 죄와 형벌법전』 순서로 발전하였다.
③ 경찰개념의 발달과정에서 경찰사무를 타 행정관청으로 이관하는 현상을 '비범죄화'라고 하는데, 위생경찰, 산림경찰 등을 비범죄화 사무의 예로 들 수 있다.
④ 1884년 프랑스 지방자치법전은 경찰의 직무범위에서 협의의 행정경찰적 사무를 포함시키고 있다.

03 다음 중 경찰의 개념에 대한 설명으로 가장 옳은 것은?

① 14세기경 프랑스에서는 검찰과 경찰기능을 가진 프레보가 파리에 도입되었고, 프레보는 국왕이 임명하였다.
② 1795년 프랑스 「죄와 형벌법전」 제16조에서 경찰은 공공의 질서를 유지하고 개인의 자유와 재산 및 안전을 유지하기 위한 기관이라고 규정하였다.
③ 1931년 프로이센의 경찰행정법은 '공공의 평온, 안전과 질서를 유지하고 공중 또는 그 구성원에 대한 절박한 위험을 제거하기 위하여 필요한 수단을 강구하는 것이 경찰의 책무이다'라고 규정하였다.
④ 경찰개념의 발달과정에서 경찰사무를 타 행정관청으로 이관하는 현상을 '비경찰화'라고 하는데, 위생경찰, 산림경찰, 풍속경찰 등을 비경찰화 사무의 예로 들 수 있다.

04 대륙법계와 영미법계의 경찰개념에 대한 설명으로 옳지 못한 것은?

① 대륙법계에서는 경찰권의 발동범위와 성질을 중심으로 "경찰활동은 무엇인가"라는 문제로 경찰개념이 논의되었다.
② 영미법계에서는 행정경찰과 사법경찰에 대한 구분이 없었다.
③ 대륙법계에서는 경찰이 시민과 대립적인 관계였다.
④ 영미법계에서 경찰개념은 확대되는 과정으로 볼 수 있다.

05 다음 판결에 대한 설명으로 옳지 않은 것은?

① Blanco 판결은 별건 수사로 수집된 증거는 위법하게 수집된 증거로서 배제한다는 원칙을 확립한 판결이다.
② 띠톱판결은 띠톱에서 발생하는 먼지와 소음에 대해 조치를 취해달라는 민원에 대하여, 행정청의 재량권이 0으로 수축되어 행정개입청구권이 인정된다는 판결이다.
③ Escobedo 판결은 변호인과의 접견교통권을 침해하여 획득한 자백의 증거능력을 부정한 판결이다.
④ Miranda 판결은 변호인선임권, 접견교통권 및 진술거부권을 고지하지 않은 상태에서 이루어진 자백의 증거능력을 부정하여, 자백의 임의성과 관계없이 채취과정에 위법이 있는 자백을 배제하게 되는 계기가 되었다.

06 프랑스 경찰개념의 발달과정에 대한 설명으로 가장 옳은 것은?

① 11세기경 프랑스에서는 '경찰권 이론'이 등장하였는데, 이 이론에 따르면 군주는 개인 간의 결투와 같은 자구행위를 억제하기 위하여 공동체의 원만한 질서를 보호할 권리와 의무를 갖고 있으며, 이를 위한 필수불가결한 조치를 경찰권에 근거하여 갖고 있다고 보았다.
② 14세기경 프랑스에서는 법원과 경찰기능을 가진 프레보(Prévôt)가 파리에 도입되었고, 프레보는 왕이 임명하였다.
③ 14세기 프랑스 경찰권 개념은 라 폴리스(La Police)라는 단어에 의해 대표 되었는데, 이 단어의 뜻은 초기에는 '공동체의 질서 있는 상태'를 의미했다가 나중에는 '국가목적 또는 국가작용'을 의미하였다.
④ 14세기 이후 파리시의 치안을 위한 '경찰대'가 창설되었으며, 이는 '파리시의 질서를 바로 잡아 시민들을 문명인으로 만드는 조직체'라는 뜻으로 사용되었다.

07 다음은 형식적 의미의 경찰개념과 실질적 의미의 경찰개념에 대한 설명을 옳지 않은 것은?

① 형식적 의미의 경찰이 언제나 실질적 의미의 경찰이 되는 것은 아니며, 실질적 의미의 경찰이 모두 형식적 의미의 경찰이 되는 것도 아니다.
② 실질적 의미의 경찰은 사회공공의 안녕과 질서유지를 위한 권력적 작용이므로 소극목적에 한정된다.
③ 형식적 의미의 경찰은 사회목적적 작용을 의미하며 작용을 중심으로 파악된 개념이고, 실질적 의미의 경찰은 조직을 기준으로 파악된 개념이다.
④ 실질적 의미의 경찰은 실무상 정립된 개념이 아니라 학문적으로 정립된 개념으로 독일 행정법학에서 유래하였다.

08 형식적 의미의 경찰개념과 실질적 의미의 경찰개념으로 분류할 때 형식적 의미의 경찰개념에만 해당되는 것은 모두 몇 개인가?

㉠ 정보경찰	㉡ 안보경찰
㉢ 건축경찰	㉣ 영업경찰
㉤ 수사경찰	㉥ 비권력적 활동
㉦ 교통경찰	㉧ 위생경찰

① 1개 ② 2개
③ 3개 ④ 4개

09 경찰의 분류에 대한 설명으로 가장 적절하지 않은 것은?

① 우리나라는 조직법상 행정경찰과 사법경찰의 구분이 없으며, 보통경찰기관이 양 사무를 모두 담당한다.
② 예방경찰과 진압경찰은 경찰권 발동 시점에 따른 구분이다.
③ 행정경찰은 주로 과거의 상황에 대하여 작용하며, 사법경찰은 주로 현재 또는 장래의 상황에 대하여 작용한다.
④ 질서경찰과 봉사경찰은 경찰 활동 시 강제력의 사용유무로 구분된다.

10 경찰의 분류에 대한 설명으로 가장 적절하지 않은 것은?

① 영미법계는 행정경찰과 사법경찰을 구분하지 않지만 대륙법계는 양자를 구분한다.
② 우리나라에서는 보통경찰기관이 행정경찰 및 사법경찰 업무를 모두 담당한다.
③ 봉사경찰은 서비스·계몽·지도 등 비권력적인 수단을 통하여 경찰의 직무를 수행하는 경찰활동으로 방범지도, 청소년선도, 교통정보제공, 범죄의 제지 등이 있다.
④ 협의의 행정경찰은 다른 행정작용에 부수하여 그 행정작용과 관련해서 발생하는 위험을 방지하기 위해 행해지는 경찰작용으로 경제경찰, 산림경찰, 철도경찰 등이 있다.

경찰학 2회 모의고사

01 경찰의 개념과 경찰학에 대한 설명으로 옳지 않은 것은?

① 독일 경찰학자 유스티(Justi)의 저서 '경찰학의 원리(1756년)'는 오늘날의 경찰학과 그 성격이 유사하다고 할 수 없다.
② 미국에서 오거스트 볼머의 노력으로 대학에 경찰관련 학과가 설치되기 시작하였다.
③ 경찰학의 학문적 성격은 특수학문, 경험과학, 사회과학, 순수학문, 기초학문에 속한다고 볼 수 있다.
④ 경찰학은 실정법상의 경찰조직 및 활동에 관한 학문적 연구의 총체라고 정의할 수 있으며, 경찰관들의 의식세계나 경찰일탈도 경찰학의 연구영역에 포함된다.

02 경찰의 임무를 공공의 안녕과 질서에 대한 위험의 방지라고 정의할 때, 이에 대한 설명으로 가장 옳은 것은?

① '공공의 안녕'이란 개념은 '법질서의 불가침성'과 '국가의 존립 및 국가기관 기능성의 불가침성', '개인의 권리와 법익의 보호'를 포함하며, 이 중 공공의 안녕의 제1요소는 '개인의 권리와 법익의 보호'이다.
② 외관적 위험의 경우 적법한 경찰개입이므로 경찰관 개인에게 민·형사상 책임을 물을 수 없다.
③ 외관적 위험은 경찰이 의무에 합당한 사려 깊은 판단을 할 때 실제로 위험의 가능성은 예측되나 불확실한 경우를 말한다.
④ 위험의 현실화 여부에 따라 '추상적 위험'과 '구체적 위험'으로 구분할 수 있으며 경찰의 개입은 구체적 위험의 경우에만 정당화된다.

03 경찰의 기본적 임무에 대한 설명 중 옳지 않은 것은?

① 인간의 존엄·자유·명예·생명 등과 같은 개인적 법익뿐만 아니라 사유재산적 가치나 무형의 권리에 대한 위험방지도 경찰의 임무에 해당한다. 그러나 개인적 권리와 법익이 보호된 경우라고 하더라도 경찰의 원조는 잠정적인 보호에 국한되어야 한다.
② 법적 안정성의 확보를 위해 불문규범이 성문화되어 가는 현상으로 인하여 오늘날 공공의 질서라는 개념은 그 범위가 점차 축소되고 있다.
③ 위험은 경찰개입의 전제조건이나 위험이 보호를 받게 되는 법익에 구체적으로 존재해야 하는 것은 아니기 때문에 보행자의 통행이 거의 없는 밤 시간에 횡단보도 보행자 신호등이 녹색등일 때 정지하지 않고 진행한 경우에도 통행한 운전자는 경찰 책임자가 된다. 이는 국가의 존립과 기능성 불가침성을 침해하기 때문이다.
④ 외관적 위험에 대한 경찰권 발동은 경찰상 위험에 해당하는 적법한 개입이므로 경찰관에게 민·형사상 책임을 물을 수 없다. 단, 경찰개입으로 인한 피해가 '공공필요에 의한 특별한 희생'에 해당하는 경우에는 국가의 손실보상 책임은 발생할 수 있다.

04 경찰의 기본적 임무에 대한 설명으로 옳지 않은 것은?

① '위험'은 가까운 장래에 공공의 안녕에 손해가 나타날 가능성이 개개의 경우에 충분히 존재하는 상태를 말한다.
② 공공질서란 원만한 공동체 생활을 위한 필수적인 전제조건으로서 공공사회에서 개개인의 행동에 대한 불문규범의 총체를 의미하지만, 기본권 보장을 위해 엄격한 합헌성이 요구된다.
③ 공공질서는 시대에 따라 변화하는 상대적·유동적 개념이다.
④ 공항에 폭발물이 설치되어 있다는 익명의 신고에 모든 사람을 대피시킨 경우는 위험의 인식에 있어서 '위험혐의'보다는 '외관적 위험'에 해당한다.

05 경찰권의 관할에 대한 설명으로 가장 옳은 것은?

① 사물관할은 경찰권의 발동범위를 설정한 것으로 작용법적 임무 규정이다.
② 우리나라는 대륙법계의 영향을 받아 범죄수사에 관한 임무가 경찰의 사물관할로 인정되고 있다.
③ 국회 경위와 경찰공무원은 국회 안에 현행범인이 있을 때에는 국회의장의 지시를 받은 후 체포하여야 한다.
④ 국회의장은 국회 경호를 위하여 국회운영위원회의 동의를 얻어 정부에 경찰공무원의 파견을 요구할 수 있으며, 파견된 경찰공무원은 회의장 건물 밖에서 경호한다.

06 경찰의 관할에 대한 다음 설명 중 가장 옳지 않은 것은?

① 인적관할이란 광의의 경찰권이 발동될 수 있는 인적 범위를 의미한다.
② 경찰관은 중대한 범죄를 범하고 도주하는 현행범인을 추적하는 경우에는 미군 시설 내에서도 체포를 할 수 있다.
③ 헌법상 대통령은 내란 또는 외환의 죄를 범한 경우를 제외하고는 재직 중 형사상의 소추를 받지 아니한다.
④ '사물관할'이란 경찰권이 발동될 수 있는 지역적 범위를 말하고, 대한민국의 영역 내 모든 범위에 적용되는 것이 원칙이다.

07 「경찰 인권보호규칙」(경찰청 훈령)에 대한 설명으로 가장 옳지 않은 것은?

① 인권보호담당관은 반기 1회 이상 인권영향평가의 이행 여부를 점검하고, 이를 경찰청 인권위원회에 제출하여야 한다.
② 참가인원, 내용, 동원 경력의 규모, 배치 장비 등을 고려하여 인권침해 가능성이 높다고 판단되는 집회 및 시위는 집회 및 시위 종료일로부터 60일 이전에 인권영향평가를 실시하여야 한다.
③ 경찰청장은 경찰관등이 근무하는 동안 지속적·체계적으로 교육을 받을 수 있도록 3년 단위로 인권교육종합계획을 수립하여 시행하여야 한다.
④ 인권보호담당관은 인권침해를 예방하고 제도를 개선하기 위해 연 1회 이상 인권 관련 정책 이행 실태, 인권교육 추진 현황, 경찰청과 소속기관의 청사 및 부속 시설 전반의 인권침해적 요소의 존재 여부를 진단하여야 한다.

08 「경찰 인권보호규칙」(경찰청 훈령)에 대한 설명으로 가장 옳지 않은 것은?

① '진정 내용이 사실이 아니거나 사실여부를 확인하는 것이 불가능한 경우'에 진정을 기각할 수 있다.
② 조사담당자는 인권침해 사건을 조사하는 과정에서 감사원의 조사, 경찰·검찰 등 수사기관에서 조사 또는 수사가 개시된 사유로 사건 조사를 진행할 수 없는 경우에는 조사를 중지할 수 있다.
③ 인권진단은 서면으로 실시하되, 특별한 사유가 있는 경우에는 대상 경찰관서를 방문하여 관찰, 서류 점검, 면담, 설문 등의 방법으로 실시할 수 있다.
④ 경찰청장은 국민의 인권보호와 증진을 위하여 경찰 인권정책 기본계획을 5년마다 수립해야 하고, 경찰관등(경찰공무원으로 신규 임용될 사람을 포함한다)이 근무하는 동안 지속적·체계적으로 교육을 받을 수 있도록 3년 단위로 인권교육종합계획을 수립하여 시행해야 한다.

09 「경찰 인권보호 규칙」상 경찰청 인권위원회에 대한 설명으로 가장 적절하지 않은 것은?

① 위원회 위원장 1명을 포함하여 7명 이상 15명 이하의 위원으로 구성한다. 이때, 특정 성별이 전체 위원 수의 10분의 6을 초과하지 아니하도록 노력해야 한다.
② 위원은 당연직 위원과 위촉 위원으로 구분하며, 당연직 위원은 경찰청은 감사관, 시・도경찰청은 청문감사인권담당관으로 한다.
③ 경찰의 직에 있거나 그 직에서 퇴직한 날부터 3년이 지나지 아니한 사람은 위원이 될 수 없다.
④ 위원장과 위촉 위원의 임기는 위촉된 날로부터 2년으로 하며 위원장의 직은 연임할 수 없고, 위촉 위원은 두 차례만 연임할 수 있다.

10 경찰의 기본이념 및 임무에 대한 설명으로 옳은 것은?

① 「경찰관직무집행법」 제1조는 경찰의 민주적인 관리・운영과 효율적인 임무수행을 규정하고 있다.
② 「국가인권위원회법」상 국가인권위원회는 필요하다고 인정하면 그 의결로써 구금・보호시설을 방문하여 조사할 수 있다.
③ 경찰의 중앙과 지방간의 적절한 권한 분배, 성과급제도의 확대는 경영주의 이념을 추구한다.
④ 경찰의 비권력적 활동은 조직법적 또는 작용법적 근거가 없어도 가능하다.

경찰학 3회 모의고사

01 바람직한 경찰의 역할 모델에 대한 설명으로 옳은 것은?

① '범죄와 싸우는 경찰모델'은 지역사회 경찰활동과 일맥상통한다.
② '범죄와 싸우는 경찰모델'은 경찰의 역할을 뚜렷하게 인식시키고 인권보호에 기여하는 측면이 있지만 경찰의 전문직화에는 장애가 된다는 것이 단점이다.
③ '치안서비스 제공자로서의 경찰모델'에서 대역적 권위에 의한 경찰활동은 일시적이고 임시방편적 수준에 머물러서는 아니 된다.
④ '치안서비스 제공자로서의 경찰모델'에서 치안서비스의 개념에는 범죄와의 싸움도 치안서비스의 한 부분으로 보고 있다.

02 경찰의 부패이론과 내부고발에 대한 설명으로 가장 옳은 것은?

① 윤리적 냉소주의 가설은 경찰조직 내부적으로 경찰고위직의 이중적 태도가 아닌 경찰에 대한 외부적 통제기능을 수행하는 정치권력, 대중매체, 시민단체의 부패로부터 비롯된다고 본다.
② 펠드버그(Feldberg)는 대부분의 경찰관들이 사소한 호의와 뇌물을 구별할 수 있으므로 '미끄러지기 쉬운 경사로 이론'은 비현실적이고, 더 나아가 경찰인의 지능에 대한 모독이라고 하였다.
③ '미끄러지기 쉬운 경사로 이론'은 셔먼이 주장한 이론으로서 작은 부패가 습관화될 경우 더 큰 부패와 범죄로 빠진다고 보는 이론이다.
④ '사회 형성재' 이론은 작은 사례나 호의가 시민과의 부정적인 사회관계를 만들어 주는 형성재라고 보고 있다.

03 클라이니히(J. Kleinig)의 경찰윤리교육의 목적에 대한 설명으로 옳지 않은 것은?

① 도덕적 감수성의 배양은 다양한 계층의 사람들에게 차별 없이 인간으로서 존중하고 공평하게 봉사하는 것을 말한다.
② 도덕적 결의의 강화는 압력과 유혹에 굴복하지 않고 소신과 직업의식에 따라 일을 처리하는 것으로, 돈을 주며 사건무마를 청탁하는 의뢰인의 요구를 결국 거절하도록 하는 것이다.
③ 도덕적 전문능력 함양은 경찰관이 비판적 사고방식을 배양하여 잘못된 관행을 비판적으로 검토하여 수용하는 것이다.
④ 경찰윤리교육에서 가장 중요하고 최종적인 목적은 도덕적 결의의 강화이다.

04 경찰의 일탈과 부패에 대한 설명으로 가장 적절한 것은?

① 델라트르는 '미끄러지기 쉬운 경사로이론'에 따라 시민의 작은 호의를 받은 경찰관 중 큰 부패로 이어지는 경찰관은 일부에 불과하므로 시민의 작은 호의를 금지할 필요는 없다고 하였다.
② 윌슨(O.W.Wilson)은 '경찰은 어떤 작은 호의, 심지어 한 잔의 공짜 커피도 받도록 허용되어서는 안 된다.'라고 주장하였다.
③ 셔먼의 '미끄러지기 쉬운 경사로이론'은 사소한 부패를 허용하면 나중에는 엄청난 부패로 이어진다는 이론이다.
④ 전체사회가설은 신임경찰관이 조직의 부패 전통 내에서 고참 동료들에 의해 사회화됨으로써 부패의 길로 들어선다는 입장이다.

05 경찰윤리강령에 관한 설명으로 가장 옳지 않은 것은?

① 경찰윤리강령은 대외적으로 서비스 수준의 보장, 국민과의 신뢰관계 형성, 과도한 요구에 대한 책임 제한 등과 같은 기능을 한다.
② 경찰윤리강령의 문제점 중 '냉소주의의 문제'란 강령의 수준 이상으로 근무하지 않으려는 근무수준의 최저화를 유발하며 강령의 내용을 울타리로 삼아 그 이상의 자기희생을 않으려 하는 것을 말한다.
③ 경찰윤리강령의 문제점으로 '비진정성'이란 경찰관의 도덕적 자각에 따른 자발적인 행동이 아니라 외부로부터 요구된 타율성으로 인해 진정한 봉사가 이루어지지 않을 수 있다는 것을 의미한다.
④ 조직에 대한 소속감의 고취는 대내적 기능에 해당한다.

06 코헨과 펠드버그의 경찰활동의 기준으로 바르게 연결된 것은 모두 몇 개인가?

> ㉠ 박순경은 강도범을 추격하던 중 도주하는 범인의 등 뒤에서 권총을 쏘아 사망하게 하였다. – <냉정하고 객관적인 자세>
> ㉡ 김경장은 사람을 납치하여 도주 중인 범인의 차를 추격하기 위하여 신호위반을 하였다. – <공공의 신뢰>
> ㉢ 이순경은 어렸을 적 아버지로부터 가정폭력을 경험하였는데, 가정폭력 사건을 처리하면서 모든 잘못은 남편에게 있다고 단정 지었다. – <냉정하고 객관적인 자세>
> ㉣ 고순경은 음주단속을 하다가 동료가 운전 중인 차량을 발견하고 음주운전의 의심이 들었지만 모른 체하고 통과시켰다. – <팀워크와 역할한계>

① 1개　　② 2개
③ 3개　　④ 4개

07 「부정청탁 및 금품 등 수수의 금지에 관한 법률」에 대한 설명으로 가장 적절하지 않은 것은?

① 공직자 등은 수수 금지 금품 등을 받거나 그 제공의 약속 또는 의사표시를 받은 경우에는 이를 반환하거나 거부의 의사를 표시하여야 하며, 이러한 조치를 하였음에도 동일한 행위가 반복될 경우에는 이를 소속기관장에게 서면으로 신고하여야 한다.
② 공직자 등은 사례금을 받는 외부강의 등을 할 때에는 대통령령으로 정하는 바에 따라 외부강의 등의 요청 명세 등을 소속기관장에게 그 외부강의 등을 마친 날부터 10일 이내에 서면으로 신고하여야 한다. 다만, 외부강의 등을 요청한 자가 국가나 지방자치단체인 경우에는 그러하지 아니하다.
③ 「부정청탁 및 금품 등 수수의 금지에 관한 법률」에 따라 국회, 법원, 헌법재판소, 선거관리위원회, 감사원, 국가인권위원회, 고위공직자 범죄수사처, 중앙행정기관(대통령 소속 기관과 국무총리 소속 기관을 포함한다)과 그 소속 기관 및 지방자치단체는 공공기관에 해당한다.
④ 공직자 등은 직무 관련 여부 및 기부·후원·증여 등 그 명목에 관계없이 동일인으로부터 1회에 100만원 또는 매 회계연도에 300만원을 초과하는 금품 등을 받거나 요구 또는 약속해서는 아니 된다.

08 「부정청탁 및 금품등 수수의 금지에 관한 법률」 및 동법 시행령의 금품수수 금지의 예외에 대한 설명으로 가장 옳지 않은 것은?

① 직무관련자가 결혼식장에서 부조금 5만원과 5만원 상당의 화환을 제공하면 위반이 된다.
② 직무관련자와 식사 후 식대가 1인당 5만원이 나온 경우에 제공자가 3만원을 결제하고 공직자가 2만원을 결제한 경우 위반되지 않는다.
③ 직무관련자가 공직자 등의 회갑잔치에서 5만원을 선물로 주는 경우 위반된다.
④ 직무관련자가 나중에 결제하기로 하고 직무관련자 없이 공직자만 식당에서 3만원 이하의 식사를 한 경우는 위반된다.

09 「부정청탁 및 금품 등 수수의 금지에 관한 법률」 및 동법 시행령상 외부강의에 대한 설명 중 가장 옳은 것은?

① 공직자 등은 사례금을 받는 외부강의 등을 할 때에는 대통령령으로 정하는 바에 따라 외부강의 등의 요청 명세 등을 소속기관장에게 사전에 서면으로 신고하여야 한다.

② 공직자 등은 금액을 초과하는 사례금을 받은 경우에는 그 사실을 안 날부터 3일 이내에 서면으로 소속기관장에게 신고하여야 한다.

③ 초과 사례금 신고를 받은 소속기관장은 초과사례금을 반환하지 아니한 공직자 등에 대하여 신고사항을 확인한 후 7일 이내에 반환하여야 할 초과사례금의 액수를 산정하여 해당 공직자 등에게 통지하여야 한다.

④ 외부강의 등을 신고하려는 공직자 등은 상세 명세 또는 사례금 총액 등을 미리 알 수 없는 경우에는 해당 사항을 제외한 사항을 신고한 후 해당 사항을 안 날부터 10일 이내에 보완하여야 한다.

10 「공직자의 이해충돌방지법」에 관한 내용 중 옳은 것은?

① "공공기관"에는 「사립학교법」에 따른 학교법인과 언론사가 포함된다.

② "고위공직자"에는 치안감 이상의 경찰공무원 및 특별시·광역시·특별자치시·도·특별자치도의 시·도경찰청장이 해당된다.

③ 부동산을 직접 또는 간접으로 취급하는 대통령령으로 정한 공공기관의 공직자가 소속 공공기관의 업무와 관련된 부동산을 보유하고 있거나 매수하는 경우 소속기관장에게 그 사실을 서면으로 신고하여야 한다.

④ 사건의 수사에 관한 직무를 수행하는 공직자는 직무관련자(직무관련자의 대리인을 제외한다)가 사적이해관계자임을 안 경우 안 날부터 14일 이내에 소속기관장에게 그 사실을 서면(전자문서를 포함한다)으로 신고하고 회피를 신청하여야 한다.

경찰학 4회 모의고사

01 「공직자의 이해충돌방지법」에 관한 내용 중 옳지 않은 것은?

① 공직자는 배우자가 공직자 자신의 직무관련자(「민법」 제777조에 따른 친족 제외)와 토지 또는 건축물 등 부동산을 거래하는 행위(다만, 공개모집에 의하여 이루어지는 분양이나 공매·경매·입찰을 통한 재산상 거래 행위는 제외)를 한다는 것을 사전에 안 경우에는 안 날부터 14일 이내에 소속기관장에게 그 사실을 서면으로 신고하여야 한다.
② 공직자는 직무관련자에게 사적으로 노무 또는 조언·자문 등을 제공하고 대가를 받는 행위를 해서는 아니 된다(단, 「국가공무원법」 등 타 법령·기준에 따라 허용되는 경우는 제외).
③ 공직자는 직무관련자인 소속 기관의 퇴직자(공직자가 아니게 된 날부터 2년이 지나지 아니한 사람만 해당한다)와 사적 접촉(골프, 여행, 사행성 오락을 같이 하는 행위를 말한다)을 하는 경우 소속기관장에게 신고하여야 한다. 다만, 사회상규에 따라 허용되는 경우에는 그러하지 아니하다.
④ 사적 이해관계자에 공직자 자신 또는 그 친족(「민법」 제767조에 따른 친족)도 해당된다.

02 「공직자의 이해충돌방지법」상 모든 공직자에게 적용되는 신고 의무 또는 제한에 해당하는 것은?

① 민간 부문 업무활동 내역 제출 및 공개(제8조)
② 직무관련 외부 활동 제한(제10조)
③ 가족 채용 제한(제11조)
④ 수의 계약 체결 제한(제12조)

03 다음 중 「이해충돌방지법」상 형사처벌 대상에 해당하는 공직자는?

① 직무관련자에게 사적으로 노무 또는 조언·자문 등을 제공하고 대가를 받는 행위를 한 공직자
② 직무수행 중 알게 된 소속 공공기관의 미공개 정보를 제3자로 하여금 이용하게 한 공직자
③ 부동산을 직접적으로 취급하는 대통령령으로 정하는 소속 공공기관의 업무와 관련된 부동산을 보유하고 있음에도 소속기관장에게 그 사실을 서면으로 신고하지 아니한 공직자
④ 소속 공공기관에 자신의 가족이 채용되도록 지시·유도 또는 묵인한 경우 고위 공직자

04 「공직자의 이해충돌방지법」상 "사적이해관계자"에 해당하는 가족의 범위(민법 제779조)로 옳지 않은 것은?

① 형제자매는 생계를 같이 하는 경우에 한한다.
② 직계혈족의 배우자는 생계를 같이 하는 경우에 한한다.
③ 배우자의 직계혈족은 생계를 같이 하는 경우에 한한다.
④ 배우자의 형제자매는 생계를 같이 하는 경우에 한다.

05 「경찰청 공무원 행동강령」에 대한 설명으로 가장 적절하지 아니한 것은?

① 공무원은 자신의 직무권한을 행사하거나 지위·직책 등에서 유래되는 사실상 영향력을 행사하여 직무관련자 또는 직무관련공무원으로부터 사적 노무를 제공받거나 요구 또는 약속해서는 아니 된다. 다만, 다른 법령 또는 사회상규에 따라 허용되는 경우에는 그러하지 아니하다.
② 공무원은 정치인이나 정당 등으로부터 부당한 직무수행을 강요받거나 청탁을 받은 경우에는 별지 서식 또는 전자우편 등의 방법으로 소속 기관장에게 보고하거나 행동강령책임관과 상담할 수 있다.

③ 경찰유관단체원이 경찰 업무와 관련하여 경찰관에게 금품을 제공한 경우 행동강령책임관은 해당 경찰유관단체 운영 부서장과 협의하여 소속기관장에게 경찰유관단체원의 해촉 등 필요한 조치를 건의하여야 하며, 보고를 받은 소속기관장은 적절한 조치를 취해야 한다.
④ 공무원은 사례금을 받는 외부강의 등을 할 때에는 외부강의 등의 요청 명세 등을 소속 기관의 장에게 그 외부강의 등을 마친 날부터 10일 이내에 신고하여야 한다. 다만, 외부강의 등을 요청한 자가 국가나 지방자치단체인 경우에는 그러하지 아니하다.

06 「경찰청 공무원 행동강령」에 대한 설명으로 가장 적절하지 않은 것은?

① 공무원이 대가를 받고 수행하는 외부강의 등은 월 3회를 초과할 수 없다. 다만, 국가나 지방자치단체에서 요청하거나 겸직 허가를 받고 수행하는 외부강의 등은 그 횟수에 포함하지 아니한다.
② 공무원은 직무관련자와 마작, 화투, 카드 등 우연의 결과나 불확실한 승패에 의하여 금품 등 경제적 이익을 취할 목적으로 하는 사행성 오락을 같이 하여서는 아니 된다.
③ 부당한 요구를 받은 피감기관 소속 공직자는 그 이행을 거부해야 하며, 거부했음에도 불구하고 감독기관 소속 공무원으로부터 같은 요구를 다시 받은 때에는 그 사실을 별지 서식에 따라 피감기관의 행동강령책임관에게 알려야 한다.
④ 공무원은 수사 중인 사건의 관계자(해당 사건의 처리와 법률적·경제적 이해관계가 있는 자로서 경찰청장이 지정하는 자를 말한다)와 부적절한 사적접촉을 해서는 아니 되며, 소속 경찰관서 내에서만 접촉하여야 한다. 다만, 현장조사 등 공무상 필요한 경우 외부에서 접촉할 수 있으며, 이 경우에는 경찰청장이 정하는 방법에 따라 신고하여야 한다.

07 「경찰청 공무원 행동강령」에 대한 설명 중 가장 옳지 않은 것은?

① 공무원은 상급자가 자기 또는 타인의 부당한 이익을 위하여 공정한 직무수행을 현저하게 해치는 지시를 하였을 때에는 즉시 행동강령책임관과 상담하여야 한다.
② 위 ①의 상담 요청을 받은 행동강령책임관은 지시 내용을 확인하여 지시를 취소하거나 변경할 필요가 있다고 인정되면 소속 기관의 장에게 보고하여야 한다.
③ 위 ②의 경우 행동강령책임관이 지시 내용을 확인하는 과정에서 부당한 지시를 한 상급자가 스스로 그 지시를 취소하거나 변경하였을 때에는 소속 기관의 장에게 보고하지 아니할 수 있다.
④ 위 ②에 따른 보고를 받은 소속 기관의 장은 필요하다고 인정되면 지시를 취소·변경하는 등 적절한 조치를 하여야 한다.

08 범죄원인론과 범죄통제론에 대한 설명으로 가장 적절하지 않은 것은?

① 머튼(Merton)의 아노미 이론, 서덜랜드(Sutherland)의 차별적 접촉이론, 맛차와 사이크스(Matza & Sykes)의 중화기술이론은 미시적 관점에 해당하는 이론이다.
② 사회학습이론, 사회통제이론, 낙인이론은 범죄의 원인을 사회적 과정의 특성에서 찾는다.
③ 사회유대이론, 동조성전념이론, 견제이론은 사회통제이론에 속한다.
④ 코헨(Cohen)은 하위문화를 반항문화로 인식하지만 밀러(Miller)는 하위문화를 그들의 고유문화로 인식한다.

09 범죄원인론에 대한 설명으로 가장 옳지 않은 것은?

① Burgess & Akers가 주장한 차별적 강화이론은 청소년의 비행행위는 처벌이 없거나 오히려 칭찬받게 되면 반복적으로 저질러진다는 것이다.
② Beccaria는 의사결정론의 입장에서 범죄는 인간의 자유의지보다는 외적요소에 의하여 결정되며 범죄인에 대한 갱생과 치료를 강조하였다.
③ Sheley는 범죄인의 입장에서 바라본 범죄유발의 4요소로 사회적 제재로부터의 자유, 범행의 동기, 범행의 기회, 범행의 기술을 주장하였다.
④ Cohen은 하류계층의 청소년들이 목표와 수단의 괴리로 중류계층에 대한 저항으로 비행을 저지르며, 목표달성의 어려움을 극복하기 위해 만든 그들의 하위문화에 의하여 범죄가 발생한다고 보았다.

10 범죄원인론에 대한 설명으로 가장 적절하게 연결되지 않은 것은?

① 쇼와 멕케이(Shaw & Mckay)의 사회해체이론 – 빈민(slum) 지역에서 범죄발생률이 높은 것은 도시의 산업화·공업화 과정에서 지역사회의 제도나 규범 등이 극도로 해체되기 때문으로, 이 지역에서는 비행적 전통과 가치관이 사회통제를 약화시켜서 일탈이 야기되며 이러한 지역은 구성원이 바뀌더라도 비행발생률은 감소하지 않는다.
② 머튼(Merton)의 긴장(아노미) 이론 – 목표와 그 목표를 이루기 위한 수단과의 간극이 커지면서 아노미 조건이 유발되어 분노와 좌절이라는 긴장이 초래되고, 그 목적을 달성하기 위한 수단으로서 범죄를 선택한다.
③ 허쉬(Hirschi)는 범죄의 원인은 사회적인 유대가 약화되어 통제되지 않기 때문이라고 보고, 비행을 통제할 수 있는 사회적 통제의 결속을 애착, 전념, 기회, 참여라고 하였다.
④ 코헨(Cohen)은 하류계층의 청소년들이 목표달성의 어려움을 극복하기 위해 자신들만의 하위문화를 만들고, 범죄는 이러한 하위문화에 의해 저질러진다고 주장하였다.

경찰학 5회 모의고사

01 범죄원인 및 범죄통제 이론에 대한 설명으로 옳은 것은?

① Reckless의 견제이론은 나쁜 것을 견제하는 좋은 자아관념의 결여로 범죄가 발생한다고 본다.
② 사회학습이론 중 Burgess & Akers의 차별적 강화이론에 의하며 청소년들이 영화의 주인공을 모방하고 자신과 동일시 하면서 범죄를 학습한다고 한다.
③ 클락과 코니쉬의 일상생활 이론은 범죄자의 입장에서 범행을 결정하는데 고려되는 4가지 요소로 가치, 이동의 용이성, 가시성, 접근성을 들고 있다.
④ Hirschi는 범죄의 원인은 사회적인 유대가 약화되어 통제되지 않기 때문이라고 보고, 비행을 통제할 수 있는 사회적 통제의 결속을 애착, 전념, 기회, 참여라고 하였다.

02 사회통제이론에 대한 설명으로 가장 옳지 않은 것은?

① 사회통제이론은 '어떤 사람들은 왜 범죄를 범하게 되는가?'보다는 '어떤 사람들은 왜 범죄를 하지 않는가?'라는 물음에 중점을 두고 있다.
② 사회통제이론은 인간은 범죄성을 본질적으로 지니고 있기 때문에 그대로 두면 누구든지 범죄를 저지를 것이라고 본다.
③ Hirschi의 사회유대이론, Briar & Piliavin의 동조성 전념이론, Matza & Sykes의 중화기술이론, Glaser의 차별적 동일화이론은 사회통제이론에 속한다.
④ Hirschi는 사회생활에 대한 참여가 낮으면 그만큼 일탈행동의 기회가 증가됨으로써 비행이나 범죄를 저지를 가능성이 높아진다고 보았다.

03 Jeffery의 환경설계를 통한 범죄예방(CPTED)의 기본원리에 대한 설명으로 가장 옳은 것은?

① '거리의 눈'을 활용한 자연적 감시와 접근통제의 기능을 확대하는 원리는 자연적 감시의 원리이다.
② 외부인의 출입을 통제하도록 설계하여 접근에 대한 심리적 부담을 증대시키는 것은 자연적 접근통제이다.
③ '울타리・펜스의 설치'는 자연적 접근통제의 원리이다.
④ 건축물이나 시설물 설계 시 가시권을 최대한 확보하는 것은 활동성 강화의 원리이다.

04 코헨(Cohen)과 펠슨(Felson)의 일상활동이론에 대한 설명으로 가장 옳지 않은 것은?

① 일상활동 이론은 범죄유발 요소는 대상, 감시(보호자) 부재, 동기가 부여된 잠재적 범죄자를 들었다.
② 일상생활 이론은 범죄자의 입장에서 범행을 결정하는데 고려되는 4가지 요소로 가치, 이동의 용이성, 가시성, 접근성을 들고 있다.
③ 일상활동 이론은 범죄 기회가 있으면 누구나 범죄 가능성이 있다고 보았다.
④ '일상활동이론'은 지역사회 구성원들이 범죄문제를 해결하기 위해 적극적으로 참여하는 것이 중요한 범죄예방의 열쇠라고 한다.

05 미국의 경찰순찰에 대한 설명으로 가장 적절하지 않은 것은?

① 1970년대 캔자스시의 차량순찰 실험에서는 차량순찰을 강화하여도 해당 순찰구역에서 범죄율을 낮추지 못하였으며 시민들의 안전감에 영향을 미치지도 못하였다.
② 1970년대 뉴왁(Newark)시 도보순찰 실험에서 도보순찰을 강화하여도 해당 순찰구역의 범죄율을 낮추지는 못하였으나, 도보순찰을 할 때 시민이 경찰서비스에 더 높은 만족감을 드러냈음을 확인하였다.

③ 1995년 미국의 미니애폴리스에서 실시한 '범죄 핫스팟(Hot spots) 순찰' 실험에서 범죄율을 낮추지는 못하였으나, 시민의 안전감에 효과가 있는 것이 확인되었다.
④ 사무엘 워커가 주장한 순찰의 3가지 기능으로 범죄의 억제, 공공 안전감의 증진, 대민 서비스 제공을 언급하였다.

06 지역사회 경찰활동(Community Policing)에 대한 설명으로 가장 적절하지 않은 것은?

① 지역중심적 경찰활동(Community Oriented Policing) – 경찰과 지역사회가 협력하여 길거리 범죄, 물리적 무질서 등을 확인하고 해결함으로써 주민들의 삶의 질을 개선하고자 노력한다.
② 문제지향적 경찰활동(Problem Oriented Policing) – 경찰과 지역사회가 전통적인 경찰업무로 해결할 수 없거나 그것의 해결을 위하여 특별히 관심을 필요로 하는 사안들에 있어서 그 상황에 맞는 대안을 개발하기 위해 노력하는 활동에 주력한다.
③ 이웃지향적 경찰활동(Neighborhood Oriented Policing) – 경찰과 주민의 의사소통을 활성화하고 주민들에 의한 순찰을 실시하는 등 지역사회에 기초를 둔 범죄예방 활동 등을 위해 노력한다.
④ 전략지향적 경찰활동 – 전통적 경찰활동 및 절차들을 통한 범죄의 단속이나 진압보다는 범죄 예방을 위한 전략적 방안에 중점을 두는 경찰활동으로서, 지역사회 참여를 경찰임무의 중요한 측면으로 인식하지는 못하였다.

07 상해임시정부 시기에 관한 다음 설명 중 옳은 것은?

① 상해임시정부는 1919.11. 「대한민국임시관제」에 근거하여 내무부 경무국장에 김구를 임명하였다.
② 경찰은 행정경찰, 사법경찰, 고등경찰에 관한 사항, 도서출판 · 저작권, 일체 위생업무를 담당하였다.
③ 상해시기에 의경대를 창설하여 김구는 초대 의경대장을 맡았다.
④ 연통제는 임시정부와 국내와의 비밀연락망 조직으로서, 국내 각 도에는 경무사라는 경찰기구를 두고, 부 · 군 단위에는 경무과를 두었다.

08 미군정시대의 경찰에 대한 설명으로 옳지 않은 것은?

① 고등경찰제도가 폐지되고, 정보업무를 담당하는 정보경찰과 경제사범단속을 위한 경제경찰이 신설되었다.
② 위생사무가 위생국으로 이관되는 등 비경찰화가 진행되었다.
③ 6인으로 구성된 중앙경찰위원회가 설치되어 경찰정책의 수립, 경찰관리의 임면 등에 관한 사항을 심의하는 등 민주적 요소가 도입되었다.
④ 1945년에 정치범처벌법, 치안유지법, 예비검속법이 폐지되고, 1948년에 보안법이 폐지되었다.

09 경찰의 활동에 대한 설명으로 옳은 것은?

① 안종삼은 성산포경찰서장 재직 시 1950.8. 계엄군의 예비검속자 총살 명령에 '부당함으로 불이행'한다고 거부하고 주민들을 방면하였다.
② 김해수는 양구경찰서 내평지서장으로서 1950.6.25. 10여명의 인력으로 춘천으로 가는 길목을 지키고 북한군 1만 명의 진격을 1시간 이상 지연시킨 후 전사하였다.
③ 라희봉은 6 · 25 전쟁 시기에 함안 전투에서 경남경찰을 지휘하여 북한군 4개 사단을 격파하고 방어선을 지켜내었다.
④ 이준규 총경은 1980.5.18. 당시 목포경찰서장으로 재임하면서 안병하 국장의 방침에 따라 경찰총기 대부분을 군부대 등으로 사전에 이동시키는 등 시민들과의 유혈충돌을 예방하였다.

10 한국 경찰사에 대한 설명 중 옳지 않은 것은 모두 몇 개인가?

㉠ 1946년 최초 여성 경찰관 채용
㉡ 1947년 중앙경찰위원회 설치
㉢ 1953년 해양 경찰 설치
㉣ 1954년 경찰관직무집행법 제정
㉤ 1972년 소방을 민방위본부로 이관
㉥ 1991년 경찰법 제정
㉦ 1995년 해양경찰을 해양수산부로 이관
㉧ 2006년 제주특별자치도 자치경찰단설치

① 1개　　② 2개
③ 3개　　④ 4개

경찰학 6회 모의고사

01 영국 로버트 필(Sir Robert Peel)의 경찰개혁에 대한 설명으로 타당한 것은?

① 경찰은 안정되고, 능률적이고, 민주적으로 조직화되어야 한다.
② 경찰은 정부의 통제하에 있어야 한다.
③ 공공의 안전을 위해 모든 경찰관은 명찰을 부착하여야 한다.
④ 범죄 발생은 보안을 유지해야 한다.

02 영국 경찰에 대한 설명으로 가장 옳은 것은?

① 수도경찰청은 로버트 필에 의하여 창설된 후 현재까지 국가경찰로 운영된다.
② 수도경찰청은 런던시티를 포함한 대런던의 32개 자치구를 관할한다.
③ 런던시티경찰청은 왕궁 및 의사당 경비, 국가상황실관리, 대테러업무 등을 담당한다.
④ 런던시티경찰청은 수도경찰청과는 독립한 독자적인 자치경찰이다.

03 미국 경찰에 대한 설명으로 가장 옳지 않은 것은?

① 연방보안관(U.S. Marshals)은 미국 최초의 연방법집행기구로서 마약 관련 업무를 전담하고 있다.
② 경호업무를 담당하는 특별업무국(Secret Service)은 국토안보부 소속이다.
③ 연방범죄수사국(FBI)은 다른 기관에서 관할하지 않는 연방법 위반 범죄를 수사하는 연방의 일반법집행기관으로 볼 수 있다.
④ 알콜·담배·총기·폭발물국은 법무부 소속 연방법집행기구이다.

04 외국 경찰에 대한 설명으로 옳은 것은?

① 미국의 연방범죄수사국(FBI)은 법무부 소속의 연방법집행기관으로서, 법정 관리, 연방법 위반 수배자 검거, 연방 재소자 호송, 증인보호프로그램 운영 등의 업무를 맡고 있다.
② 독일의 주경찰은 강력한 중앙집권적 피라미드 구조로서, 연방내무부장관을 정점으로 연방경찰이 주경찰을 지휘한다.
③ 프랑스의 군경찰은 국립경찰이 배치되지 않은 인구 2만명 미만의 코뮌(최하위 행정구역)에 배치되며 행정경찰사무와 사법경찰사무를 엄격히 분리하고 있다.
④ 일본의 국가공안위원회는 내각총리대신의 소할하에 설치되며, 경찰청장관을 내각총리대신의 동의를 얻어 임명한다.

05 정책결정 모델과 그에 대한 설명으로 가장 적절하지 않은 것은?

① 합리 모델은 모든 대안의 비용과 편익을 비교하여 목표달성을 극대화하는 최선책을 선택한다.
② 사이버네틱스 모델은 설정된 목표를 달성하기 위해 정보분석과 환류과정을 통해 자신의 행동을 스스로 조정해 나간다고 가정한다.
③ 혼합탐사 모델은 합리모델의 비현실성과 점증모델의 보수성을 극복하기 위한 모델로 기존의 정책을 바탕으로 이루어지는 점증주의 성향을 비판하면서, 새로운 정책을 내릴 때마다 정책방향도 다시 검토할 것을 주장한다.
④ 만족 모델은 정책결정자가 최선의 합리성을 추구하기보다는, 시간적·공간적·재정적 측면에서 여러 요인을 고려하여 만족할 만한 수준에서 결정한다.

06 경찰조직편성의 원리에 대한 설명 중 가장 옳은 것은?

① 계층제의 원리는 구성원의 임무를 책임과 난이도에 따라 상하로 나누어 배치하여 조직의 일체감, 통일성을 유지하므로 조직의 환경변화에 신축적으로 대응하기 용이하다.
② 통솔범위의 원리에 의하면 통솔범위는 부하직원의 능력이 높을수록, 신설부서일수록, 근접한 부서일수록, 계층의 수가 적을수록 넓어진다.
③ 갈등의 장기적 대응을 위해서 조직의 구조, 보상체계, 인사 등의 제도개선과 조직원의 행태를 합리적으로 개선하는 방안이 있다.
④ 베버(Weber)는 조정의 원리를 제1의 원리라고 하였다.

07 관료제의 병리현상에 대한 설명으로 가장 옳은 것은?

① 피터의 원리는 관료조직의 인력과 예산 등은 업무량과 무관하게 늘어난다는 것이다.
② 상관의 권위에 의존하면서 소극적으로 일을 처리하려는 동조과잉이 나타난다.
③ 목표가 아닌 수단으로서의 규칙과 절차에 지나치게 집착하는 번문욕례(red-tape) 현상이 나타난다.
④ 한 가지 지식이나 기술에 관해 훈련받고 기존 규칙을 준수하도록 길들여진 사람은 다른 대안을 생각하지 못하는 훈련된 무능 현상이 나타난다.

08 경찰조직 편성원리에 관한 설명 중 가장 옳지 않은 것은?

① 계층제의 원리는 관리자의 공백 등을 대비하여 대리, 위임, 유고관리자 사전지정 등이 필요하다.
② 조정과 통합의 원리는 조직편성 원리의 장단점을 조화롭게 승화시키는 원리로, 무니(Mooney)는 조정의 원리를 '제1의 원리'라고 하였다.
③ 분업의 원리는 업무의 전문화를 통해 업무습득에 걸리는 시간을 단축할 수 있지만 분업의 정도가 높아질수록 조직할거주의가 초래될 수 있다.
④ 조정의 원리는 조직의 목적달성을 위해 구성원의 행동이 통일을 기하도록 집단적 노력을 질서 있게 배열하는 과정이다.

09 A 경찰서장이 소속 경찰관들의 사기를 높이기 위하여 적용한 동기부여 이론이 가장 옳은 것은?

① Maslow의 욕구계층이론에 따라 사회적 욕구를 충족시켜주기 위하여 공무원 단체의 활용을 강화하였다.
② Maslow의 욕구계층이론에 따라 존경의 욕구를 충족시켜주기 위하여 포상휴가를 실시하였다.
③ Herzberg의 동기위생요인 이론에 따르면 사기진작을 위해서는 동기요인이 강화되어야 하므로 적성에 맞는 직무에 배정하고 책임감과 성취감을 느낄 수 있도록 독려하였다.
④ Herzberg의 동기위생요인 이론은 만족을 얻으려는 욕구와 불만을 피하려는 욕구는 상호 연계되어 있다고 본다.

10 동기부여이론에 관한 설명으로 가장 옳지 않은 것은?

① Maslow의 욕구계층이론은 하위 단계의 욕구가 충족되어야 다음 단계로 발전되는 순차적 특성을 갖는다.
② Maslow의 욕구계층이론은 한 가지 이상의 욕구가 동시에 작용할 수 있으며, 상위 욕구가 좌절되면 하위 욕구로 내려갈 수 있는 좌절-퇴행 요소를 인정하고 있다.
③ Herzberg의 동기위생요인 이론에 따르면, 위생요인을 제거해주는 것은 불만을 줄여주는 소극적 효과일 뿐이기 때문에, 근무태도 변화에 단기적 영향을 주어 사기는 높여줄 수 있으나 생산성을 높여주지는 못한다.
④ Alderfer는 인간의 욕구를 계층화하여 생존(Existence) 욕구, 관계(Relatedness) 욕구, 성장(Growth) 욕구의 3단계로 구분하였다.

경찰학 7회 모의고사

01 경찰조직관리를 위한 동기부여이론을 내용이론과 과정이론으로 나눌 때 과정이론에 해당하는 것이 아닌 것은?

① 아담스(Adams)의 공정성(형평성) 이론
② 브룸(Vroom)의 기대이론
③ 허즈버그(Herzberg)의 동기(만족) 위생(불만족) 요인 이론
④ 포터(Porter) & 롤러(Lawler)의 업적(성과) – 만족 이론

02 동기부여이론에 관한 설명으로 가장 옳지 않은 것은?

① McGregor의 X이론에 따르면 인간은 근본적으로 업무에 대한 의욕을 가지고 있지 않기 때문에 이러한 의욕을 강화시키기 위해 금전적 보상과 포상제도를 강화하는 것이 필요하다.
② Maslow의 욕구계층이론에 의하면 소속 직원들 간 인간관계의 개선, 고충처리 상담은 사회적 욕구를 충족시켜 주기 위한 방안에 해당한다.
③ Maslow의 욕구계층이론은 한 가지 이상의 욕구가 동시에 작용할 수 있으며, 상위 욕구가 좌절되면 하위 욕구로 내려갈 수 있는 좌절-퇴행 요소를 인정하고 있다.
④ Herzberg의 동기위생요인 이론에 따르면 사기진작을 위해서는 동기요인이 강화되어야 하므로 적성에 맞는 직무에 배정하고 책임감과 성취감을 느낄 수 있도록 독려하여야 한다.

03 직업공무원제도에 대한 설명으로 옳은 것은?

① 직업공무원제도는 신분보장, 정치적 중립, 자격이나 능력중시, 개방형 인력충원 방식의 선호라는 점에서 실적주의와 공통점을 가진다.
② 직업공무원제도는 실적주의에 비하여 젊고 유능한 인재에게 공직을 개방한다는 측면에서 공직임용의 기회 균등을 저해한다는 측면이 있다.
③ 직업공무원제도는 장기적인 발전가능성을 선발기준으로 삼고 있으며 직위분류제가 계급제보다 직업공무원제도의 정착에 더 유리하다.
④ 직업공무원제도는 행정의 안정성과 독립성 확보에 용이하며 외부환경 변화에 신속하게 대응한다는 장점이 있다.

04 계급제에 대한 설명으로 옳은 것은 모두 몇 개인가?

> ㉠ 신분보장이 강하며 폐쇄형 충원 방식이다.
> ㉡ 시험 · 채용 · 전직의 합리적 기준을 제공한다.
> ㉢ 미국 시카고에서 처음 실시하였다.
> ㉣ 인사배치가 비신축적이다.
> ㉤ 환경변화에 신축적으로 대응한다.
> ㉥ 직업공무원제 확립에 용이하다.

① 1개 ② 2개
③ 3개 ④ 4개

05 예산 제도에 대한 설명 중 가장 옳지 않은 것은?

① 품목별 예산은 세부항목에 집중하여 의사결정을 위한 자료제시가 부족하지만, 성과주의 예산은 의사결정을 위한 충분한 자료가 제시된다.
② 성과주의 예산은 국민의 입장에서 이해하기 용이하지만 계획예산은 그렇지 못하다.
③ 영기준 예산은 자원배분에 관한 의사결정의 일관성과 합리성을 도모할 수 있다.
④ 자본예산은 정부예산을 경상지출과 자본지출로 구분하여 경상지출은 경상수입으로 충당시켜 균형을 이루도록 하고, 자본지출은 적자재정과 공채발행으로 수입에 충당케 하여 불균형 예산을 편성하는 제도이다.

06 「국가재정법」상 예산안의 편성 절차를 순서대로 나열한 것으로 가장 적절한 것은?

> ㉠ 기획재정부장관은 국무회의의 심의를 거쳐 대통령의 승인을 얻은 다음 연도의 예산안편성지침을 각 중앙관서의 장에게 통보하여야 한다.
> ㉡ 각 중앙관서의 장은 해당 회계연도부터 5회계연도 이상의 기간 동안의 신규사업 및 기획재정부장관이 정하는 주요 계속사업에 대한 중기사업계획서를 기획재정부장관에게 제출하여야 한다.
> ㉢ 각 중앙관서의 장은 예산편성지침에 따라 그 소관에 속하는 다음 연도의 세입세출예산 계속비·명시이월비 및 국고채무부담행위 요구서를 작성하여 기획재정부장관에게 제출하여야 한다.
> ㉣ 기획재정부장관은 각 중앙관서의 장에게 통보한 예산안편성지침을 국회 예산결산특별위원회에 보고하여야 한다.

① ㉠ → ㉡ → ㉢ → ㉣
② ㉡ → ㉠ → ㉣ → ㉢
③ ㉡ → ㉣ → ㉠ → ㉢
④ ㉣ → ㉢ → ㉠ → ㉡

07 「국가재정법」상 예산에 대한 설명으로 가장 옳지 않은 것은?

① 경찰청장은 예산안편성지침에 따라 그 소관에 속하는 다음 연도의 세입세출예산, 계속비, 명시이월비 및 국고채무부담행위 요구서를 작성하여 매년 5월 31일까지 기획재정부장관에게 제출하여야 한다.
② 기획재정부장관은 대통령의 승인을 얻은 예산안을 회계연도 개시 90일 전까지 국회에 제출하여야 한다.
③ 예산결산특별위원회 종합심사는 「종합정책질의 → 부별 심사 → 계수조정소위원회의 계수조정 → 예산결산특별위원회 전체회의에서 소위원회의 조정안 승인」 순서로 이루어진다.
④ 정부는 감사원 검사를 거친 국가결산보고서를 다음 연도 5월 31일까지 국회에 제출하여야 한다.

08 「경찰장비관리규칙」상 장비 관리에 대한 설명으로 가장 옳은 것은?

① 각 경찰기관의 업무용차량은 운전요원의 부족 등 불가피한 사유가 없는 한 업무별 소관부서에서 관리한다.
② 부속기관 및 시·도경찰청의 장은 다음 연도 교체대상 차량을 매년 3월 말까지 경찰청장에게 보고하여야 하고, 11월 말까지 다음 연도 차량정수 소요계획을 경찰청장에게 제출하여야 한다.
③ 무기·탄약고 비상벨은 상황실과 숙직실 등 초동조치 가능장소와 연결하고, 외곽에는 철조망 장치와 조명등을 설치하여야 하며 순찰함을 설치할 수 있다.
④ 탄약고는 무기고와 분리되어야 하며 가능한 본청사와 격리된 독립 건물로 하여야 한다.

09 「보안업무규정」 및 「보안업무규정 시행규칙」상 비밀의 관리방법에 대한 설명으로 옳지 않은 것은?

① 보관용기에 넣을 수 없는 비밀은 제한지역에 보관하는 등 그 내용이 노출되지 아니하도록 특별한 보호대책을 마련하여야 한다.
② Ⅱ급비밀 및 Ⅲ급비밀은 금고 또는 이중 철제 캐비닛 등 잠금장치가 있는 안전한 용기에 보관하여야 하며, 보관책임자가 Ⅱ급비밀 취급 인가를 받은 때에는 Ⅱ급비밀과 Ⅲ급비밀을 같은 용기에 혼합하여 보관할 수 있다.
③ 경찰청장은 Ⅱ급 및 Ⅲ급비밀 취급 인가권자이다.
④ 비밀은 보관하고 있는 시설 밖으로 반출해서는 아니 된다. 다만, 공무상 반출이 필요할 때에는 소속 기관의 장의 승인을 받아야 한다.

10 「보안업무규정」에 대한 설명으로 옳지 않은 것은?

① Ⅰ급비밀은 생산자의 허가를 받아 그 원형을 재현하는 행위를 할 수 있다.

② Ⅱ급비밀 및 Ⅲ급비밀은 그 생산자가 특정한 제한을 하지 아니한 것으로서 해당 등급의 비밀취급 인가를 받은 사람이 공용(共用)으로 사용하는 경우에는 원형을 재현하는 행위를 할 수 있다.

③ 전자적 방법으로 관리되는 비밀은 해당 비밀을 보관하기 위한 용도인 경우에는 원형을 재현하는 행위를 할 수 있다.

④ 비밀취급 인가를 받지 아니한 사람에게 Ⅰ급비밀을 열람하거나 취급하게 할 때의 보안조치에 관하여 소속 기관의 장은 생산자와 미리 협의하여야 한다.

경찰학 8회 모의고사

01 「행정업무의 운영과 혁신에 관한 규정」상 공문서의 종류 및 용어의 정의에 관한 설명 중 가장 옳은 것은?

① "공문서"란 행정기관에서 공무상 작성하거나 시행하는 문서(도면・사진・디스크・테이프・필름・슬라이드・전자문서 등의 특수매체기록을 포함한다)를 말한다. 행정기관이 접수한 문서는 제외한다.
② "법규문서"란 훈령・지시・예규・일일명령 등 행정기관이 그 하급기관이나 소속 공무원에 대하여 일정한 사항을 지시하는 문서를 말한다.
③ "일반문서"란 민원인이 행정기관에 허가, 인가, 그 밖의 처분 등 특정한 행위를 요구하는 문서와 그에 대한 처리문서를 말한다.
④ "행정정보시스템"이란 행정기관이 행정정보를 생산・수집・가공・저장・검색・제공・송신・수신하고 활용할 수 있도록 하드웨어・소프트웨어・데이터베이스 등을 통합한 시스템을 말한다.

02 「언론중재 및 피해구제 등에 관한 법률」상 아래 빈칸에 들어갈 숫자의 합은?

> ㉠ 정정보도청구는 해당 언론보도가 있음을 안 날부터 ( )개월 이내 또는 보도가 있은 후 ( )개월이 경과하면 청구할 수 없다.
> ㉡ 정정보도청구를 받은 언론사등의 대표자는 ( )일 이내에 그 수용 여부에 대한 통지를 발송하여야 하고, 청구를 수용하는 경우에는 청구를 받은 날부터 ( )일 내에 정정보도문을 방송 또는 게재하여야 한다.
> ㉢ 조정신청은 피해자가 먼저 언론사등에 정정보도청구등을 한 경우에는 피해자와 언론사등 사이에 협의가 불성립된 날부터 ( )일 이내에 하여야 한다.

① 32　② 33
③ 34　④ 35

03 경찰통제의 유형에 대한 설명 중 옳은 것은?

① 행정절차법, 국회에 의한 예산결산권은 사전통제에 해당한다.
② 감사원은 국회, 법원 및 헌법재판소를 포함한 모든 국가기관 및 그에 소속한 공무원의 사무를 감찰하여 비위를 적발하고 시정한다.
③ 국가경찰위원회의 통제는 경찰의 주요정책 등에 관하여 심의・의결하는 권한을 가지고 있으므로 민주적 통제에 해당하고, 행정안전부 소속으로 외부적 통제에도 해당한다.
④ 행정예고제, 상급기관의 하급기관에 대한 감독권은 사전통제에 해당한다.

04 「공공기관의 정보공개에 관한 법률」상 괄호 안의 숫자의 합은?

> 제21조(제3자의 비공개 요청 등) ① 제11조 제3항에 따라 공개 청구된 사실을 통지받은 제3자는 그 통지를 받은 날부터 <u>(　)일 이내에</u> 해당 공공기관에 대하여 자신과 관련된 정보를 공개하지 아니할 것을 요청할 수 있다.
> ② 제1항에 따른 비공개 요청에도 불구하고 공공기관이 공개 결정을 할 때에는 공개 결정 이유와 공개 실시일을 분명히 밝혀 지체 없이 문서로 통지하여야 하며, 제3자는 해당 공공기관에 문서로 이의신청을 하거나 행정심판 또는 행정소송을 제기할 수 있다. 이 경우 이의신청은 통지를 받은 날부터 <u>(　)일 이내에</u> 하여야 한다.
> ③ 공공기관은 제2항에 따른 공개 결정일과 공개 실시일 사이에 최소한 <u>(　)일의 간격을</u> 두어야 한다.

① 35　② 40
③ 45　④ 50

05 「공공기관의 정보공개에 관한 법률」에 대한 설명 중 가장 옳지 않은 것은?

① 모든 국민은 정보의 공개를 청구할 권리를 가지며, 외국인의 정보공개 청구에 관하여는 대통령령으로 정한다.
② 공공기관이 보유·관리하는 정보는 국민의 알 권리 보장 등을 위하여 이 법에서 정하는 바에 따라 적극적으로 공개할 수 있다.
③ 진행 중인 재판에 관련된 정보와 범죄의 예방, 수사, 공소의 제기 및 유지, 형의 집행, 교정, 보안처분에 관한 사항으로서 공개될 경우 그 직무수행을 현저히 곤란하게 하거나 형사피고인의 공정한 재판을 받을 권리를 침해한다고 인정할 만한 상당한 이유가 있는 정보는 공개하지 아니할 수 있다.
④ 직무를 수행한 공무원의 성명·직위는 비공개 정보 대상에 해당하지 아니한다.

06 「개인정보 보호법」에 관한 다음 설명 중 가장 옳지 않은 것은? (다툼이 있는 경우 판례에 의함)

① 지문은 그 정보주체를 타인으로부터 식별가능하게 하는 개인정보에 해당한다.
② 개인정보자기결정권의 보호대상이 되는 개인정보는 개인의 내밀한 영역이나 사사(私事)의 영역에 속하는 정보에 국한되며, 공적 생활에서 형성되었거나 이미 공개된 개인정보는 포함되지 아니한다.
③ 고정형 영상정보처리기기를 설치·운영하는 자는 정보주체가 쉽게 인식할 수 있도록 안내판을 설치하는 등 필요한 조치를 하여야 한다. 다만, 「군사기지 및 군사시설 보호법」 제2조 제2호에 따른 군사시설, 「통합방위법」 제2조 제13호에 따른 국가중요시설에 대하여는 그러하지 아니하다.
④ 고정형 영상정보처리기기운영자는 영상정보처리기기의 설치 목적과 다른 목적으로 영상정보처리기기를 임의로 조작하거나 다른 곳을 비춰서는 아니 되며, 녹음기능은 사용할 수 없다.

07 「개인정보 보호법」에 관한 다음 설명 중 가장 옳은 것은?

① "개인정보"는 살아 있는 개인에 관한 정보로서, 사망하였거나 단체에 관한 정보는 해당하지 아니한다.
② "개인정보처리자"란 사생활 침해 등의 목적으로 개인정보파일을 운용하기 위하여 스스로 또는 다른 사람을 통하여 개인정보를 처리하는 공공기관, 법인, 단체 및 개인 등을 말한다.
③ 개인정보를 가명처리함으로써 원래의 상태로 복원하기 위한 추가 정보의 사용·결합 없이는 특정 개인을 알아볼 수 없는 정보는 "개인정보"에 해당하지 아니한다.
④ 정보주체는 개인정보처리자가 이 법을 위반한 행위로 손해를 입으면 개인정보처리자에게 손해배상을 청구할 수 있으며, 이 경우 정보주체는 개인정보처리자의 고의 또는 과실을 입증하여야 한다.

08 「경찰 감찰 규칙」상 감찰관에 대한 설명 중 옳지 않은 것은?

① 직무와 관련한 금품 및 향응 수수, 공금횡령·유용, 「성폭력범죄의 처벌 등에 관한 특례법」에 따른 성폭력범죄로 징계처분을 받은 사람은 감찰관이 될 수 없다.
② 경찰기관의 장은 소속 감찰관에 대하여 감찰관 보직 후 2년마다 적격심사를 실시하여 인사에 반영하여야 한다.
④ 조사대상자, 피해자는 감찰관이 제척사유에 해당하거나 불공정한 조사를 할 염려가 있다고 볼만한 객관적·구체적 사정이 있는 때에는 감찰관 기피 신청서를 작성하여 소속 감찰부서장에게 해당 감찰관의 기피를 신청할 수 있다.
④ 감찰관의 의무위반행위 중 직무와 관련된 금품 및 향응 수수, 공금횡령·유용, 성폭력범죄에 한하여 「경찰공무원 징계령 세부시행규칙」의 징계양정에 정한 기준보다 가중하여 징계조치한다.

09 「경찰청 감사 규칙」상 감사결과의 조치기준에 대한 설명으로 옳지 않은 것은 모두 몇 개인가?

> ㉠ 변상명령 – 감사결과 위법 또는 부당하다고 인정되는 사실이 있어 추징 · 회수 · 환급 · 추급 또는 원상복구 등이 필요하다고 인정되는 경우
> ㉡ 경고 · 주의 요구 – 감사결과 경미한 지적사항으로서 현지에서 즉시 시정 · 개선조치가 필요한 경우
> ㉢ 개선 요구 – 감사결과 문제점이 인정되는 사실이 있어 그 대안을 제시하고 감사대상기관의 장 등으로 하여금 개선방안을 마련하도록 할 필요가 있는 경우
> ㉣ 권고 – 감사결과 법령상 · 제도상 또는 행정상 모순이 있거나 그 밖에 개선할 사항이 있다고 인정되는 경우

① 1개 ② 2개
③ 3개 ④ 4개

10 「적극행정 운영규정(대통령령)」에 의한 적극행정 및 소극행정에 대한 설명으로 옳지 않은 것은?

① 누구든지 소관 중앙행정기관의 장에게 해당 업무를 적극적으로 처리해 줄 것을 신청하는 "적극행정 국민신청"을 할 수 있다.
② 적극행정 국민신청은 「부패방지 및 국민권익위원회의 설치와 운영에 관한 법률」 제12조 제16호에 따른 온라인 국민참여포털을 통해 해야 한다.
③ 누구든지 공무원의 소극행정을 소속 중앙행정기관의 장이나 소극행정 신고센터에 신고할 수 있다.
④ 국민권익위원회는 소극행정 신고센터를 운영하고, 중앙행정기관의 장에게 신고사항에 대해 적절한 조치를 하도록 권고할 수 있다.

경찰학 9회 모의고사

01 독일의 경찰개념 발달과정에 대한 설명으로 가장 옳지 않은 것은?

① 유스티(Justi)의 저서 '경찰학의 원리(1756년)'에서 경찰학의 임무는 국가목적을 실현하기 위한 '국가자원의 확보'라고 하여 경찰을 절대군주의 권력의 도구로 인식하였다.

② 요한 쉬테판 퓌터는 자신의 저서인 『독일공법제도(1776년)』에서 "경찰의 직무는 임박한 위험을 방지하는 것이다. 복리증진은 경찰의 본래 직무가 아니다."라며 경찰국가 시대를 거치면서 확장된 경찰의 개념을 제한하기 위한 노력의 일환으로 볼 수 있다.

③ 프로이센의 일반란트법(1794년)에서 '경찰은 절박한 위험을 방지하기 위한 기관'이라고 규정하였고 이에 부합하는 판결이 크로이츠베르크 판결(1882년)이다.

④ 『프로이센 제국경찰법(1931년)』은 크로이츠베르크 판결에 의해 발전된 실질적 의미의 경찰개념을 성문화시켰다.

02 경찰의 관할에 대한 설명으로 옳지 않은 것은?

① 우리나라는 영미법계의 영향을 받아 범죄수사에 관한 임무가 경찰의 사물관할로 인정되고 있다.

② 재판장은 법정에서의 질서유지를 위해 필요하다고 인정할 때에는 개정 전후를 불문하고 관할 경찰서장에게 경찰공무원의 파견을 요구할 수 있으며, 파견된 경찰공무원은 법정 내외의 질서유지에 관하여 재판장의 지휘를 받는다.

③ 국회 경위나 경찰공무원은 회의장 안에 현행범인이 있을 때에는 체포한 후 의장의 지시를 받아야 한다. 다만, 국회 안에서는 의장의 명령 없이 의원을 체포할 수 없다.

④ 미군이 동의한 경우와 중대한 범죄를 범하고 도주하는 현행범인을 추적하는 경우에는 미군 시설 내에서 체포할 수 있다.

03 「경찰 인권보호규칙」(경찰청 훈령)에 대한 설명으로 가장 옳지 않은 것은?

① 경찰청장은 국민의 인권보호와 증진을 위하여 경찰 인권정책 기본계획을 3년마다 수립해야 한다.

② 조사담당자는 인권침해 사건을 조사하는 과정에서 감사원의 조사, 경찰·검찰 등 수사기관에서 조사 또는 수사가 개시되어 사건 조사를 진행할 수 없는 경우에는 조사를 중지할 수 있다. 다만, 확인된 인권침해 사실에 대한 구제 절차는 계속하여 이행할 수 있다.

③ 인권보호담당관은 반기 1회 이상 인권영향평가의 이행 여부를 점검하고, 이를 경찰청 인권위원회에 제출하여야 한다.

④ 인권보호담당관은 인권침해를 예방하고 제도를 개선하기 위해 연 1회 이상 인권 관련 정책 이행 실태, 인권교육 추진 현황, 경찰청과 소속기관의 청사 및 부속 시설 전반의 인권침해적 요소의 존재 여부를 진단하여야 한다.

04 경찰의 부패이론과 내부고발에 대한 설명으로 가장 옳은 것은?

① '구조원인 가설'은 니더호퍼, 로벅, 바커, 윌슨 등이 주장한 이론으로서 신임경찰들이 선배경찰에 의해 조직의 부패전통 내에서 사회화되어 신임경찰도 기존경찰처럼 부패로 물들게 된다는 이론이다.

② 펠드버그(Feldberg)는 대부분의 경찰관들이 사소한 호의와 뇌물을 구별할 수 있으므로 '미끄러지기 쉬운 경사로 이론'은 비현실적이고, 더 나아가 경찰인의 지능에 대한 모독이라고 하였다.

③ '미끄러지기 쉬운 경사로 이론'은 셔먼이 주장한 이론으로서 작은 부패가 습관화될 경우 더 큰 부패와 범죄로 빠진다고 보는 이론이다.

④ '사회 형성재' 이론은 작은 사례나 호의가 시민과의 부정적인 사회관계를 만들어 주는 형성재라고 보고 있다.

05 「부정청탁 및 금품 등 수수의 금지에 관한 법률」 및 동법 시행령상 외부강의에 대한 설명 중 가장 옳은 것은?

① 공직자등은 사례금을 받는 외부강의 등을 할 때에는 대통령령으로 정하는 바에 따라 외부강의등의 요청 명세 등을 소속기관장에게 사전에 서면으로 신고하여야 한다.
② 공직자 등은 금액을 초과하는 사례금을 받은 경우에는 그 사실을 안 날부터 3일 이내에 서면으로 소속기관장에게 신고하여야 한다.
③ 초과 사례금 신고를 받은 소속기관장은 초과 사례금을 반환하지 아니한 공직자 등에 대하여 신고사항을 확인한 후 5일 이내에 반환하여야 할 초과사례금의 액수를 산정하여 해당 공직자등에게 통지하여야 한다.
④ 외부강의 등을 신고하려는 공직자 등은 상세 명세 또는 사례금 총액 등을 미리 알 수 없는 경우에는 해당 사항을 제외한 사항을 신고한 후 해당 사항을 안 날부터 5일 이내에 보완하여야 한다.

06 「공직자의 이해충돌방지법」에 대한 설명으로 가장 옳지 않은 것은?

① 고위공직자는 그 직위에 임용되거나 임기를 개시하기 전 3년 이내에 민간 부문에서 업무활동을 한 경우, 그 활동 내역을 그 직위에 임용되거나 임기를 개시한 날부터 30일 이내에 소속기관장에게 제출하여야 한다.
② 공직자는 직무관련자인 소속 기관의 퇴직자(공직자가 아니게 된 날부터 2년이 지나지 아니한 사람만 해당한다)와 사적 접촉(골프, 여행, 사행성 오락을 같이 하는 행위를 말한다)을 하는 경우 소속기관장에게 신고하여야 한다.
③ 제14조(직무상 비밀 등 이용 금지)에 의하여 비밀이나 미공개 정보를 이용할 수 없는 공직자의 범위에 공직자가 아니게 된 날부터 3년이 경과하지 아니한 사람이 포함된다.
④ 공직자가 대가 여부를 불문하고 직무관련자에게 사적으로 노무 또는 조언·자문 등을 제공하는 행위를 하여서는 아니 된다.

07 사회학적 범죄이론에 대한 설명으로 가장 옳지 않은 것은?

① Shaw & Mckay는 미국 시카고시의 범죄발생률을 조사하면서, 이 지역에 거주하는 주민의 인종, 국적과 그 지역의 특성이 범죄 발생과 매우 중요한 관련성이 있다고 보았다.
② Merton은 아노미의 발생원인을 문화적 목표와 제도화된 수단 간의 괴리에서 찾았다.
③ Cohen이 하위문화란 중상류층의 보편적인 문화에 대항하고 반항하기 위해서 형성되는 것이라고 생각한 반면, Miller는 하위문화를 하위계층의 고유문화로 보았다.
④ Sutherland는 차별적 접촉이론에서 범죄자의 학습과정과 비범죄자의 학습과정에는 아무런 차이가 없다고 보았다.

08 한국 경찰사에 관한 다음 설명 중 옳은 것은 모두 몇 개인가?

㉠ 미군정기에 고등경찰제도가 폐지되었으며, 정보업무를 담당할 정보과와 경제사범단속을 위한 경제경찰이 신설되었다. ㉡ 경찰법이 제정될 때까지 경찰체제의 근거가 되는 법률은 「경찰관직무집행법」이었다. ㉢ 1953년 「경찰관직무집행법」이 제정되었다. ㉣ 1969년 「경찰공무원법」의 제정으로 경정 이상의 계급정년 제도가 도입되었다. ㉤ 이준규는 5.18 광주 민주화운동 당시 과격한 진압을 지시했던 군과 달리, '분산되는 자는 너무 추격하지 말 것, 부상자 발생치 않도록 할 것, 기타 학생은 연행할 것' 등을 지시하고, '연행과정에서 학생의 피해가 없도록 유의'하라고 지시하였다.

① 1개 ② 2개
③ 3개 ④ 4개

09 계급제와 직위분류제를 비교한 것으로 가장 옳지 않은 것은?

① 직위분류제가 계급제보다 직업공무원제도의 정착에 유리하다.
② 계급제는 인사배치가 신축적이며 충원은 폐쇄형이지만, 직위분류제는 인사배치가 비신축적이며 충원은 개방형이다.
③ 계급제는 직위분류제에 비하여 계급(등급)의 수가 적다.
④ 보수제도는 직위분류제에서 보다 합리적인 기준을 제시한다.

10 「공공기관의 정보공개에 관한 법률」상 정보공개의 절차에 관한 설명 중 가장 옳은 것은?

① 정보의 공개를 청구하는 자는 해당 정보를 보유하거나 관리하고 있는 공공기관에 정보공개 청구서를 제출하여 정보의 공개를 청구할 수 있으나, 말로써 정보의 공개를 청구할 수 없다.
② 공공기관은 부득이한 사유로 「공공기관의 정보공개에 관한 법률」 제11조 제1항에 따른 기간 이내에 공개 여부를 결정할 수 없을 때에는 그 기간이 끝나는 날부터 기산하여 10일의 범위에서 공개 여부 결정기간을 연장할 수 있다. 이 경우 공공기관은 연장된 사실과 연장 사유를 청구인에게 지체 없이 문서로 통지하여야 한다.
③ 공공기관은 전자적 형태로 보유·관리하는 정보에 대하여 청구인이 전자적 형태로 공개하여 줄 것을 요청하는 경우에는 그 정보의 성질상 현저히 곤란한 경우를 제외하고는 청구인의 요청에 따라야 한다.
④ 정보의 공개 및 우송 등에 드는 비용은 실비의 범위에서 공공기관이 부담한다.

경찰학 10회 모의고사

01 법령의 효력발생시기에 대한 설명으로 옳지 않은 것은?

① 법률은 특별한 규정이 없는 한 공포한 날부터 20일을 경과함으로써 효력을 발생한다.
② 대통령령, 총리령 및 부령은 특별한 규정이 없으면 공포한 날부터 30일이 경과함으로써 효력을 발생한다.
③ 국민의 권리 제한 또는 의무 부과와 직접 관련되는 법률, 대통령령, 총리령 및 부령은 긴급히 시행하여야 할 특별한 사유가 있는 경우를 제외하고는 공포일부터 적어도 30일이 경과한 날부터 시행되도록 하여야 한다.
④ 국회에서 의결된 법률안은 정부에 이송되어 15일 이내에 대통령이 공포한다.

02 경찰법의 법원에 대한 설명으로 가장 옳지 않은 것은? (다툼이 있을 경우 판례에 의함)

① 집행명령은 권리의무에 관한 새로운 법규사항을 규정할 수 있다.
② 대통령령, 총리령, 부령 모두 위임명령 또는 집행명령이 될 수 있다.
③ 법령의 위임을 받아 부령(시행규칙)으로 정한 제재적 행정처분기준은 성질과 내용이 행정청 내의 사무처리준칙을 규정한 것에 불과하여 행정규칙에 해당한다.
④ 법규명령은 법률우위의 원칙과 법률유보의 원칙이 적용되지만, 행정규칙은 법률우위의 원칙은 적용되지만 법률유보의 원칙은 적용되지 않는다.

03 행정법의 법원(法源)에 관한 설명이다. 다음 중 가장 적절하지 않은 것은? (다툼이 있으면 판례에 의함)

① 관습법은 성문법의 결여 시에 성문법을 보충하는 범위에서 효력을 갖는다.
② 헌법재판소법 제47조 제1항은 "법률의 위헌결정은 법원과 그 밖의 국가기관 및 지방자치단체를 기속한다."라고 규정하고 있다.
③ 행정규칙이 법규성을 가지는 경우에는 법원성을 인정할 수 있다.
④ 경찰관청의 행위가 형식상 적법하면 조리에 위반하더라도 위법이 될 수 없다.

04 훈령과 직무명령에 관한 설명 중 옳은 것은?

① 훈령은 일반적·추상적 사항에 대하여만 발할 수 있으며, 개별적·구체적 사항에 대해서는 발할 수 없다.
② 훈령을 발하기 위해서는 법령의 구체적 근거를 요하나, 직무명령은 법령의 구체적 근거가 없이도 발할 수 있다.
③ 훈령에 위반한 행위는 내부적으로 징계사유가 될 수는 있으나 대외적 효력에는 영향이 없으므로 무효나 취소의 사유가 되지 아니한다는 것이 다수설의 입장이다.
④ 훈령은 직무명령의 성질을 가질 수 없고, 직무명령은 훈령의 성질을 가질 수 없다.

05 「국가경찰과 자치경찰의 조직 및 운영에 관한 법률」 및 「자치경찰사무와 시 · 도자치경찰위원회의 조직 및 운영 등에 관한 규정」상 자치경찰사무에 대한 설명으로 옳은 것은?

① 자치경찰사무는 제3조에서 정한 경찰의 임무 범위에서 관할 지역의 생활안전 · 교통 · 정보 · 수사 등에 관한 사무이다.
② 가정폭력과 아동학대범죄에 해당하는 수사사무는 자치경찰사무로서 대통령령으로 정하는 기준에 따라 시 · 도조례로 정한다.
③ 교통사고 및 교통 관련 범죄(고속도로에서 발생한 교통사고 및 교통 관련 범죄, 교통사고 야기 후 도주한 경우는 제외)는 자치경찰 사무에 해당한다.
④ 「형법」 제245조(공연음란)의 범죄 및 「성폭력범죄의 처벌 등에 관한 특례법」 제11조(공중밀집 장소에서의 추행)의 범죄는 자치경찰 사무에 해당한다.

06 「국가경찰과 자치경찰의 조직 및 운영에 관한 법률」상 국가경찰위원회에 대한 설명으로 옳은 것은?

① 위원은 경찰청장의 추천으로 행정안전부장관의 제청으로 국무총리를 거쳐 대통령이 임명한다.
② 위원은 특정 성(性)이 10분의 6을 초과하지 아니하여야 한다.
③ 국가 및 지방자치단체의 공무원(국립 또는 공립대학의 조교수 이상의 직에 있는 사람은 제외한다)이거나 공무원이었던 사람으로서 퇴직한 날부터 3년이 지나지 아니한 사람은 위원이 될 수 없다.
④ 국가경찰위원회의 심의 · 의결사항에 대하여 행정안전부장관 및 경찰청장이 중요하다고 인정하는 사항은 회의에 부칠 수 있으며, 위원회의 운영을 위하여 필요한 사항은 위원회의 의결을 거쳐 위원장이 정한다.

07 「국가경찰과 자치경찰의 조직 및 운영에 관한 법률」상 시 · 도자치경찰위원회에 대한 설명으로 옳지 않은 것은?

① 시 · 도자치경찰위원회는 합의제 의결기관으로서 그 권한에 속하는 업무를 독립적으로 수행한다.
② 시 · 도자치경찰위원회는 위원장 1명을 포함한 7명의 위원으로 구성하되, 위원장과 1명의 위원은 상임으로 하고, 5명의 위원은 비상임으로 한다.
③ 시 · 도자치경찰위원회 위원은 해당 시 · 도 교육감이 추천하는 1명을 시 · 도지사가 임명한다.
④ 시 · 도자치경찰위원회 상임위원은 시 · 도자치경찰위원회의 의결을 거쳐 위원 중에서 위원장의 제청으로 시 · 도지사가 임명한다.

08 「국가경찰과 자치경찰의 조직 및 운영에 관한 법률」상 시 · 도자치경찰위원회의 소관 사무에 대한 설명으로 옳지 않은 것은?

① 시 · 도경찰청장의 임용과 관련한 경찰청장과의 협의
② 자치경찰사무 감사 및 감사의뢰
③ 자치경찰사무 담당 공무원의 주요 비위사건에 대한 감찰 및 감찰요구
④ 국가경찰사무 · 자치경찰사무의 협력 · 조정과 관련하여 경찰청장과 협의

09 「국가경찰과 자치경찰의 조직 및 운영에 관한 법률」과 대통령령인 「국가경찰위원회규정」, 「자치경찰사무와 시ㆍ도자치경찰위원회의 조직 및 운영 등에 관한 규정」상 국가경찰위원회 및 시ㆍ도자치경찰위원회의 회의에 대한 다음 설명 중 가장 옳은 것은?

① 정기회의는 특별한 사유가 있는 경우를 제외하고는 국가경찰위원회는 매월 2회 소집하고, 시ㆍ도자치경찰위원회는 월 1회 이상 소집ㆍ개최한다.

② 국가경찰위원회의 위원 2인 이상과 행정안전부장관 또는 경찰청장은 위원장에게 임시회의의 소집을 요구할 수 있다.

③ 국가경찰위원회 보궐위원의 임기는 전임자 임기의 남은 기간으로 하되, 전임자의 남은 임기가 1년 미만인 경우 한 차례 연임할 수 있다.

④ 시ㆍ도자치경찰위원회의 위원장은 재의요구를 받은 날부터 7일 이내에 회의를 소집하여 재의결하여야 한다. 이 경우 재적위원 과반수의 출석과 출석위원 과반수의 찬성으로 전과 같은 의결을 하면 그 의결사항은 확정된다.

10 「국가경찰과 자치경찰의 조직 및 운영에 관한 법률」상 시ㆍ도자치경찰위원회에 대한 설명으로 옳은 것은 모두 몇 개인가?

> ㉠ 보궐위원의 임기는 전임자의 임기와 상관없이 연임할 수 없다.
> ㉡ 국가 및 지방자치단체의 공무원(국립 또는 공립대학의 조교수 이상의 직에 있는 사람 포함)이거나 공무원이었던 사람으로서 퇴직한 날부터 3년이 지나지 아니한 사람은 위원이 될 수 없다.
> ㉢ 위원은 시ㆍ도의회가 추천하는 2명, 국가경찰위원회가 추천하는 2명, 해당 시ㆍ도 교육감이 추천하는 1명, 시ㆍ도자치경찰위원회 위원추천위원회가 추천하는 1명, 시ㆍ도지사가 지명하는 1명을 시ㆍ도지사가 임명한다.
> ㉣ 시ㆍ도자치경찰위원회 상임위원은 시ㆍ도자치경찰위원회의 의결을 거쳐 위원 중에서 위원장의 제청으로 시ㆍ도지사가 임명한다. 이 경우 위원장과 상임위원은 지방자치단체의 공무원으로 한다.

① 1개　　② 2개
③ 3개　　④ 4개

MEMO

PART

01

경찰헌법

정답 및 해설편

경찰헌법 1회 모의고사 정답 및 해설

제1회 모의고사 정답

01	④	02	③	03	④	04	③	05	②
06	②	07	①	08	③	09	③	10	④

01 정답 ④

④ (×) 우리나라는 성문헌법을 가진 나라로서 기본적으로 헌법전이 헌법의 법원이 된다. 그러나 성문헌법에 모든 헌법사항을 빠짐없이 규율하는 것은 불가능하고, 헌법은 간결성과 함축성을 추구하기 때문에 형식적 헌법전에는 기재되지 아니한 사항이라도 불문헌법 내지 관습헌법으로 인정할 소지가 있다(헌재 2004.10.21, 2004헌마554).

① (○) 입헌주의적 헌법은 국민의 기본권 보장을 그 이념으로 하고 그것을 위한 권력분립과 법치주의를 그 수단으로 하기 때문에 국가권력은 언제나 헌법의 테두리 안에서 헌법에 규정된 절차에 따라 발동되지 않으면 안 된다(헌재 1994.6.30, 92헌가18).

② (○) 고대 민주주의의 부정적 인식에서 탈피한 새로운 민주주의 체제는, 특정인이나 특정세력에 의한 전제적 지배를 배제하고 공동체 전체의 동등한 구성원들에 의한 통치를 이상으로 하는 공화주의 이념과 개인의 자유와 권리를 강조하는 자유주의 이념으로부터 큰 영향을 받았다(헌재 2014.12.19, 2013헌다1).

③ (○) 헌법은 국민적 합의에 의해 제정된 국민생활의 최고 도덕규범이며 정치생활의 가치규범으로서 정치와 사회질서의 지침을 제공하고 있기 때문에 민주사회에서는 헌법의 규범을 준수하고 그 권위를 보존하는 것을 기본으로 한다(헌재 1989.9.8, 88헌가6).

02 정답 ③

③ (×) 일반적인 헌법사항 중 과연 어디까지가 기본적이고 핵심적인 헌법사항에 해당하는지 여부는 일반추상적인 기준을 설정하여 재단할 수는 없는 것이고, 개별적 문제사항에서 헌법적 원칙성과 중요성 및 헌법원리를 통하여 평가하는 구체적 판단에 의하여 확정하여야 한다(헌재 2004.10.21, 2004헌마554).

① (○) 일반적으로 실질적인 헌법사항이라고 함은 널리 국가의 조직에 관한 사항이나 국가기관의 권한 구성에 관한 사항 혹은 개인의 국가권력에 대한 지위를 포함한다(헌재 2004.10.21, 2004헌마554).

② (○) 국민이 대한민국의 주권자이며, 국민은 최고의 헌법제정권력이기 때문에 성문헌법의 제·개정에 참여할 뿐만 아니라 헌법전에 포함되지 아니한 헌법사항을 필요에 따라 관습의 형태로 직접 형성할 수 있다(헌재 2004.10.21, 2004헌마554).

④ (○) 국민주권주의 또는 민주주의는 성문이든 관습이든 실정법 전체의 정립에의 국민의 참여를 요구한다고 할 것이며, 국민에 의하여 정립된 관습헌법은 입법권자를 구속하며 헌법으로서의 효력을 가진다(헌재 2004.10.21, 2004헌마554).

03 정답 ④

④ (×) 우리나라의 수도가 서울이라는 점에 대한 관습헌법을 폐지하기 위해서는 헌법이 정한 절차에 따른 헌법개정이 이루어져야 한다. 이 경우 성문의 조항과 다른 것은 성문의 수도조항이 존재한다면 이를 삭제하는 내용의 개정이 필요하겠지만 관습헌법은 이에 반하는 내용의 새로운 수도설정조항을 헌법에 넣는 것만으로 그 폐지가 이루어지는 점에 있다(헌재 2004.10.21, 2004헌마554).

① (○) 헌법제정 당시 자명(自明)하거나 전제(前提)된 사항 및 보편적 헌법원리와 같은 것은 반드시 명문의 규정을 두지 아니하는 경우도 있다(헌재 2004.10.21, 2004헌마554).

② (○) 영국과 같이 불문의 연성헌법 체제에서는 법률에 대하여 우위를 가지는 헌법전이라는 규범형식이 존재하지 아니하므로 헌법사항의 개정은 일반적으로 법률개정의 방법에 의할 수밖에 없을 것이다(헌재 2004.10.21, 2004헌마554).

③ (○) 관습헌법은 주권자인 국민에 의하여 유효한 헌법규범으로 인정되는 동안에만 존속하는 것이며, 관습법의 존속요건의 하나인 국민적 합의성이 소멸되면 관습헌법으로서의 법적 효력도 상실하게 된다(헌재 2004.10.21, 2004헌마554).

04 정답 ③

③ (×) 헌법 규범 상호 간의 우열은 추상적 가치규범의 구체화에 따른 것으로 '헌법의 통일적 해석'에 있어서는 유용할 것이지만, 헌법의 어느 특정규정이 다른 규정의 효력을 전면적으로 부인할 수 있을 정도의 개별적 헌법규정 상호 간에 효력상의 차등을 의미하는 것은 아니다(헌재 1995.12.28, 95헌바3).

① (○) 헌법의 해석은 헌법이 추구하는 이상과 이념에 따른 역사적, 사회적 요구를 올바르게 수용하여 헌법적 방향을 제시하는 헌법의 창조적 기능을 수행하여 국민적 욕구와 의식에 알맞는 실질적 국민주권의 실현을 보장하는 것이어야 한다. 그러므로 헌법의 해석과 헌법의 적용이 우리 헌법이 지향하고 추구하는 방향에 부합하는 것이 아닐 때에는, 헌법적용의 방향제시와 헌법적 지도로써 정치적 불안과 사회적 혼란을 막는 가치관을 설정하여야 한다(헌재 1989.9.8, 88헌가6).

② (○) 헌법은 전문과 각 개별조항이 서로 밀접한 관련을 맺으면서 하나의 통일된 가치체계를 이루고 있는 것으로서, 헌법의 제 규정 가운데는 헌법의 근본가치를 보다 추상적으로 선언한 것도 있고, 보다 구체적으로 표현한 것도 있으므로 이념적·논리적으로는 규범 상호 간의 우열을 인정할 수 있다(헌재 1995.12.28, 95헌바3).

④ (○) 일반적으로 법률 문언의 의미와 내용을 분명히 하는 법률해석에 있어, 법률조항의 문구의 의미가 명확하지 않거나 특정한 상황에 들어맞는 규율을 하고 있는 것인지 애매할 경우에는, 입법목적이나 입법자의 의도를 합리적으로 추정하여 문언의 의미를 보충하여 확정하는 체계적, 합목적적 해석을 하거나, 유사한 사례에 관하여 명확한 법률효과를 부여하고 있는 법률조항으로부터 유추해석을 하여 법의 흠결을 보충하거나, 심지어 법률의 문언 그대로 구체적 사건에 적용할 경우 터무니없는 결론에 도달하게 되고 입법자가 그런 결과를 의도하였을 리가 없다고 합리적으로 판단되는 경우에는 문언을 약간 수정하여 해석하는 경우도 있을 수 있다(헌재 2012.5.31, 2009헌바123).

05 정답 ②

② (×) 헌법정신에 맞도록 법률의 내용을 해석·보충하거나 정정하는 헌법 합치적 법률해석은 유효한 법률조항의 의미나 문구를 대상으로 하는 것이지, 이를 넘어 이미 실효된 법률조항을 대상으로 하여 헌법합치적인 법률해석을 할 수는 없는 것이어서, 유효하지 않은 법률조항을 유효한 것으로 해석하는 결과에 이르는 것은 헌법 합치적 법률해석을 이유로도 정당화될 수 없다(헌재 2009.3.17, 2009헌바123).

① (○) 어떤 법률조항에 대한 여러 갈래의 해석이 가능한 경우, 특히 법률조항에 대한 해석이 한편에서는 합헌이라는 해석이, 다른 편에서는 위헌이라는 해석이 다 같이 가능하다면, 원칙적으로 헌법에 합치되는 해석을 선택하여야 한다는 헌법합치적 법률해석의 원칙도 존중되어야 하는 것은 당연하다(헌재 2012.5.31, 2009헌바123).

③ (○) 합헌적 법률해석은 헌법을 최고법규로 하는 '통일적인 법질서의 형성'을 위하여서 필요할 뿐 아니라, 입법부가 제정한 법률을 위헌이라고 하여 전면 폐기하기보다는 그 효력을 되도록 유지하는 것이 '권력분립의 정신'에 합치하고 '민주주의적 입법기능을 최대한 존중'하는 것이어서 헌법재판의 당연한 요청이기도 하다(헌재 1990.6.25, 90헌가11).

④ (○) 합헌적 법률해석은 권력분립과 입법권을 존중하는 정신에 뿌리를 두고 있으므로 법의 문구와 목적에 따른 한계가 있다. 즉, 법률의 조항의 문구가 간직하고 있는 말의 뜻을 넘어서 말의 뜻이 완전히 다른 의미로 변질되지 아니하는 범위 내이어야 한다는 '문의적 한계'와 입법권자가 그 법률의 제정으로써 추구하고자 하는 입법자의 명백한 의지와 입법의 목적을 헛되게 하는 내용으로 해석할 수 없다는 '법목적에 따른 한계'가 그것이다(헌재 1989.7.14, 88헌가5).

06 정답 ②

② (×) 우리 헌법의 각 개별규정 가운데 무엇이 헌법제정 규정이고 무엇이 헌법개정 규정인지를 구분하는 것이 가능하지 아니할 뿐 아니라, 각 개별규정에 그 효력상의 차이를 인정하여야 할 형식적인 이유를 찾을 수 없다(헌재 1995.12.28, 95헌바3).

① (○) 우리나라의 헌법은 제헌헌법이 초대국회에 의하여 제정된 반면 그후의 제5차, 제7차, 제8차 및 현행의 제9차 헌법개정에 있어서는 국민투표를 거친 바 있다(헌재 1995.12.28, 95헌바3).

③ (○) 영국의 의원내각제도는 불문헌법국가에서 변천이 가능한 예에 해당하고, 헌법변천은 상당한 기간에 걸쳐 헌법적 관례가 형성되고, 형성된 관례에 대해 국민적 승인이 있어야 성립하므로, 위헌법률심사제도가 확립된 국가에서 헌법변천이 성립할 가능성은 적다.

④ (○) 우리나라에서 제1공화국 당시 참의원을 두지 않고 단원제로 운영된 것과 제3공화국에서 지방자치제도를 실시하지 않은 것 등은 헌법변천의 예로 들 수 있다.

07 정답 ①

① (×) 헌법개정은 국회 재적의원 과반수 또는 대통령의 발의로 제안된다(헌법 제128조 제1항).

② (○) 제안된 헌법개정안은 대통령이 20일 이상의 기간 이를 공고하여야 한다(헌법 제129조).

③ (○) 국회는 헌법개정안이 공고된 날로부터 60일 이내에 의결하여야 하며, 국회의 의결은 재적의원 3분의 2 이상의 찬성을 얻어야 한다(헌법 제130조 제1항).

④ (○) 헌법개정안은 국회가 의결한 후 30일 이내에 국민투표에 붙여 국회의원선거권자 과반수의 투표와 투표자 과반수의 찬성을 얻어야 한다(헌법 제130조 제2항).

08 정답 ③

③ (×) 국회의 헌법 개정안에 대한 표결방법은 기명투표이다(국회법 제112조 제4항).

① (○) 대통령의 임기연장 또는 중임변경을 위한 헌법개정은 그 헌법개정 제안 당시의 대통령에 대하여는 효력이 없다(헌법 제128조 제2항).

② (○) 대통령이 제안한 헌법 개정안은 국민투표로 확정되며, 국회의원이 제안한 헌법 개정안은 국회의 의결을 거쳐 통일주체국민회의의 의결로 확정된다(제7차 개정헌법 제124조 제2항)고 규정하여 헌법개정 절차를 이원화하였다.

④ (○) 국민투표의 효력에 관하여 이의가 있는 투표인은 투표인 10만인 이상의 찬성을 얻어 중앙선거관리위원회 위원장을 피고로 하여 투표일로부터 20일 이내에 대법원에 제소할 수 있다(국민투표법 제92조).

09 정답 ③

③ (×) 저항권의 행사는 민주적 기본질서의 유지, 회복이라는 소극적인 목적에 그쳐야 하고 정치적, 사회적, 경제적 체제를 개혁하기 위한 수단으로 이용될 수 없다(헌재 2014.12.19, 2013헌다1).

① (○) 저항권은 공권력의 행사자가 민주적 기본질서를 침해하거나 파괴하려는 경우 이를 회복하기 위하여 국민이 공권력에 대하여 폭력・비폭력, 적극적・소극적으로 저항할 수 있다는 국민의 권리이자 헌법수호제도를 의미한다(헌재 2014.12.19, 2013헌다1).

② (○) 저항권은 공권력의 행사에 대한 '실력적' 저항이어서 그 본질상 질서교란의 위험이 수반되므로, 저항권의 행사에는 개별 헌법조항에 대한 단순한 위반이 아닌 민주적 기본질서라는 전체적 질서에 대한 중대한 침해가 있거나 이를 파괴하려는 시도가 있어야 하고, 이미 유효한 구제수단이 남아 있지 않아야 한다는 보충성의 요건이 적용된다(헌재 2014.12.19, 2013헌다1).

④ (○) 국가긴급권은 비상적인 위기상황을 극복하고 헌법질서를 수호하기 위해 헌법질서에 대한 예외를 허용하는 것이기 때문에 그 본질상 일시적・잠정적으로만 행사되어야 한다는 시간적 한계가 있다(헌재 2015.3.26, 2014헌가5).

10 정답 ④

④ (×) 경제질서의 원리에 관하여 사회정의 실현을 기본으로 삼고 개인의 경제적 자유는 부차적인 것으로 규정하였다. 예컨대 제헌헌법 제84조는 "대한민국의 경제질서는 모든 국민에게 생활의 기본적 수요를 충족할 수 있게 하는 사회정의의 실현과 균형 있는 국민경제의 발전을 기함을 기본으로 한다. 각인의 경제상 자유는 이 한계 내에서 보장된다"고 규정하였다.

① (○) 대통령은 행정권의 수반이며 외국에 대하여 국가를 대표한다(제헌헌법 제51조). 국무원은 대통령과 국무총리 기타의 국무위원으로 조직되는 합의체로서 대통령의 권한에 속한 중요 국책을 의결한다(제헌헌법 제68조).

② (○) 제헌헌법은 신앙・양심의 자유와 학문・예술의 자유와 같은 정신적 자유를 제외하고는 기본권조항마다 법률유보 조항을 두었다. 예컨대 제헌헌법 제13조는 "모든 국민은 법률에 의하지 아니하고는 언론・출판・집회・결사의 자유를 제한받지 아니한다"고 규정하였다.

③ (○) 근로자의 노동3권 이외에 이익분배균점권(利益分配均霑權) 조항을 두었다(제18조 제2항. "영리를 목적으로 하는 사기업에 있어서는 근로자는 법률이 정하는 바에 의하여 이익의 분배에 균점할 권리가 있다"). 이것은 제헌 당시 사회주의 세력에 대한 적극적 방어의 의미를 지닌 것이었지만, 실제로는 명목적인 것이었다.

경찰헌법 2회 모의고사 정답 및 해설

제2회 모의고사 정답

01	①	02	③	03	②	04	③	05	①
06	①	07	②	08	②	09	④	10	①

01 정답 ①

① (×) 대통령과 부통령은 국회에서 무기명투표로써 각각 선거한다(제헌헌법 세53조 제1항). 국무총리는 대통령이 임명하고 국회의 승인을 얻어야 한다(제헌헌법 제69조 제1항).

② (○) 대통령과 부통령은 국민의 보통, 평등, 직접, 비밀투표에 의하여 각각 선거한다(제1차 개정헌법 제53조 제1항). 국무총리와 국무위원은 국회에 대하여 국무원의 권한에 속하는 일반국무에 관하여는 연대책임을 지고 각자의 행위에 관하여는 개별책임을 진다(제1차 개정헌법 제70조 제3항). 민의원에서 국무원불신임결의를 하였거나 민의원의원총선거 후 최초에 집회된 민의원에서 신임결의를 얻지 못한 때에는 국무원은 총사직을 하여야 한다(제1차 개정헌법 제70조의 2 제1항).

③ (○) 이 헌법 공포 당시의 대통령에 대하여는 제55조 제1항 단서(1차 중임)의 제한을 적용하지 아니한다(제2차 개정헌법 부칙). 대한민국의 주권의 제약 또는 영토의 변경을 가져올 국가안위에 관한 중대사항은 국회의 가결을 거친 후에 국민투표에 부하여 민의원의원선거권자 3분지 2 이상의 투표와 유효투표 3분지 2 이상의 찬성을 얻어야 한다(제2차 개정헌법 제7조의2 제1항). 국무원은 대통령과 국무위원으로 조직되는 합의체로서 대통령의 권한에 속한 중요 국책을 의결한다(제2차 개정헌법 제68조). 민의원에서 국무위원에 대하여 불신임결의를 하였을 때에는 당해 국무위원은 즉시 사직하여야 한다(제2차 개정헌법 제70조의2 제1항).

④ (○) 모든 국민은 언론, 출판의 자유와 집회, 결사의 자유를 제한받지 아니한다(제3차 개정헌법 제13조 제1항). 국민의 모든 자유와 권리는 질서유지와 공공복리를 위하여 필요한 경우에 한하여 법률로써 제한할 수 있다. 단, 그 제한은 자유와 권리의 본질적인 내용을 훼손하여서는 아니 되며 언론, 출판에 대한 허가나 검열과 집회, 결사에 대한 허가를 규정할 수 없다(제3차 개정헌법 제28조 제2항).

02 정답 ③

③ (×) 제5차 개정헌법은, 민정이양을 위한 새로운 헌법제정이 문제되자 국가재건최고회의는 1962년 7월 11일 헌법심의위원회를 구성하였고, 11월 5일 헌법 개정안이 공고되고, 12월 6일 국가재건최고회의의 의결을 거쳐 12월 17일 국민투표로 확정되었다.

① (○) 대한민국의 주권의 제약 또는 영토의 변경을 가져올 국가안위에 관한 중대사항은 국회의 가결을 거친 후에 국민투표에 부하여 민의원의원선거권자 3분지 2 이상의 투표와 유효투표 3분지 2 이상의 찬성을 얻어야 한다(제2차 개정헌법 제7조의2 제1항).

② (○) 헌법개정안은 국회가 의결한 후 60일 이내에 국민투표에 붙여 국회의원선거권자 과반수의 투표와 투표자 과반수의 찬성을 얻은 때에는 헌법개정은 확정되며 대통령은 즉시 이를 공포하여야 한다(제5차 개정헌법 제121조 제1항, 제2항).

④ (○) 대통령은 필요하다고 인정할 때에는 외교·국방·통일 기타 국가안위에 관한 중요정책을 국민투표에 붙일 수 있다(헌법 제72조).

03 정답 ②

② (×) 인간의 존엄과 가치는 제5차 개정헌법 제8조에서, 행복추구권은 제8차 개정헌법 제9조에서 신설하였다.

① (○) 정당은 법률의 정하는 바에 의하여 국가의 보호를 받는다. 단, 정당의 목적이나 활동이 헌법의 민주적 기본질서에 위배될 때에는 정부가 대통령의 승인을 얻어 소추하고 헌법재판소가 판결로써 그 정당의 해산을 명한다(제3차 개정헌법 제13조 제2항).

③ (○) 형사피고인의 무죄추정원칙은 제8차 개정헌법 제26조 제4항에서 처음으로 규정하였다.

④ (○) 적법절차원칙은 현행헌법 제12조 제1항과 제2항에서 처음으로 규정하였다.

04 정답 ③

③ (×) 사사오입(四捨五入)에 의해 135명 찬성은 개헌 의결정족수인 재적의원 3분의 2를 충족시킨다는 주장에 따른 제2차 개헌은 절차적으로 위헌이다.

① (○) 제1차 개헌은 발췌한 개헌안에 대한 공고절차가 없이 국회에서 의결된 점, 그리고 한국전쟁 중의 비상계엄령하에서 야당 의원들에 대한 폭력적 위협이 가해지는 가운데 강행된 점에서 절차적으로 위헌으로 보는 것이 일반적 견해이다.

② (○) 이 헌법 공포 당시의 대통령에 대하여는 제55조 제1항 단서(1차 중임)의 제한을 적용하지 아니한다(제2차 개정헌법 부칙).

④ (○) 제7차 개헌에 의한 제4공화국 헌법, 즉 유신헌법은 기본 성격상 종전의 헌법과 전혀 다르다. 즉 제1공화국 헌법이나 제3공화국 헌법은 적어도 헌법규범 자체는 입헌주의에 따른 것이지만, 유신헌법은 헌법규범 자체가 이미 반(反)입헌주의적인 권위주의 헌법에 속한다.

05 정답 ①

① (×) 일반적으로 외국인인 개인이 특정한 국가의 국적을 선택할 권리가 자연권으로서 또는 우리 헌법상 당연히 인정된다고는 할 수 없다(헌재 2006.3.30. 2003헌마806).

② (○) 국적은 국가와 구성원 간의 법적유대이고 보호와 복종관계를 뜻하므로 국가와 분리하여 생각할 수 없다. 즉 국적은 국가의 생성과 더불어 발생하고 국가의 소멸은 국적의 상실 사유가 된다. 국적은 성문의 법령을 통해서가 아니라 국가의 생성과 더불어 존재하는 것이므로, 헌법의 위임에 따라 국적법이 제정되나 그 내용은 국가의 구성요소인 국민의 범위를 구체화, 현실화하는 '헌법사항'을 규율하고 있는 것이다(헌재 2000.8.31. 97헌가12).

③ (○) 국민이란 국가의 인적 요소로서 국가의 통치권에 복종할 의무를 가진 개개인의 전체집합을 의미한다. 국민은 영토, 주권과 더불어 국가의 3대 구성요소 중의 하나로, 그 나라의 국적을 가진 사람을 말한다(헌재 2000.8.31. 97헌가12).

④ (○) 외국인이 복수국적을 누릴 자유가 우리 헌법상 행복추구권에 의하여 보호되는 기본권이라고 보기 어려우므로, 외국인의 기본권 주체성 내지 기본권 침해 가능성을 인정할 수 없다(헌재 2014.6.26. 2011헌마502).

06 정답 ①

① (×) 부모가 모두 분명하지 아니한 경우나 국적이 없는 경우에는 대한민국에서 출생한 자는 출생과 동시에 대한민국 국적을 취득한다(국적법 제2조 제1항).

② (○) 대한민국의 국민이 아닌 자(외국인)로서 대한민국의 국민인 부 또는 모에 의하여 인지된 자가 대한민국의 민법상 미성년이고, 출생 당시에 부 또는 모가 대한민국의 국민이었을 경우 법무부장관에게 신고함으로써 대한민국 국적을 취득할 수 있다(국적법 제3조 제1항).

③ (○) 외국인의 자로서 대한민국의 민법상 미성년인 사람은 부 또는 모가 귀화 허가를 신청할 때 함께 국적취득을 신청할 수 있다(국적법 제8조 제1항).

④ (○) 국적회복허가를 받은 사람은 법무부장관 앞에서 국민선서를 하고 국적회복증서를 수여받은 때에 대한민국 국적을 취득한다(국적법 제9조 제3항).

07 정답 ②

② (×) 만 20세가 되기 전에 복수국적자가 된 자는 만 22세가 되기 전까지, 만 20세가 된 후에 복수국적자가 된 자는 그때부터 2년 내에 하나의 국적을 선택하여야 한다(국적법 제12조 제1항).

① (○) 출생이나 그 밖에 국적법에 따라 대한민국 국적과 외국 국적을 함께 가지게 된 사람으로서 대통령령으로 정하는 사람(복수국적자)은 대한민국의 법령 적용에서 대한민국 국민으로만 처우한다(국적법 제11조의2 제1항).

③ (○) 복수국적자로서 대한민국 국적을 선택하려는 자는 외국 국적을 포기하거나 법무부장관이 정하는 바에 따라 대한민국에서 외국 국적을 행사하지 아니하겠다는 뜻을 서약하고 법무부장관에게 대한민국 국적을 선택한다는 뜻을 신고할 수 있다(국적법 제13조 제1항).

④ (○) 복수국적자로서 외국 국적을 선택하려는 자는 외국에 주소가 있는 경우에만 주소지 관할 재외공관의 장을 거쳐 법무부장관에게 대한민국 국적을 이탈한다는 뜻을 신고할 수 있다(국적법 제14조 제1항).

08 정답 ②

② (×) 대한민국의 국민으로서 혼인·입양·인지 등으로 외국 국적을 취득한 자는 외국 국적을 취득한 때부터 6개월 내에 법무부장관에게 대한민국 국적을 보유할 의사가 있다는 뜻을 신고하지 아니하면 그 외국 국적을 취득한 때로 소급하여 대한민국 국적을 상실한 것으로 본다(국적법 제15조 제2항).

① (○) 대한민국의 국민으로서 자진하여 외국 국적을 취득한 자는 그 외국 국적을 취득한 때에 대한민국 국적을 상실한다(국적법 제15조 제1항).

③ (○) 대한민국 국적을 상실한 자는 국적을 상실한 때부터 대한민국의 국민만이 누릴 수 있는 권리를 누릴 수 없다(국적법 제18조 제1항).

④ (○) 대한민국의 국민만이 누릴 수 있는 권리 중 대한민국의 국민이었을 때 취득한 것으로서 양도할 수 있는 것은 그 권리와 관련된 법령에서 따로 정한 바가 없으면 3년 내에 대한민국의 국민에게 양도하여야 한다(국적법 제18조 제2항).

09 정답 ④

④ (×) 남북합의서는 한민족공동체 내부의 특수관계를 바탕으로 한 당국 간의 합의로서 남북당국의 성의 있는 이행을 상호 약속하는 일종의 공동성명 또는 신사협정에 준하는 성격을 가짐에 불과하다(헌재 1997.1.16. 92헌바6).

① (○) 우리 헌법 제3조에서 영토조항을 두고 있는 이상 대한민국의 헌법은 북한지역을 포함한 한반도 전체에 효력이 미치고 따라서 북한지역은 당연히 대한민국의 영토가 된다(헌재 2005.6.30. 2003헌바114).

② (○) 모든 국가권능의 정당성의 근원인 국민의 기본권 침해에 대한 권리구제를 위하여 그 전제조건으로서 영토에 관한 권리를 영토권이라 구성하여 헌법소원의 대상인 기본권의 하나로 간주하는 것은 가능하다(헌재 2001.3.21. 99헌마139).

③ (○) 북한은 조국의 평화적 통일을 위한 대화와 협력의 동반자임과 동시에 적화통일노선을 고수하면서 우리의 자유민주주의 체제를 전복하고자 획책하는 반국가단체라는 성격도 아울러 가지고 있다(헌재 1993.7.29. 92헌바48).

10 정답 ①

① (×) 개별 법률의 적용 내지 준용에 있어서는 남북한의 특수관계적 성격을 고려하여 북한지역을 외국에 준하는 지역으로, 북한주민 등을 외국인에 준하는 지위에 있는 자로 규정할 수 있다(헌재 2005.6.30. 2003헌바114).

② (○) 조선인을 부친으로 하여 출생한 자는 남조선과도정부법률 제11호 국적에 관한 임시조례의 규정에 따라 조선국적을 취득하였다가 제헌헌법의 공포와 동시에 대한민국 국적을 취득하였다(대판 1996.11.12. 96누1221).

③ (○) 북한법의 규정에 따라 북한국적을 취득하여 중국 주재 북한대사관으로부터 북한의 해외공민증을 발급받은 자라 하더라도 북한지역 역시 대한민국의 영토에 속하는 한반도의 일부를 이루는 것이어서 대한민국의 주권이 미칠 뿐이고, 대한민국의 주권과 부딪치는 어떠한 국가단체나 주권을 법리상 인정할 수 없는 점에 비추어 볼 때, 그러한 사정은 그가 대한민국 국적을 취득하고 유지함에 있어 아무런 영향을 끼칠 수 없다(대판 1996.11.12. 96누1221).

④ (○) 북한의 의과대학이 헌법 제3조의 영토조항에도 불구하고 국내대학으로 인정될 수 없고 또한 보건복지부장관이 인정하는 외국의 대학에도 해당하지 아니하므로, 북한의 의과대학 등을 졸업한 탈북의료인의 경우 국내 의료면허취득은 북한 이탈주민의 보호 및 정착지원에 관한 법률 제14조에 의할 수밖에 없다(헌재 2006.11.30. 2006헌마679).

경찰헌법 3회 모의고사 정답 및 해설

제3회 모의고사 정답

01	③	02	③	03	①	04	②	05	③
06	②	07	④	08	③	09	④	10	②

01 정답 ③

③ (×) 헌법의 기본원리는 헌법의 이념적 기초인 동시에 헌법을 지배하는 지도원리로서 입법이나 정책결정의 방향을 제시하며 공무원을 비롯한 모든 국민·국가기관이 헌법을 존중하고 수호하도록 하는 지침이 되며, 구체적 기본권을 도출하는 근거로 될 수는 없으나 기본권의 해석 및 기본권 제한 입법의 합헌성 심사에 있어 해석기준의 하나로서 작용한다(헌재 1996.4.25. 92헌바47).

① (○) 헌법의 기본원리란 헌법의 이념적 기초로서 헌법을 총체적으로 지배하는 지도원리를 말한다. 대한민국의 주권을 가진 우리 국민들은 헌법을 제정하면서 국민적 합의로 대한민국의 정치적 존재형태와 기본적 가치질서에 관한 이념적 기초로서 헌법의 지도원리를 설정하였다(헌재 2001.9.27. 2000헌마238).

② (○) 우리 헌법의 전문과 본문의 전체에 담겨있는 최고 이념은 국민주권주의와 자유민주주의에 입각한 입헌민주헌법의 본질적 기본원리에 기초하고 있다(헌재 1989.9.8. 88헌가6).

④ (○) 공권력의 행사 또는 불행사로 헌법의 기본원리가 훼손되었다고 하여 그 점만으로 국민의 기본권이 직접 현실적으로 침해된 것이라고 할 수는 없다(헌재 1995.2.23. 90헌마125).

02 정답 ③

③ (×) 헌법 전문에 기재된 3·1정신은 우리나라 헌법의 연혁적·이념적 기초로서 헌법이나 법률해석에서의 해석기준으로 작용한다고 할 수 있지만, 그에 기하여 곧바로 국민의 개별적 기본권성을 도출해낼 수는 없다고 할 것이므로, 헌법소원의 대상인 헌법상 보장된 기본권에 해당하지 아니한다(헌재 2001.3.21. 99헌마139).

① (○) 헌법의 전문은 헌법전을 구성하는 필수적 요소는 아니다. 그러나 현대국가의 헌법들은 대부분 전문을 두고, 전문을 통하여 헌법의 제정 또는 개정의 주체, 헌법의 이념 및 원리와 제정과정 등을 밝히고 있다. 우리나라의 헌법도 1948년 헌법 제정 당시부터 전문을 두고 있으며, 전문에서 헌법제정의 주체가 국민이라는 점, 그리고 헌법이 지향해야 할 이념과 원리, 헌법제정 또는 개정의 경과 등에 대하여 간략하게 설명하고 있다.

② (○) 헌법 전문은 헌법의 이념 내지 가치를 제시하고 있는 헌법규범의 일부로서 헌법으로서의 규범적 효력을 나타내기 때문에 구체적으로는 헌법소송에서의 재판규범인 동시에 헌법이나 법률해석에서의 해석기준이 되고, 입법형성권 행사의 한계와 정책결정의 방향을 제시하며, 모든 국가기관과 국민이 존중하고 지켜가야 하는 최고의 가치규범이다(헌재 2006.3.30. 2003헌마806).

④ (○) 헌법은 전문에서 3·1운동으로 건립된 대한민국임시정부의 법통을 계승한다고 선언하고 있다. 이는 대한민국이 일제에 항거한 독립운동가의 공헌과 희생을 바탕으로 이룩된 것임을 선언한 것이므로 국가는 일제로부터 조국의 자주독립을 위하여 공헌한 독립유공자와 유족에 대하여는 응분의 예우를 하여야 할 헌법적 의무를 지닌다. 다만 이 의무는 국가가 독립유공자의 인정절차를 합리적으로 마련하고 독립유공자에 대한 기본적 예우를 해주어야 한다는 것을 뜻할 뿐이며, 당사자가 주장하는 특정인을 반드시 독립유공자로 인정하여야 하는 것을 뜻할 수는 없다(헌재 2005.6.30. 2004헌마859).

03 정답 ①

① (×) 국민주권주의는 국가권력의 민주적 정당성을 의미하는 것이기는 하나, 그렇다고 하여 국민 전체가 직접 국가기관으로서 통치권을 행사하여야 한다는 것은 아니므로 주권의 소재와 통치권의 담당자가 언제나 같을 것을 요구하는 것이 아니고, 예외적으로 국민이 주권을 직접 행사하는 경우 이외에는 국민의 의사에 따라 통치권의 담당자가 정해짐으로써 국가권력의 행사도 궁극적으로 국민의 의사에 의하여 정당화될 것을 요구하는 것이다(헌재 2009.3.26. 2007헌마843).

② (○) 가능한 한 주권의 보유와 행사를 일치시키는 방향으로 국민주권을 구체적이고 실질적인 것이 되도록 권력과 인권, 주권과 자유의 필연적 상관관계에 대한 종합적인 결론에 부합하는 타당한 헌법해석을 하여야 하는 것이 불가피하다(헌재 1989.9.8. 88헌가6).

③ (○) 국민주권주의를 구현하기 위하여 헌법은 국가의 의사결정 방식으로 대의제를 채택하고, 이를 가능하게 하는 선거제도를 규정함과 아울러 선거권, 피선거권을 기본권으로 보장하며, 대의제를 보완하기 위한 방법으로 직접민주제 방식의 하나인 국민투표제도를 두고 있다(헌재 2009.3.26. 2007헌마843).

④ (○) 헌법을 개정하거나 폐지하고 다른 내용의 헌법을 모색하는 것은 주권자인 국민이 보유하는 가장 기본적인 권리로서, 가장 강력하게 보호되어야 할 권리 중의 권리에 해당한다(헌재 2013.3.21. 2010헌바132).

04 정답 ②

② (×) 헌법의 기본원리인 대의제 민주주의하에서 국회의원 선거권이란 국회의원을 보통·평등·직접·비밀선거에 의하여 국민의 대표자인 국회의원을 선출하는 권리에 그치고, 개별 유권자 혹은 집단으로서의 국민의 의사를 선출된 국회의원이

그대로 대리하여 줄 것을 요구할 수 있는 권리까지 포함하는 것은 아니다(헌재 1998.10.29, 96헌마186).

① (○) 대의제는 국민주권의 이념을 존중하면서도 현대국가가 지니는 민주정치에 대한 현실적인 장애요인들을 극복하기 위하여 마련된 통치구조의 구성원리로서, 기관구성권과 정책결정권의 분리, 정책결정권의 자유위임을 기본적 요소로 하고, 특히 국민이 선출한 대의기관은 일단 국민에 의하여 선출된 후에는 법적으로 국민의 의사와 관계없이 독자적인 양식과 판단에 따라 정책 결정에 임하기 때문에 자유위임 관계에 있게 된다는 것을 본질로 하고 있다(헌재 2009.3.26, 2007헌마843).

③ (○) 직접민주제는 대의제가 안고 있는 문제점과 한계를 극복하기 위하여 예외적으로 도입된 제도라 할 것이므로, 헌법적인 차원에서 직접민주제를 직접 헌법에 규정하는 것은 별론으로 하더라도 법률에 의하여 직접민주제를 도입하는 경우에는 기본적으로 대의제와 조화를 이루어야 하고, 대의제의 본질적인 요소나 근본적인 취지를 부정하여서는 아니 된다는 내재적인 한계를 지닌다(헌재 2009.3.26, 2007헌마843).

④ (○) 자신의 정치적 생각을 합법적인 집회와 시위를 통해 설파하거나 서명운동 등을 통해 자신과 의견이 같은 세력을 규합해 나가는 것은 국가의 안전에 대한 위협이 아니라 우리 헌법의 근본이념인 '자유민주적 기본질서'의 핵심적인 보장 영역에 속하는 것이다. 정부에 대한 비판에 대하여 합리적인 홍보와 설득으로 대처하는 것이 아니라, 비판 자체를 원천적으로 배제하려는 공권력의 행사나 규범의 제정은 대한민국 헌법이 예정하고 있는 자유민주적 기본질서에 부합하지 아니하므로 그 정당성을 부여할 수 없다(헌재 2013.3.21, 2010헌바132).

05 정답 ③

③ (×) 국민주권・민주주의원리는 그 작용영역, 즉 공권력의 종류와 내용에 따라 구현 방법이 상이할 수 있다. 국회・대통령과 같은 정치적 권력기관은 헌법 규정에 따라 국민으로부터 직선된다. 그러나 지방자치기관은 그것도 정치적 권력기관이긴 하지만, 중앙・지방간 권력의 수직적 분배라고 하는 지방자치제의 권력분립적 속성상 중앙정치기관의 구성과는 다소 상이한 방법으로 국민주권・민주주의원리가 구현될 수도 있다. 또한 교육부문에 있어서의 국민주권・민주주의의 요청도, 문화적 권력이라고 하는 국가교육권의 특수성으로 말미암아, 정치부문과는 다른 모습으로 구현될 수 있다(헌재 2000.3.30, 99헌바113).

① (○) 민주주의(democracy)라는 말은 고대 희랍어에서 유래된 것으로서, '평범한 시민'을 의미하는 데모스(dēmos)와 '권력, 지배'를 의미하는 크라토스(kratos)의 결합으로 이루어진 말이다. 이것은 '평범한 시민들의 지배'를 의미하는데, 고대 희랍의 정치철학에서는 군주에 의한 '1인의 지배'나 귀족 등에 의한 '소수의 지배'에 대비되는 맥락에서 '다수의 지배'를 의미하는 것으로 이해되기도 하였다(헌재 2014.12.19, 2013헌다1).

② (○) 지방자치제도는 민주정치의 요체이며 현대의 다원적 복합사회가 요구하는 정치적 다원주의를 실현시키기 위한 제도적 장치로서 지방의 공동관심사를 자율적으로 처결함과 동시에 주민의 자치 역량을 배양하여 국민주권주의와 자유민주주의 이념구현에 이바지함을 목적으로 하는 제도이다(헌재 1991.3.11, 91헌마21).

④ (○) 민주주의 원리는 개인의 자율적 판단능력을 존중하고 사회의 자율적인 의사결정이 궁극적으로 올바른 방향으로 전개될 것이라는 신뢰를 바탕으로 하고 있다. 이 신뢰는 국민들이 공동체의 최종적인 정치적 의사를 책임질 수 있다는, 즉 국민들이 주권자로서의 충분한 능력과 자격을 동등하게 가진다는 규범적 판단에 기초한다. 따라서 국민 각자는 서로를 공동체의 대등한 동료로 존중해야 하고, 자신의 의견이 옳다고 믿는 만큼 타인의 의견에도 동등한 가치가 부여될 수 있음을 인정해야 한다(헌재 2014.12.19, 2013헌다1).

06 정답 ②

② (×) 민주주의 원리는 하나의 초월적 원리가 만물의 이치를 지배하는 절대적 세계관을 거부하고, 다양하고 복수적인 진리관을 인정하는 상대적 세계관(가치상대주의)을 받아들인다(헌재 2014.12.19, 2013헌다1).

① (○) 민주주의는 정치의 본질이 피치자에 대한 치자의 지배나 군림에 있는 것이 아니라, 타인과 공존할 수 있는 동등한 자유, 그리고 대등한 동료시민들 간의 존중과 박애에 기초한 자율적이고 협력적인 공적 의사결정에 있는 것이다(헌재 2014.12.19, 2013헌다1).

③ (○) 우리 헌법은 정당에 대하여 민주적 기본질서를 해하지 않는 범위 내에서의 정당활동을 보장하고 있다. 따라서 어떠한 정당이 외형상 민주적 기본질서를 추구한다고 하더라도 그 구체적인 강령 및 활동이 폭력적 지배를 추구함으로써 자유민주적 기본질서를 위반되는 경우 우리 헌법 질서에서는 용인될 수 없는 것이다(헌재 2001.9.27, 2000헌마238).

④ (○) 헌법은 전문에 "자율과 조화를 바탕으로 자유민주적 기본질서를 더욱 확고히 하여"라고 선언하고, 제4조에 "자유민주적 기본질서에 입각한 평화적 통일정책을 수립하고 이를 추진한다."라고 규정함으로써 자유민주주의 실현을 헌법의 지향이념으로 삼고 있다. 즉 국가권력의 간섭을 배제하고, 개인의 자유와 창의를 존중하며 다양성을 포용하는 자유주의와 국가권력이 국민에게 귀속되고, 국민에 의한 지배가 이루어지는 것을 내용적 특징으로 하는 민주주의가 결합된 개념인 자유민주주의를 헌법질서의 최고 기본가치로 파악하고, 이러한 헌법질서의 근간을 이루는 기본적 가치를 기본질서로 선언한 것이다(헌재 2001.9.27, 2000헌마238).

07 정답 ④

④ (×) 국가의 존립과 기능은 국민의 국법질서에 대한 순종의무를 그 당연한 이념적 기초로 하고 있다. 특히 자유민주적 법치국가는 모든 국민에게 사상의 자유와 법질서에 대하여 비판할 수 있는 자유를 보장하고 정당한 절차에 의하여 헌법과 법률을 개정할 수 있는 장치를 마련하고 있는 만큼 그에 상응하여 다른 한편으로 국민의 국법질서에 대한 자발적인 참여와 복종을 그 존립의 전제로 하고 있다. 따라서 헌법과 법률을 준수할 의무는 국민의 기본의무로서 헌법상 명문의 규정은 없으나 우리 헌법에서도 자명한 것이다(헌재 2002.4.25, 98헌마425).

① (○), ② (○) 우리 헌법은 국가권력의 남용으로부터 국민의 자유와 권리를 보호하려는 법치국가의 실현을 기본이념으로 하고 있고, 자유민주주의 헌법의 원리에 따라 국가의 기능을 입법・행정・사법으로 분립하여 견제와 균형을 이루게 하는 권력분립제도를 채택하고 있어, 행정과 사법은 법률에 기속되므로, 국회가 특정한 사항에 대하여 행정부에 위임하였음에도 불구하고 행정부가 정당한 이유 없이 이를 이행하지 않는다면 권력분립의 원칙과 법치국가의 원칙에 위배되는 것이다(헌재 2004.2.26, 2001헌마718).

③ (○) 우리 헌법은 국가권력의 남용으로부터 국민의 기본권을 보호하려는 법치국가의 실현을 기본이념으로 하고 있고 그 법치국가의 개념에는 헌법이나 법률에 의하여 명시된 죄형법정주의와 소급효의 금지 및 이에 유래하는 유추해석금지의 원칙 등이 적용되는 일반적인 형식적 법치국가의 이념뿐만 아니라 법정형벌은 행위의 무거움과 행위자의 부책에 상응하는 정당한 비례성이 지켜져야 하며, 적법절차를 무시한 가혹한 형벌을 배제하여야 한다는 자의금지 및 과잉금지의 원칙이 도출되는 실질적 법치국가의 실현이라는 이념도 포함되는 것이다(헌재 1992.4.28, 90헌바24).

08 정답 ③

③ (×), ④ (○) 헌법 제75조는 "대통령은 법률에서 구체적으로 범위를 정하여 위임받은 사항… 에 관하여 대통령령을 발할 수 있다"고 규정하여 위임입법의 헌법상 근거를 마련하는 한편 대통령령으로 입법할 수 있는 사항을 "법률에서 구체적으로 범위를 정하여 위임받은 사항"으로 한정함으로써 일반적이고 포괄적인 위임입법은 허용되지 않는다는 것을 명백히 하고 있는데, 이는 국민주권주의, 권력분립주의 및 법치주의를 기본원리로 하고 있는 우리 헌법하에서 국민의 헌법상 기본권 및 기본의무와 관련된 중요한 사항 내지 본질적인 내용에 대한 정책형성기능은 원칙적으로 주권자인 국민에 의하여 선출된 대표자들로 구성되는 입법부가 담당하여 법률의 형식으로써 이를 수행하여야 하고, 이와 같이 입법화된 정책을 집행하거나 적용함을 임무로 하는 행정부나 사법부에 그 기능을 넘겨서는 아니 되기 때문이다(헌재 1995.7.21, 94헌마125).

① (○), ② (○) 헌법은 법치주의를 그 기본원리의 하나로 하고 있으며, 법치주의는 행정작용에 국회가 제정한 형식적 법률의 근거가 요청된다는 법률유보를 그 핵심적 내용으로 하고 있다. 그런데 오늘날 법률유보원칙은 단순히 행정작용이 법률에 근거를 두기만 하면 충분한 것이 아니라, 국가공동체와 그 구성원에게 기본적이고도 중요한 의미를 갖는 영역, 특히 국민의 기본권실현에 관련된 영역에 있어서는 행정에 맡길 것이 아니라 국민의 대표자인 입법자 스스로 그 본질적 사항에 대하여 결정하여야 한다는 요구까지 내포하는 것으로 이해하여야 한다(이른바 의회유보원칙). 그런데 입법자가 형식적 법률로 스스로 규율하여야 하는 사항이 어떤 것인가는 일률적으로 획정할 수 없고 구체적 사례에서 관련된 이익 내지 가치의 중요성, 규제 내지 침해의 정도와 방법 등을 고려하여 개별적으로 결정할 수 있을 뿐이나, 적어도 헌법상 보장된 국민의 자유나 권리를 제한할 때에는 그 제한의 본질적인 사항에 관한 한 입법자가 법률로써 스스로 규율하여야 할 것이다(헌재 2008.2.28, 2006헌바70).

09 정답 ④

④ (×) 기본권 제한 입법이라 하더라도 규율대상이 지극히 다양하거나 수시로 변화하는 성질의 것이어서 입법기술상 일의적으로 규정할 수 없는 경우에는 명확성의 요건이 완화되어야 할 것이다(헌재 1999.9.16, 97헌바73).

① (○) 명확성 원칙이란 법령을 명확한 용어로 규정함으로써 적용대상자, 즉 수범자에게 그 규제내용을 미리 알 수 있도록 공정한 고지를 하여 장래의 행동지침을 제공하고, 동시에 법집행자에게 객관적 판단지침을 주어 차별적이거나 자의적인 법 해석 및 집행을 예방하기 위한 원칙을 의미하는 것이다(헌재 2021.4.29, 2020헌바328).

② (○) 명확성의 원칙은 법치국가원리의 한 표현으로서 기본적으로 모든 기본권 제한 입법에 요구된다. 규범의 의미 내용으로부터 무엇이 금지되는 행위이고 무엇이 허용되는 행위인지를 수범자가 알 수 없다면 법적 안정성과 예측 가능성은 확보될 수 없게 될 것이고, 법 집행 당국에 의한 자의적 집행을 가능하게 할 것이기 때문이다(헌재 2005.6.30, 2005헌가1).

③ (○) 명확성의 원칙은 모든 법률에 있어서 동일한 정도로 요구되는 것은 아니고 개개의 법률이나 법 조항의 성격에 따라 요구되는 정도에 차이가 있을 수 있으며 각각의 구성요건의 특수성과 법률이 제정되게 된 배경이나 상황에 따라 달라질 수 있다. 일반론으로는 어떠한 규정이 부담적 성격을 가지는 경우에는 수익적 성격을 가지는 경우에 비하여 명확성의 원칙이 더욱 엄격하게 요구되고, 죄형법정주의가 지배하는 형사 관련 법률에서는 명확성의 정도가 강화되어 더 엄격한 기준이 적용되지만, 일반적인 법률에서는 명확성의 정도가 그리 강하게 요구되지 않기 때문에 상대적으로 완화된 기준이 적용된다(헌재 2005.6.30, 2005헌가1).

10 정답 ②

② (×) 당해 규정이 명확한지 여부는 그 규정의 문언만으로 판단할 것이 아니라 관련 조항을 유기적・체계적으로 종합하여 판단하여야 할 것이다(헌재 1999.9.16, 97헌바73).

① (○) 명확성 원칙은 헌법상 내재하는 법치국가원리로부터 파생될 뿐만 아니라, 국민의 자유와 권리를 보호하는 기본권 보장으로부터도 나온다. 헌법 제37조 제2항에 의거하여 국민의 자유와 권리를 제한하는 법률은 명확하게 규정되어야 한다(헌재 2001.6.28, 99헌바34).

③ (○) 법률은 명확한 용어로 규정함으로써 적용대상자에게 그 규제내용을 미리 알 수 있도록 공정한 고지를 하여 장래의 행동지침을 제공하고, 동시에 법 집행자에게 객관적 판단지침을 주어 차별적이거나 자의적인 법 해석을 예방할 수 있다. 따라서 법률은 국민의 신뢰를 보호하고 법적 안정성을 확보하기 위하여 되도록 명확한 용어로 규정하여야 하는 것이다. 특히 법률이 형벌법규인 때에는 더욱 그러하다. 왜냐하면 법률이 규정한 용어나 기준이 불명확하여 그 적용대상자가 누구인지 어떠한 행위가 금지되는지의 여부를 보통의 지성을 갖춘 사람이 보통의 이해력과 관행에 따라 판단할 수 없는 경우에도 처벌된다면, 그 적용대상자에게 가혹하고 불공정한 것일 뿐만 아니라, 결과적으로 어떠한 행위가 범죄로 되어야 하는가를 결정하는 입법권을 법관에게 위임하는 것으로 되기 때문에 권력분립의 원칙에도 반하는 것으로 되기 때문이다(헌재 1992.4.8, 90헌바27).

④ (○) 일반적이거나 불확정된 개념이 사용된 경우에는 당해 법률의 입법목적과 당해 법률의 다른 규정들을 원용하거나 다른 규정과의 상호관계를 고려하여 합리적인 해석이 가능한지 여부에 따라 명확성 여부가 가려져야 할 것이다(헌재 2001.6.28, 99헌바34).

경찰헌법 4회 모의고사 정답 및 해설

제4회 모의고사 정답

01	②	02	④	03	②	04	①	05	④
06	①	07	③	08	②	09	①	10	④

01 정답 ②

② (×) 법치국가원리의 한 측면인 법적 안정성은 객관적 요소로서 법질서의 신뢰성·항구성·법적 투명성과 법적 평화를 의미하고, 이와 내적인 상호연관관계에 있는 법적 안정성의 주관적 측면은 한번 제정된 법규범은 원칙적으로 존속력을 갖고 자신의 행위기준으로 작용하리라는 개인의 신뢰보호원칙이다(헌재 1996.2.16, 96헌가2).

① (○) 신뢰보호원칙은 법치국가원리에 근거를 두고 있는 헌법상 원칙으로서, 특정한 법률에 의하여 발생한 법률관계는 그 법에 따라 파악되고 판단되어야 하고 과거의 사실관계가 그 뒤에 생긴 새로운 법률의 기준에 따라 판단되지 않는다는 국민의 신뢰를 보호하기 위한 것이다(헌재 2015.2.26, 2012헌마400).

③ (○) 신뢰보호원칙의 위반 여부를 판단함에 있어서는, 한편으로는 침해받은 신뢰이익의 보호가치, 침해의 중한 정도, 신뢰가 손상된 정도, 신뢰침해의 방법 등과 다른 한편으로는 새로운 입법을 통해 실현하고자 하는 공익적 목적을 종합적으로 비교·형량하여야 한다(헌재 2012.11.29, 2011헌마786).

④ (○) 법적 상태의 존속에 대한 개인의 신뢰는 그가 어느 정도로 법적 상태의 변화를 예측할 수 있는지, 혹은 예측하였어야 하는지 여부에 따라 상이한 강도를 가진다. 그런데, 일반적으로 법률은 현실상황의 변화나 입법정책의 변경 등으로 언제라도 개정될 수 있는 것이기 때문에, 원칙적으로 법률의 개정은 예측할 수 있다고 보아야 한다(헌재 2002.11.28, 2002헌바45).

02 정답 ④

④ (×) 진정소급입법이 허용되는 예외적인 경우로는 국민이 소급입법을 예상할 수 있었거나 법적상태가 불확실하고 혼란스러웠거나 하여 보호할 만한 신뢰의 이익이 적은 경우, 소급입법에 의한 당사자의 손실이 없거나 아주 경미한 경우, 신뢰보호의 요청에 우선하는 심히 중대한 공익상의 사유가 소급입법을 정당화하는 경우 등을 들 수 있다(헌재 1998.9.30, 97헌바38).

① (○) 소급입법은 신법이 이미 종료된 사실관계에 작용하는지(과거에 완성된 사실 또는 법률관계를 규율대상으로 하는지), 아니면 과거에 시작되었으나 아직 완성되지 아니하고 현재 진행 중에 있는 사실관계에 작용하는지에 따라 진정소급입법과 부진정소급입법으로 구분된다(헌재 1995.10.26, 94헌바12).

② (○) 부진정소급입법은 원칙적으로 허용된다. 다만 소급효를 요구하는 공익상의 사유와 신뢰보호의 요청 사이의 교량과정에서 신뢰보호의 관점이 입법자의 형성권에 제한을 가하게 된다(헌재 1996.2.16, 96헌가2).

③ (○) 소급입법이 금지되는 주된 이유는 문제된 사안이 발생하기 전에 그 사안을 일반적으로 규율할 수 있는 입법을 통하여 행위시법으로 충분히 처리할 수 있었음에도, 권력자에 의해 사후에 제정된 법을 통해 과거의 일들이 자의적으로 규율됨으로써 법적 신뢰가 깨뜨려지고 국민의 권리가 침해되는 것을 방지하기 위함이다(헌재 2011.3.31, 2008헌바141).

03 정답 ②

② (×) 개별사건법률금지의 원칙이 법률제정에 있어서 입법자가 평등원칙을 준수할 것을 요구하는 것이기 때문에, 특정 규범이 개별사건법률에 해당한다 하여 곧바로 위헌을 뜻하는 것은 아니다. 비록 특정 법률 또는 법률조항이 단지 하나의 사건만을 규율하려고 한다 하더라도 이러한 차별적 규율이 합리적인 이유로 정당화될 수 있는 경우에는 합헌적일 수 있다(헌재 1996.2.16, 96헌가2).

① (○) 개별사건법률금지의 원칙은 "법률은 일반적으로 적용되어야지 어떤 개별사건에만 적용되어서는 아니 된다."는 법 원칙으로서 헌법상의 평등원칙에 근거하고 있는 것으로 풀이되고, 그 기본정신은 입법자에 대하여 기본권을 침해하는 법률은 일반적 성격을 가져야 한다는 형식을 요구함으로써 평등원칙위반의 위험성을 입법과정에서 미리 제거하려는 데 있다(헌재 1996.2.16, 96헌가2).

③ (○) 규범 상호 간의 체계 정당성을 요구하는 이유는 입법자의 자의를 금지하여 규범의 명확성, 예측 가능성 및 규범에 대한 신뢰와 법적 안정성을 확보하기 위한 것이고 이는 국가공권력에 대한 통제와 이를 통한 국민의 자유와 권리의 보장을 이념으로 하는 법치주의 원리로부터 도출된다(헌재 2004.11.25, 2002헌바66).

④ (○) 일반적으로 일정한 공권력 작용이 체계 정당성에 위반한다고 해서 곧 위헌이 되는 것은 아니다. 즉 체계 정당성 위반 자체가 바로 위헌이 되는 것은 아니고 이는 비례의 원칙이나 평등원칙 위반 내지 입법의 자의금지 위반 등의 위헌성을 시사하는 하나의 징후일 뿐이다(헌재 2004.11.25, 2002헌바66).

04 정답 ①

① (×) 우리 헌법은 사회국가원리를 명문으로 규정하지 않고, 헌법 전문, 인간다운 생활을 할 권리를 비롯한 사회적 기본권의 보장, 경제 영역에서 적극적으로 계획하고 유도하고 재분배하여야 할 국가의 의무를 규정하는 경제에 관한 조항 등을 통하여 간접적으로 사회국가원리를 수용하고 있다(헌재 2004.10.28, 2002헌마328).

② (O) 사회국가란 사회정의의 이념을 헌법에 수용한 국가, 사회현상에 대하여 방관적인 국가가 아니라 경제·사회·문화의 모든 영역에서 정의로운 사회질서의 형성을 위하여 사회현상에 관여하고 간섭하고 분배하고 조정하는 국가이며, 궁극적으로는 국민 각자가 실제로 자유를 행사할 수 있는 그 실질적 조건을 마련해 줄 의무가 있는 국가이다(헌재 2002.12.18, 2002헌마52).

③ (O) 우리 헌법은 자유민주적 기본질서 및 시장경제질서를 기본으로 하면서 위 질서들에 수반되는 모순을 제거하기 위하여 사회국가원리를 수용하여 실질적인 자유와 평등을 아울러 달성하려는 근본이념을 가지고 있다(헌재 1998.5.28, 96헌가4).

④ (O) 우리나라 헌법상의 경제질서는 사유재산제를 바탕으로 하고 자유경쟁을 존중하는 자유시장경제질서를 기본으로 하면서도 이에 수반되는 갖가지 모순을 제거하고 사회복지·사회정의를 실현하기 위하여 국가적 규제와 조정을 용인하는 '사회적 시장경제질서'로서의 성격을 띠고 있다(헌재 1996.4.25, 92헌바47).

05 정답 ④

④ (×) 헌법 제119조는 헌법상 경제질서에 관한 일반조항으로서 국가의 경제정책에 대한 하나의 헌법적 지침일 뿐 그 자체가 기본권의 성질을 가진다거나 독자적인 위헌심사의 기준이 된다고 할 수 없다(헌재 2017.7.27, 2015헌바278).

① (O) 사회국가의 원리는 자유민주적 기본질서의 범위 내에서 이루어져야 하고, 국민 개인의 자유와 창의를 보완하는 범위 내에서 이루어지는 내재적 한계를 지니고 있다(헌재 2001.9.27, 2000헌마238).

② (O) 국가는 균형 있는 국민경제의 성장 및 안정과 적정한 소득의 분배를 유지하고, 시장의 지배와 경제력의 남용을 방지하며, 경제주체 간의 조화를 통한 경제의 민주화를 위하여 경제에 관한 규제와 조정을 할 수 있다(헌법 제119조 제2항).

③ (O) 헌법은 제119조에서 개인의 경제적 자유를 보장하면서 사회정의를 실현하기 위한 경제질서를 선언하고 있다. 이 규정은 헌법상 경제질서에 관한 일반조항으로서 국가의 경제정책에 대한 하나의 헌법적 지침이고, 동 조항이 언급하는 '경제적 자유와 창의'는 직업의 자유, 재산권의 보장, 근로3권과 같은 경제에 관한 기본권 및 비례의 원칙과 같은 법치국가원리에 의하여 비로소 헌법적으로 구체화된다(헌재 2002.10.31, 99헌바76).

06 정답 ①

① (×) 농업생산성의 제고와 농지의 합리적인 이용을 위하거나 불가피한 사정으로 발생하는 농지의 임대차와 위탁경영은 법률이 정하는 바에 의하여 인정된다(헌법 제121조 제2항).

② (O) 헌법 제119조 제2항에 규정된 '경제주체 간의 조화를 통한 경제민주화'의 이념은 경제 영역에서 정의로운 사회질서를 형성하기 위하여 추구할 수 있는 국가목표로서 개인의 기본권을 제한하는 국가행위를 정당화하는 헌법 규범이다(헌재 2003.11.27, 2001헌바35).

③ (O) 헌법 제119조 제2항은 국가가 경제영역에서 실현하여야 할 목표의 하나로서 "적정한 소득의 분배"를 들고 있지만, 이로부터 반드시 소득에 대하여 누진세율에 따른 종합과세를 시행하여야 할 구체적인 헌법적 의무가 조세입법자에게 부과되는 것이라고 할 수 없다(헌재 1999.11.25, 98헌마55).

④ (O) 헌법 제119조 제1항은 시장경제의 원리에 입각한 경제체제임을 천명하였는바, 이는 기업의 생성·발전·소멸은 어디까지나 기업의 자율에 맡긴다는 기업자유의 표현이며 국가의 공권력은 특단의 사정이 없는 한 이에 대한 불개입을 원칙으로 한다는 뜻이다(헌재 1993.7.29, 89헌마31).

07 정답 ③

㉠ (O) 우리나라는 건국헌법 이래 문화국가의 원리를 헌법의 기본원리로 채택하고 있다. 우리 현행 헌법은 전문에서 "문화의 … 영역에 있어서 각인의 기회를 균등히" 할 것을 선언하고 있을 뿐 아니라, 제9조에서 국가에게 전통문화의 계승 발전과 민족문화의 창달을 위하여 노력할 의무를 지우고 있다(헌재 2004.5.27, 2003헌가1).

㉡ (O), ㉢ (O) 헌법은 문화국가를 실현하기 위하여 보장되어야 할 정신적 기본권으로 양심과 사상의 자유, 종교의 자유, 언론·출판의 자유, 학문과 예술의 자유 등을 규정하고 있는바, 개별성·고유성·다양성으로 표현되는 문화는 사회의 자율영역을 바탕으로 한다고 할 것이고, 이들 기본권은 견해와 사상의 다양성을 그 본질로 하는 문화국가원리의 불가결의 조건이라고 할 것이다(헌재 2000.4.27, 98헌가16).

㉣ (×) 문화국가원리는 국가의 문화국가실현에 관한 과제 또는 책임을 통하여 실현되는바, 국가의 문화정책과 밀접 불가분의 관계를 맺고 있다. 과거 국가절대주의사상의 국가관이 지배하던 시대에는 국가의 적극적인 문화간섭정책이 당연한 것으로 여겨졌다. 그러나 오늘날에 와서는 국가가 어떤 문화현상에 대하여도 이를 선호하거나, 우대하는 경향을 보이지 않는 불편부당의 원칙이 가장 바람직한 정책으로 평가받고 있다(헌재 2004.5.27, 2003헌가1).

㉤ (O) 문화국가원리의 이러한 특성은 문화의 개방성 내지 다원성의 표지와 연결되는데, 국가의 문화육성의 대상에는 원칙적으로 모든 사람에게 문화창조의 기회를 부여한다는 의미에서 모든 문화가 포함된다. 따라서 엘리트문화뿐만 아니라 서민문화, 대중문화도 그 가치를 인정하고 정책적인 배려의 대상으로 하여야 한다(헌재 2004.5.27, 2003헌가1).

08 정답 ②

② (×) 헌법 전문과 헌법 제9조에서 말하는 '전통', '전통문화'란 역사성과 시대성을 띤 개념으로 이해하여야 한다. 과거의 어

는 일정 시점에서 역사적으로 존재하였다는 사실만으로 모두 헌법의 보호를 받는 전통이 되는 것은 아니다. 전통이란 과거와 현재를 다 포함하고 있는 문화적 개념이다(헌재 2005.2.3, 2001헌가9).

① (○) 가족제도는 민족의 역사와 더불어 생성되고 발전된 역사적·사회적 산물이라는 특성을 지니고 있기는 하나, 그렇다고 하여 가족제도나 가족법이 헌법의 우위로부터 벗어날 수 있는 특권을 누릴 수 없다(헌재 2005.2.3, 2001헌가9).

③ (○) 헌법 제9조의 정신에 따라 우리가 진정으로 계승·발전시켜야 할 전통문화는 이 시대의 제반 사회·경제적 환경에 맞고 또 오늘날에 있어서도 보편타당한 전통윤리 내지 도덕관념이라 할 것이다(헌재 1997.7.16, 95헌가6).

④ (○) 우리 헌법에서 말하는 '전통', '전통문화'란 오늘날의 의미로 재해석된 것이 되지 않으면 안 된다. 그리고 오늘날의 의미를 포착함에 있어서는 헌법이념과 헌법의 가치질서가 가장 중요한 척도의 하나가 되어야 할 것임은 두 말할 나위가 없고 여기에 인류의 보편가치, 정의와 인도의 정신 같은 것이 아울러 고려되어야 할 것이다. 따라서 가족제도에 관한 전통·전통문화란 적어도 그것이 가족제도에 관한 헌법이념인 개인의 존엄과 양성의 평등에 반하는 것이어서는 안 된다는 자명한 한계가 도출된다(헌재 2005.2.3, 2001헌가9).

09 정답 ①

① (×) 헌법에 의하여 체결·공포된 조약과 일반적으로 승인된 국제법규는 국내법과 같은 효력을 가진다.

② (○) 조약이란 국가·국제기구 등 국제법 주체 사이에 권리의무관계를 창출하기 위하여 서면 형식으로 체결되고 국제법에 의하여 규율되는 합의를 말한다(헌재 2008.3.27, 2006헌라4).

③ (○) 조약은 국제법 주체들이 일정한 법률효과를 발생시키기 위하여 체결한 국제법의 규율을 받는 국제적 합의를 말하며 서면에 의한 경우가 대부분이지만 예외적으로 구두 합의도 조약의 성격을 가질 수 있다(헌재 2019.12.27, 2016헌마253).

④ (○) 국회는 상호원조 또는 안전보장에 관한 조약, 중요한 국제조직에 관한 조약, 우호통상항해조약, 주권의 제약에 관한 조약, 강화조약, 국가나 국민에게 중대한 재정적 부담을 지우는 조약 또는 입법사항에 관한 조약의 체결·비준에 대한 동의권을 가진다(헌법 제60조 제1항).

10 정답 ④

④ (×) 양심적 병역거부권을 명문으로 인정한 국제인권조약은 아직까지 존재하지 않으며, 유럽 등의 일부국가에서 양심적 병역거부권이 보장된다고 하더라도 전 세계적으로 양심적 병역거부권의 보장에 관한 국제관습법이 형성되었다고 할 수 없어 양심적 병역거부가 일반적으로 승인된 국제법규로서 우리나라에 수용될 수는 없다(헌재 2011.8.30, 2008헌가22).

① (○) 헌법 제6조 제1항의 국제법 존중주의는 우리나라가 가입한 조약과 일반적으로 승인된 국제법규가 국내법과 같은 효력을 가진다는 것으로서 조약이나 국제법규가 국내법에 우선한다는 것은 아니다(헌재 2001.4.26, 99헌가13).

② (○) 대통령은 조약을 체결·비준하고, 외교사절을 신임·접수 또는 파견하며, 선전포고와 강화를 한다(헌법 제73조).

③ (○) 우리 헌법은 조약에 대한 헌법의 우위를 전제하고 있으며, 헌법과 동일한 효력을 가지는 이른바 헌법적 조약을 인정하지 아니한다고 볼 것이다(헌재 2013.11.28, 2012헌마166).

경찰헌법 5회 모의고사 정답 및 해설

제5회 모의고사 정답

01	②	02	①	03	①	04	①	05	③
06	①	07	③	08	④	09	②	10	③

01 정답 ②

② (×) 제도적 보장은 주관적 권리가 아닌 객관적 법규범이라는 점에서 기본권과 구별되기는 하지만 헌법에 의하여 일정한 제도가 보장되면 입법자는 그 제도를 설정하고 유지할 입법 의무를 지게 될 뿐만 아니라 헌법에 규정되어 있기 때문에 법률로써 이를 폐지할 수 없고, 비록 내용을 제한한다고 하더라도 그 본질적 내용을 침해할 수는 없다(헌재 1997.4.24. 95헌바48).

① (○) 제도적 보장은 객관적 제도를 헌법에 규정하여 당해 제도의 본질을 유지하려는 것으로서, 헌법제정권자가 특히 중요하고도 가치가 있다고 인정되고 헌법적으로 보장할 필요가 있다고 생각하는 국가제도를 헌법에 규정함으로써 장래의 법발전, 법형성의 방침과 범주를 미리 규율하려는 데 있다(헌재 1997.4.24. 95헌바48).

③ (○) 기본권의 보장은 '최대한 보장의 원칙'이 적용되는 것임에 반하여, 제도적 보장은 그 본질적 내용을 침해하지 아니하는 범위 안에서 입법자에게 제도의 구체적인 내용과 형태의 형성권을 폭넓게 인정한다는 의미에서 '최소한 보장의 원칙'이 적용될 뿐이다(헌재 1997.4.24. 95헌바48).

④ (○) 직업공무원제도는 헌법이 보장하는 제도적 보장 중의 하나임이 분명하므로 입법자는 직업공무원제도에 관하여 '최소한 보장'의 원칙의 한계 안에서 폭넓은 입법형성의 자유를 가진다(헌재 1997.4.24. 95헌바48).

02 정답 ①

① (×) 정당의 법적 성격은 일반적으로 사적・정치적 결사 내지는 법인격 없는 사단으로 파악되고 있고, 이러한 정당의 법률관계에 대하여는 정당법의 관계 조문 이외에 일반 사법 규정이 적용되므로, 정당은 공권력 행사의 주체가 될 수 없다(헌재 2007.10.30. 2007헌마1128).

② (○) 정당이라 함은 국민의 이익을 위하여 책임 있는 정치적 주장이나 정책을 추진하고 공직선거의 후보자를 추천 또는 지지함으로써 국민의 정치적 의사형성에 참여함을 목적으로 하는 국민의 자발적 조직을 의미하는 것이다(헌재 1991.3.11. 91헌마21).

③ (○) 정당의 법적 지위는 적어도 소유재산의 귀속 관계에 있어서는 법인격 없는 사단으로 보아야 하고, 중앙당과 지구당과의 복합적 구조에 비추어 정당의 지구당은 단순한 중앙당의 하부조직이 아니라 어느 정도의 독자성을 가진 단체로서 법인격 없는 사단에 해당한다(헌재 1993.7.29. 92헌마262).

④ (○) 정당은 정치적 결사로서 국민의 정치적 의사를 적극적으로 형성하고 각계각층의 이익을 대변하며, 정부를 비판하고 정책적 대안을 제시할 뿐만 아니라, 국민 일반이 정치나 국가작용에 영향력을 행사하는 매개체의 역할을 수행하는 등 현대의 대의제민주주의에 없어서는 안 될 중요한 공적 기능을 수행하고 있다(헌재 1996.8.29. 96헌마99).

03 정답 ①

① (×) 현행 헌법의 내용이 아니라 제5차 개정헌법의 내용이다. 즉 동 헌법 제38조는 "국회의원은 임기 중 당적을 이탈하거나 변경한 때 또는 소속정당이 해산된 때에는 그 자격이 상실된다. 다만, 합당 또는 제명으로 소속이 달라지는 경우에는 예외로 한다."고 규정하였다. 다만 공직선거법은 "비례대표국회의원 또는 비례대표지방의회의원이 소속정당의 합당・해산 또는 제명 외의 사유로 당적을 이탈・변경하거나 2 이상의 당적을 가지고 있는 때에는 「국회법」 제136조(退職) 또는 「지방자치법」 제78조(의원의 퇴직)의 규정에 불구하고 퇴직된다."고 규정하고 있다(동법 제192조 제4항).

② (○) 오늘날 대의제 민주주의는 국민의 정치적 의사형성을 위한 매개체로서의 정당의 역할이 증대됨에 따라 정당국가적 민주주의로 변화하여, 국회는 국민의 대표인 의원들의 의사에 따라 운영되는 것이 아니라 정당의 구성원인 의원들이 정당을 통하여 그리고 정당 속에서 결합하여 운영되고 있고, 정당의 국회 내에서의 활동도 교섭단체를 중심으로 이루어짐에 따라 국민의 정치적 의사를 형성하여 국가기관의 의사결정에 영향을 미치는 정당의 공적 기능을 수행하는데 국회에 진출한 정당과 진출하지 못한 정당 사이, 그리고 국회에 진출하여 교섭단체를 구성한 정당과 이를 구성하지 못한 정당 사이에 상당한 차이가 있다(헌재 2006.7.27. 2004헌마655).

③ (○) 국회의원의 원내 활동을 기본적으로 각자에 맡기는 자유위임은 의회 내에서의 정치적 의사형성에 정당의 협력을 배척하는 것이 아니며, 의원이 정당과 교섭단체의 지시에 기속되는 것을 배제하는 근거가 되는 것도 아니다(헌재 2003.10.30. 2002헌라1).

④ (○) 당론과 다른 견해를 가진 소속 국회의원을 당해 교섭단체의 필요에 따라 다른 상임위원회로 전임(사・보임)하는 조치는 특별한 사정이 없는 한 헌법상 용인될 수 있는 "정당 내부의 사실상 강제"의 범위 내에 해당한다(헌재 2003.10.30. 2002헌라1).

04 정답 ①

① (×) 헌법 제8조 제1항은 국민 누구나가 원칙적으로 국가의 간섭을 받지 아니하고 '정당을 설립할 권리'를 국민의 기본권으로서 보장하면서, 정당설립의 자유를 보장한 것의 당연한

법적 산물인 '복수정당제'를 제도적으로 보장하고 있다(헌재 1999.12.23. 99헌마135).

② (O) 정당설립의 자유는 헌법 제8조 제1항 전단에 규정되어 있지만, 국민 개인과 정당 그리고 '권리능력 없는 사단'의 실체를 가지고 있는 등록취소된 정당에게 인정되는 '기본권'이다(헌재 2014.1.28. 2012헌마431).

③ (O) 정당설립의 자유는 설립에 대응하는 정당해산의 자유, 합당의 자유, 분당의 자유도 포함한다. 뿐만 아니라 정당설립의 자유는 개인이 정당 일반 또는 특정 정당에 가입하지 아니할 자유, 가입했던 정당으로부터 탈퇴할 자유 등 소극적 자유도 포함한다(헌재 2006.3.30. 2004헌마246).

④ (O) 입법자는 정당설립의 자유를 최대한 보장하는 방향으로 입법하여야 하고, 헌법재판소는 정당설립의 자유를 제한하는 법률의 합헌성을 심사할 때에 헌법 제37조 제2항에 따라 엄격한 비례심사를 하여야 한다(헌재 2014.1.28. 2012헌마431).

05 정답 ③

③ (×) 16세 이상의 국민은 공무원 그 밖에 그 신분을 이유로 정당가입이나 정치활동을 금지하는 다른 법령의 규정에 불구하고 누구든지 정당의 발기인 및 당원이 될 수 있다(정당법 제22조 제1항 본문).

① (O) 정당은 수도에 소재하는 중앙당과 특별시·광역시·도에 각각 소재하는 시·도당으로 구성한다(정당법 제3조).

② (O) 정당은 중앙당이 중앙선거관리위원회에 등록함으로써 성립한다(정당법 제4조 제1항).

④ (O) 정당의 당원은 같은 정당의 타인의 당비를 부담할 수 없으며, 타인의 당비를 부담한 자와 타인으로 하여금 자신의 당비를 부담하게 한 자는 당비를 낸 것이 확인된 날부터 1년간 당해 정당의 당원자격이 정지된다(정당법 제31조 제2항).

06 정답 ①

① (×) 정당의 목적이나 활동이 민주적 기본질서에 위배될 때에는 정부는 헌법재판소에 그 해산을 제소할 수 있고, 정당은 헌법재판소의 심판에 의하여 해산된다(헌법 제8조 제4항).

② (O) 파시즘과 전체주의에 경도된 정당이 민주적 지지를 얻고 집권한 후 숭고한 인간성을 말살하고 인류의 보편적 가치를 훼손했던 지난 세기의 경험과, 그러한 비정상적인 지배로부터 벗어나 다시금 민주주의 체제를 건설하기까지 오랜 시간과 노력, 사회적 희생이 있었다는 역사적 교훈을 쉽게 잊어서는 안 될 것이다. 따라서 그들이 이 민주주의 체제를 공격함으로써 이를 폐지하거나 혹은 심각하게 훼손시켜 그것이 유명무실해지도록 만드는 것을 사전에 방지할 제도적 장치로서 정당해산심판제도의 필요성 역시 인정된다(헌재 2014.12.19. 2013헌다1).

③ (O) 정당해산심판제도는 정부의 일방적인 행정처분에 의해 진보적 야당이 등록취소되어 사라지고 말았던 우리 현대사에 대한 반성의 산물로서 제3차 헌법 개정을 통해 헌법에 도입된 것이다. 우리나라의 경우 이 제도는 발생사적 측면에서 정당을 보호하기 위한 절차로서의 성격이 부각된다(헌재 2014.12.19. 2013헌다1).

④ (O) 모든 정당의 존립과 활동은 최대한 보장되며, 설령 어떤 정당이 민주적 기본질서를 부정하고 이를 적극적으로 공격하는 것으로 보인다 하더라도 국민의 정치적 의사형성에 참여하는 정당으로서 존재하는 한 헌법에 의해 최대한 두텁게 보호되므로, 단순히 행정부의 통상적인 처분에 의해서는 해산될 수 없고, 오직 헌법재판소가 그 정당의 위헌성을 확인하고 해산의 필요성을 인정한 경우에만 정당정치의 영역에서 배제된다(헌재 2014.12.19. 2013헌다1).

07 정답 ③

③ (×) 정당 소속의 국회의원 등은 비록 정당과 밀접한 관련성을 가지지만 헌법상으로는 정당의 대표자가 아닌 국민 전체의 대표자이므로 그들의 행위를 곧바로 정당의 활동으로 귀속시킬 수는 없겠으나, 가령 그들의 활동 중에서도 국민의 대표자의 지위가 아니라 그 정당에 속한 유력한 정치인의 지위에서 행한 활동으로서 정당과 밀접하게 관련되어 있는 행위들은 정당의 활동이 될 수도 있을 것이다(헌재 2014.12.19. 2013헌다1).

① (O) 헌법 제8조 제4항의 정당의 목적이란, 어떤 정당이 추구하는 정치적 방향이나 지향점 혹은 현실 속에서 구현하고자 하는 정치적 계획 등을 통칭한다(헌재 2014.12.19. 2013헌다1).

② (O) 헌법 제8조 제4항의 정당의 활동이란, 정당 기관의 행위나 주요 정당관계자, 당원 등의 행위로서 그 정당에게 귀속시킬 수 있는 활동 일반을 의미한다(헌재 2014.12.19. 2013헌다1).

④ (O) 정당에 속한 개인이나 단체의 활동은 그러한 활동이 이루어진 구체적인 경위를 살펴서 그것을 정당의 활동으로 볼 수 있는 사정이 있는지를 판단해야 한다. 예컨대, 활동을 한 개인이나 단체의 지위 등에 비추어 볼 때 정당이 그러한 활동을 할 권한을 부여하거나 그 활동을 독려하였는지 여부, 설령 그러한 권한의 부여 등이 없었다 하더라도 사후에 그 활동을 적극적으로 옹호하는 등 그 활동을 사실상 정당의 활동으로 추인한 것과 같다고 볼 수 있는 사정이 있는지 여부, 혹은 사전에 그 정당이 그러한 활동의 계획을 알았더라도 이를 정당 차원에서 지원하고 지지했을 것이라고 가정적으로 판단할 수 있는 사정이 있는지 여부 등을 구체적으로 살펴 전체적이고 종합적으로 판단해야 한다(헌재 2014.12.19. 2013헌다1).

08 정답 ④

④ (×) 헌법 제8조 제4항의 민주적 기본질서 개념은 정당해산결정의 가능성과 긴밀히 결부되어 있다. 이 민주적 기본질서의 외연이 확장될수록 정당해산결정의 가능성은 확대되고, 이와 동시에 정당 활동의 자유는 축소될 것이다. 민주 사회에

서 정당의 자유가 지니는 중대한 함의나 정당해산심판제도의 남용가능성 등을 감안한다면, 헌법 제8조 제4항의 민주적 기본질서는 최대한 엄격하고 협소한 의미로 이해해야 한다(헌재 2014.12.19. 2013헌다1).

① (○) 근대의 입헌적 민주주의 체제는 사회의 공적 자율성에 기한 정치적 의사결정을 추구하는 민주주의 원리와, 국가권력이나 다수의 정치적 의사로부터 개인의 권리, 즉 개인의 사적 자율성을 보호해 줄 수 있는 법치주의 원리라는 두 가지 주요한 원리에 따라 구성되고 운영된다(헌재 2014.12.19. 2013헌다1).

② (○) 정당해산심판제도가 수호하고자 하는 민주적 기본질서는 우리가 오늘날의 입헌적 민주주의 체제를 구성하고 운영하는 데에 필요한 가장 핵심적인 내용이나 요소를 의미하는 것으로서, 민주적이고 자율적인 정치적 절차를 통해 국민적 의사를 형성・실현하기 위한 요소, 즉 민주주의 원리에 입각한 요소들과, 이러한 정치적 절차를 운영하고 보호하는 데에 필요한 기본적인 요소, 즉 법치주의 원리에 입각한 요소들 중에서 필요불가결한 부분이 중심이 되어야 한다(헌재 2014.12.19. 2013헌다1).

③ (○) 우리 헌법 제8조 제4항이 의미하는 민주적 기본질서는, 개인의 자율적 이성을 신뢰하고 모든 정치적 견해들이 각각 상대적 진리성과 합리성을 지닌다고 전제하는 다원적 세계관에 입각한 것으로서, 모든 폭력적・자의적 지배를 배제하고, 다수를 존중하면서도 소수를 배려하는 민주적 의사결정과 자유・평등을 기본원리로 하여 구성되고 운영되는 정치적 질서를 말하며, 구체적으로는 국민주권의 원리, 기본적 인권의 존중, 권력분립제도, 복수정당제도 등이 현행 헌법상 주요한 요소라고 볼 수 있다(헌재 2014.12.19. 2013헌다1).

09 정답 ②

② (○) 민주적 기본질서를 부정하지 않는 한 정당은 각자가 옳다고 믿는 다양한 스펙트럼의 이념적인 지향을 자유롭게 추구할 수 있다. 오늘날 정당은 자유민주주의 이념을 추구하는 정당에서부터 공산주의 이념을 추구하는 정당에 이르기까지 그 이념적 지향점이 매우 다양하므로, 어떤 정당이 특정 이념을 표방한다 하더라도 그 정당의 목적이나 활동이 앞서 본 민주적 기본질서의 내용들을 침해하는 것이 아닌 한 그 특정 이념의 표방 그 자체만으로 곧바로 위헌적인 정당으로 볼 수는 없다. 정당해산 여부를 결정하는 문제는 결국 그 정당이 표방하는 정치적 이념이 무엇인지가 아니라 그 정당의 목적이나 활동이 민주적 기본질서에 위배되는지 여부에 달려있기 때문이다(헌재 2014.12.19. 2013헌다1).

① (×) 민주적 기본질서를 현행 헌법이 채택한 민주주의의 구체적 모습과 동일하게 보아서는 안 된다. 정당이 민주적 기본질서, 즉 민주적 의사결정을 위해서 필요한 불가결한 요소들과 이를 운영하고 보호하는 데 필요한 최소한의 요소들을 수용한다면, 현행 헌법이 규정한 민주주의 제도의 세부적 내용에 관해서는 얼마든지 그와 상이한 주장을 개진할 수 있는 것이다(헌재 2014.12.19. 2013헌다1).

③ (×) 헌법 제8조 제4항에서 말하는 민주적 기본질서의 위배란, 민주적 기본질서에 대한 단순한 위반이나 저촉을 의미하는 것이 아니라, 민주 사회의 불가결한 요소인 정당의 존립을 제약해야 할 만큼 그 정당의 목적이나 활동이 우리 사회의 민주적 기본질서에 대하여 실질적인 해악을 끼칠 수 있는 구체적 위험성을 초래하는 경우를 가리킨다(헌재 2014.12.19. 2013헌다1).

④ (×) 일반적으로 비례원칙은 우리 재판소가 법률이나 기타 공권력 행사의 위헌 여부를 판단할 때 사용하는 위헌심사 척도의 하나이다. 그러나 정당해산심판제도에서는 헌법재판소의 정당해산결정이 정당의 자유를 침해할 수 있는 국가권력에 해당하므로 헌법재판소가 정당해산결정을 내리기 위해서는 그 해산결정이 비례원칙에 부합하는지를 숙고해야 하는바, 이 경우의 비례원칙 준수 여부는 그것이 통상적으로 기능하는 위헌심사의 척도가 아니라 헌법재판소의 정당해산결정이 충족해야 할 일종의 헌법적 요건 혹은 헌법적 정당화 사유에 해당한다(헌재 2014.12.19. 2013헌다1).

10 정답 ③

③ (×) 헌법재판소장은 정당해산심판의 청구가 있는 때, 가처분결정을 한 때 및 그 심판이 종료한 때에는 그 사실을 국회와 중앙선거관리위원회에 통지하여야 한다(헌법재판소법 제58조 제1항).

① (○) 헌법재판소는 정당해산심판의 청구를 받은 때에 청구인의 신청 또는 직권으로 종국결정의 선고 시까지 피청구인의 활동을 정지하는 결정을 할 수 있다(헌법재판소법 제57조).

② (○) 정당의 해산을 명하는 헌법재판소의 결정은 중앙선거관리위원회가 정당법의 규정에 의하여 이를 집행한다(헌법재판소법 제60조).

④ (○) 정당해산심판에 관하여는 헌법재판소법에 특별한 규정이 있는 경우를 제외하고는 헌법재판의 성질에 반하지 아니하는 한도 내에서 민사소송에 관한 법령을 준용한다(헌법재판소법 제40조 제1항).

경찰헌법 6회 모의고사 정답 및 해설

제6회 모의고사 정답

01	④	02	②	03	③	04	④	05	①
06	②	07	④	08	①	09	④	10	③

01 정답 ④

④ (×) 정당해산심판절차에서는 재심을 허용하지 아니함으로써 얻을 수 있는 법적 안정성의 이익보다 재심을 허용함으로써 얻을 수 있는 구체적 타당성의 이익이 더 크므로 재심을 허용하여야 한다(헌재 2016.5.26, 2015헌아20).

① (○) 국회의원은 어느 누구의 지시나 간섭을 받지 않고 국가이익을 우선하여 자신의 양심에 따라 직무를 행하는 국민 전체의 대표자로서 활동을 하는 한편, 현대 정당민주주의의 발전과 더불어 현실적으로 소속 정당의 공천을 받아 소속 정당의 지원이나 배경 아래 당선되고 당원의 한 사람으로서 사실상 정치의사 형성에 대한 정당의 규율이나 당론 등에 영향을 받아 정당의 이념을 대변하는 지위도 함께 가지게 되었다(헌재 2014.12.19, 2013헌다1).

② (○) 국회의원이 국민 전체의 대표자로서의 지위를 가진다는 것과 방어적 민주주의의 정신이 논리 필연적으로 충돌하는 것이 아닐 뿐 아니라, 국회의원이 헌법기관으로서 정당기속과 무관하게 국민의 자유위임에 따라 정치활동을 할 수 있는 것은 헌법의 테두리 안에서 우리 헌법이 추구하는 민주적 기본질서를 존중하고 실현하는 경우에만 가능한 것이지, 헌법재판소의 해산결정에도 불구하고 그 정당 소속 국회의원이 위헌적인 정치이념을 실현하기 위한 정치활동을 계속하는 것까지 보호받을 수는 없다(헌재 2014.12.19, 2013헌다1).

③ (○) 헌법재판소의 해산결정으로 해산되는 정당 소속 국회의원의 의원직 상실은 정당해산심판제도의 본질로부터 인정되는 기본적 효력으로 봄이 상당하므로, 이에 관하여 명문의 규정이 있는지 여부는 고려의 대상이 되지 아니하고, 그 국회의원이 지역구에서 당선되었는지, 비례대표로 당선되었는지에 따라 아무런 차이가 없이, 정당해산결정으로 인하여 신분유지의 헌법적인 정당성을 잃으므로 그 의원직은 상실되어야 한다(헌재 2014.12.19, 2013헌다1).

02 정답 ②

② (×) 정당의 회계책임자는 타인의 명의나 가명으로 납부된 당비는 국고에 귀속시켜야 한다(정치자금법 제4조 제2항).

① (○) 수수한 금품이 '정치자금'에 해당하는지 여부는 그 금품이 '정치활동'을 위해서 제공되었는지 여부에 달려 있는 것인데, 대통령선거에 출마할 정당의 후보자를 선출하거나 정당대표를 선출하는 당내 경선은 그 성격상 정치활동에 해당한다고 봄이 상당하므로, 정당의 당내 경선에 관한 선거운동을 위하여 후보자에게 제공된 금품은 정치자금이라고 보아야 하고, 위 후보자가 정당의 대표로 선출된 이후에 사용한 대외활동비도 정치활동을 위한 정치자금에 해당한다고 할 것이다(대판 2006.12.22, 2006도1623).

③ (○) 경상보조금을 지급받은 정당은 그 경상보조금 총액의 100분의 30 이상은 정책연구소에, 100분의 10 이상은 시・도당에 배분・지급하여야 하며, 100분의 10 이상은 여성정치발전을 위하여, 100분의 5 이상은 청년정치발전을 위하여 사용하여야 한다(정치자금법 제28조 제1항).

④ (○) 외국인, 국내・외의 법인 또는 단체는 정치자금을 기부할 수 없고(정치자금법 제31조 제1항), 누구든지 국내・외의 법인 또는 단체와 관련된 자금으로 정치자금을 기부할 수 없다(정치자금법 제31조 제2항).

03 정답 ③

③ (×) 소선거구 다수대표제는 다수의 사표를 발생시킬 수 있는 문제점이 제기됨에도 불구하고 정치의 책임성과 안정성을 강화하고 인물 검증을 통해 당선자를 선출하는 등 장점을 가진다고 할 것이며, 선거의 대표성이나 평등선거의 원칙 측면에서도 대체가능한 다른 선거제도와 비교하여 반드시 열등하다고 단정할 수 없다(헌재 2016.5.26, 2012헌마374).

① (○) 국민의 선거권 행사는 국민주권의 현실적 행사수단으로서 한편으로는 국민의 의사를 국정에 반영할 수 있는 중요한 통로로서 기능하며, 다른 한편으로는 주기적 선거를 통하여 국가권력을 통제하는 수단으로서의 기능도 수행한다(헌재 2007.6.28, 2004헌마644).

② (○) 대의제민주주의에 있어서 선거제도는 정치적 안정의 요청이나 나라마다의 정치적・사회적・역사적 상황 등을 고려하여 각기 그 나라의 실정에 맞도록 결정되는 것이고 거기에 논리 필연적으로 요청되는 일정한 형태가 있는 것은 아니다. 비교법적으로 보더라도 미국, 영국 등 50여 개국이 의원 선거에 있어서 소선거구 다수대표제를 택하고 있으며, 그리스, 네덜란드, 스페인 등 60여 개국이 정당명부식 비례대표제를, 일본, 이탈리아, 뉴질랜드 등이 혼합형 선거제를, 독일은 혼합형 선거제이지만 각 정당별 총 국회의원 의석수가 정당투표 득표율을 통해 정해지는 선거제도를 채택하고 있다(헌재 2016.5.26, 2012헌마374).

④ (○) 비례대표제는 거대정당에게 일방적으로 유리하고, 다양해진 국민의 목소리를 제대로 대표하지 못하며 사표를 양산하는 다수대표제의 문제점에 대한 보완책으로 고안・시행되는 것이다. 비례대표제는 그것이 적절히 운용될 경우 사회세력에 상응한 대표를 형성하고, 정당정치를 활성화하며, 정당간의 경쟁을 촉진하여 정치적 독점을 배제하는 장점을 가질 수 있다(헌재 2001.7.19, 2000헌마91).

04 정답 ④

④ (×) 역사적으로 직접선거의 원칙은 중간선거인의 부정을 의미하였고, 다수대표제하에서는 이러한 의미만으로도 충분하다고 할 수 있다. 그러나 비례대표제를 채택하는 한 직접선거의 원칙은 의원의 선출뿐만 아니라 정당의 비례적인 의석확보도 선거권자의 투표에 의하여 직접 결정될 것을 요구한다(헌재 2001.7.19, 2000헌마91).

① (○) 선거는 오늘날의 대의민주주의에서 국민이 주권을 행사할 수 있는 가장 중요한 방법으로서, 선거를 통하여 국민은 선출된 국가기관과 그의 국가권력의 행사에 대하여 민주적 정당성을 부여한다. 민주주의는 참정권의 주체와 국가권력의 지배를 받는 국민이 되도록 일치할 것을 요청한다. 국민의 참정권에 대한 이러한 민주주의적 요청의 결과가 바로 보통선거의 원칙이다(헌재 1999.5.27, 98헌마214).

② (○) 원칙적으로 모든 국민이 균등하게 선거에 참여할 것을 요청하는 보통·평등선거원칙은 국민의 자기지배를 의미하는 국민주권의 원리에 입각한 민주국가를 실현하기 위한 필수적 요건이다. 원칙적으로 모든 국민이 선거권과 피선거권을 가진다는 것은 바로 국민의 자기지배를 의미하는 민주국가에의 최대한의 접근을 의미하기 때문이다. 그러므로 보통선거의 원칙에 따라 원칙적으로 모든 국민에게 선거권과 피선거권이 인정되어야 하며, 특정한 국민을 정치적·경제적 또는 사회적인 이유로 선거권과 피선거권을 행사할 수 없도록 하여서는 아니 된다(헌재 1999.5.27, 98헌마214).

③ (○) 선거구의 획정은 사회적·지리적·역사적·경제적·행정적 연관성 및 생활권 등을 고려하여 특단의 불가피한 사정이 없는 한 인접지역이 1개의 선거구를 구성하도록 함이 상당하며, 이 또한 선거구획정에 관한 국회의 재량권의 한계라고 할 것이다(헌재 1995.12.27, 95헌마224).

05 정답 ①

① (×) 자유선거의 원칙은 비록 우리 헌법에 명문으로 규정되지는 아니하였지만 민주국가의 선거제도에 내재하는 법 원리로서, 국민주권의 원리, 의회민주주의의 원리 및 참정권에 관한 규정에서 그 근거를 찾을 수 있다(헌재 2001.8.30, 99헌바92).

② (○) 자유선거의 원칙은 선거의 전과정에 요구되는 선거권자의 의사형성의 자유와 의사실현의 자유를 말하고, 구체적으로는 투표의 자유, 입후보의 자유 나아가 선거운동의 자유를 뜻한다. 선거운동의 자유는 널리 선거과정에서 자유로이 의사를 표현할 자유의 일환이므로 표현의 자유의 한 태양이기도 하므로 선거운동의 자유는 헌법에 정한 언론·출판·집회·결사의 자유 보장 규정에 의한 보호를 받는다(헌재 2001.8.30, 99헌바92).

③ (○) 선거공영제는 선거 자체가 국가의 공적 업무를 수행할 국민의 대표자를 선출하는 행위이므로 이에 소요되는 비용은 원칙적으로 국가가 부담하는 것이 바람직하다는 점과 선거경비를 개인에게 모두 부담시키는 것은 경제적으로 넉넉하지 못한 자의 입후보를 어렵거나 불가능하게 하여 국민의 공무담임권을 부당하게 제한하는 결과를 초래할 수 있다는 점을 고려하여, 선거의 관리·운영에 필요한 비용을 후보자 개인에게 부담시키지 않고 국민 모두의 공평부담으로 하고자 하는 원칙이다. 한편 선거공영제의 내용은 우리의 선거문화와 풍토, 정치문화 및 국가의 재정상황과 국민의 법감정 등 여러 가지 요소를 종합적으로 고려하여 입법자가 정책적으로 결정할 사항으로서 넓은 입법형성권이 인정되는 영역이라고 할 것이다(헌재 2010.5.27, 2008헌마491).

④ (○) 선거에서의 공무원의 정치적 중립의무는 국민 전체에 대한 봉사자로서의 공무원의 지위를 규정하는 헌법 제7조 제1항, 자유선거원칙을 규정하는 헌법 제41조 제1항 및 제67조 제1항 및 정당의 기회균등을 보장하는 헌법 제116조 제1항으로부터 나오는 헌법적 요청이다(헌재 2004.5.14, 2004헌나1).

06 정답 ②

② (×) 선거구획정에 있어서 인구비례원칙에 의한 투표가치의 평등은 헌법적 요청으로서 다른 요소에 비하여 기본적이고 일차적인 기준이기 때문에, 합리적 이유 없이 투표가치의 평등을 침해하는 선거구획정은 자의적인 것으로서 헌법에 위반된다(헌재 2001.10.25, 2000헌마92).

① (○) 입법자가 국회의원 선거제도를 형성함에 있어 헌법 제41조 제1항에 명시된 보통·평등·직접·비밀선거의 원칙과 자유선거 등 국민의 선거권이 부당하게 제한되지 않는 한 헌법에 위반된다고 할 수 없다(헌재 2016.5.26, 2012헌마374).

③ (○) 특정 지역의 선거인들이 자의적인 선거구획정으로 인하여 정치과정에 참여할 기회를 잃게 되었거나, 그들이 지지하는 후보가 당선될 가능성을 의도적으로 박탈당하고 있음이 입증되어 특정 지역의 선거인들에 대하여 차별하고자 하는 국가권력의 의도와 그 집단에 대한 실질적인 차별효과가 명백히 드러난 경우, 즉 게리맨더링에 해당하는 경우에는, 그 선거구획정은 입법재량의 한계를 벗어난 것으로서 헌법에 위반된다(헌재 2001.10.25, 2000헌마92).

④ (○) 헌법재판소가 입법개선시한을 정하여 헌법불합치결정을 하였음에도 국회가 입법개선시한까지 개선입법을 하지 아니하여 국회의원의 선거구에 관한 법률이 존재하지 아니하게 된 경우, 국회는 이를 입법하여야 할 헌법상 의무가 있다(헌재 2016.4.28, 2015헌마1177).

07 정답 ④

④ (○) 자치구·시·군의원지역구는 인구·행정구역·지세·교통 그 밖의 조건을 고려하여 획정하되, 하나의 자치구·시·군의원지역구에서 선출할 지역구자치구·시·군의원정수는 2인 이상 4인 이하로 하며, 그 자치구·시·군의원지역구의 명칭·구역 및 의원정수는 시·도조례로 정한다(공직선거법 제26조 제2항).

① (×) 국회의원선거구획정위원회는 중앙선거관리위원회에 두되, 직무에 관하여 독립의 지위를 가진다(공직선거법 제24조 제2항).

② (×) 국회의원 및 정당의 당원(국회의원선거구획정위원회의 설치일부터 과거 1년 동안 정당의 당원이었던 사람을 포함)은 위원이 될 수 없다(공직선거법 제24조 제7항).

③ (×) 국회는 국회의원지역구를 선거일 전 1년까지 확정하여야 한다(공직선거법 제24조의2 제1항).

08 정답 ①

① (×) 국회의원 선거에 있어 다수대표제만을 택하고 비례대표제를 택하지 않을 경우, 지역구의 개별후보자에 대한 국민의 지지만을 정확하게 반영하여도 민주주의 원리에 반하는 것은 아닐 것이다(헌재 2001.7.19. 2000헌마91).

② (○) 정당명부식 비례대표제를 병행하는 한 정당에 대한 국민의 지지의사를 충실히 반영할 것까지 요구되며, 그 결과 정당에 대한 의석배분도 국민의 지지 및 선호와 일치되어야 한다(헌재 2001.7.19. 2000헌마91).

③ (○) 비례대표의원의 선거는 지역구의원의 선거와는 별도의 선거이므로 이에 관한 유권자의 별도의 의사표시, 즉 정당명부에 대한 별도의 투표가 있어야 한다(헌재 2001.7.19. 2000헌마91).

④ (○) 확정된 정당명부를 보고 유권자들이 그 선호에 따라 투표할 수 있는 한 '선거권자의 투표로 최종적으로 결정한다'는 직접선거의 최소한의 요구는 충족된다(헌재 2001.7.19. 2000헌마91).

09 정답 ④

④ (×) 헌법 제24조는 모든 국민은 '법률이 정하는 바에 의하여' 선거권을 가진다고 규정함으로써 법률유보의 형식을 취하고 있지만, 이것은 국민의 선거권이 '법률이 정하는 바에 따라서만 인정될 수 있다'는 포괄적인 입법권의 유보하에 있음을 의미하는 것이 아니다. 국민의 기본권을 법률에 의하여 구체화하라는 뜻이며 선거권을 법률을 통해 구체적으로 실현하라는 의미이다(헌재 2007.6.28. 2004헌마644).

① (○) 헌법이 선거권과 선거원칙을 이같이 명문으로 보장하고 있는 것은 국민주권주의와 대의제 민주주의 하에서는 국민의 선거권 행사를 통해서만 국가와 국가권력의 구성과 창설이 비로소 가능해지고 국가와 국가권력의 민주적 정당성이 마련되기 때문이다(헌재 2018.1.25. 2015헌마821).

② (○) 재외국민들 중에는 이미 국내에서 병역의무를 필한 사람도 있는 점, 오늘날 넓은 의미의 국방은 재외국민의 애국심과 협력에 의존하는 바도 적지 않다는 점, 현재 병역의무가 남자에게만 부여되고 있다는 점 등을 감안하면 선거권과 병역의무 간에 필연적 견련관계를 인정하기 어렵다(헌재 2007.6.28. 2004헌마644).

③ (○) 주민자치제를 본질로 하는 민주적 지방자치제도가 안정적으로 뿌리내린 현 시점에서 지방자치단체의 장 선거권을 지방의회의원 선거권, 나아가 국회의원 선거권 및 대통령 선거권과 구별하여 하나는 법률상의 권리로, 나머지는 헌법상의 권리로 이원화하는 것은 허용될 수 없다. 그러므로 지방자치단체의 장 선거권 역시 다른 선거권과 마찬가지로 헌법 제24조에 의해 보호되는 기본권으로 인정하여야 한다(헌재 2016.10.27. 2014헌마797).

10 정답 ③

③ (×) 1년 이상의 징역 또는 금고의 형의 선고를 받고 그 집행이 종료되지 아니하거나 그 집행을 받지 아니하기로 확정되지 아니한 사람은 그 형의 집행유예를 선고받고 유예기간 중에 있는 사람을 제외하고 선거권이 없다(공직선거법 제18조 제1항 제2호). 피선거권이 없는 사람은 선거일 현재 금고 이상의 형의 선고를 받고 그 형이 실효되지 아니한 자이다(공직선거법 제19조 제2호).

① (○) 18세 이상의 국민은 대통령 및 국회의원의 선거권이 있다(공직선거법 제15조 제1항).

② (○) 18세 이상으로서 「출입국관리법」에 따른 영주의 체류자격 취득일 후 3년이 경과한 외국인으로서 해당 지방자치단체의 외국인등록대장에 올라 있는 사람은 그 구역에서 선거하는 지방자치단체의 의회의원 및 장의 선거권이 있다(공직선거법 제15조 제2항 제3호).

④ (○) 범죄자에 대해 형벌의 내용으로 선거권을 제한하는 경우에도 선거권 제한 여부 및 적용범위의 타당성에 관하여 보통선거의 원칙에 입각한 선거권 보장과 그 제한의 관점에서 헌법 제37조 제2항에 따라 엄격한 비례심사를 하여야 한다(헌재 2018.1.25. 2015헌마821).

경찰헌법 7회 모의고사 정답 및 해설

제7회 모의고사 정답

01	②	02	①	03	③	04	①	05	①
06	①	07	②	08	④	09	④	10	①

01 정답 ②

② (×) 국회의원 선거와 지방자치단체의 의회의원 및 장 선거의 선거기간은 후보자등록 마감일 후 6일부터 선거일까지이다(공직선거법 제33조 제3항 제2호).

① (○) 대통령선거의 선거기간은 23일이고, 국회의원 선거와 지방자치단체의 의회의원 및 장 선거의 선거기간은 14일이다(공직선거법 제33조 제1항).

③ (○) 대통령의 임기가 만료되는 때에는 임기만료 70일 내지 40일 전에 후임자를 선거한다(헌법 제68조 제1항).

④ (○) 대통령이 궐위된 때 또는 대통령 당선자가 사망하거나 판결 기타의 사유로 그 자격을 상실한 때에는 60일 이내에 후임자를 선거한다(헌법 제68조 제2항).

02 정답 ①

① (×) 정당은 공직선거후보자를 추천하기 위하여 경선(당내경선)을 실시할 수 있다(공직선거법 제57조의2 제1항).

② (○) 정당의 내부경선에 참여할 권리는 헌법이 보장하는 공무담임권의 내용에 포함된다고 보기 어렵고, 소속 정당이 당내경선을 실시하지 않는다고 하여 공직선거의 후보자로 출마할 수 없는 것이 아니다(헌재 2014.11.27. 2013헌마814).

③ (○) 당내경선은 공직선거 자체와는 구별되는 정당 내부의 자발적인 의사결정에 해당하고, 경선운동은 원칙적으로 공직선거에서의 당선 또는 낙선을 위한 행위인 선거운동에 해당하지 않는다(대판 2012.4.13. 선고 2011도17437).

④ (○) 국회의원 비례대표 후보자 명단을 확정하기 위한 당내경선에도 선거권을 가진 당원들의 직접・평등・비밀투표 등 일반적인 선거의 원칙이 그대로 적용되고, 대리투표는 허용되지 않는다(대판 2013.11.28. 2013도5117).

03 정답 ③

③ (×) 관할선거구선거관리위원회는 후보자가 당선되거나 사망한 경우와 유효투표총수의 100분의 15 이상(후보자가 「장애인복지법」에 따라 등록한 장애인이거나 선거일 현재 39세 이하인 경우에는 유효투표총수의 100분의 10 이상)을 득표한 경우에는 기탁금 전액을 기탁자에게 반환한다(공직선거법 제57조 제1항 제1호 가목).

① (○) 선거에서 후보난립을 방지하고 선거비용 중 일부를 예납하도록 하기 위한 기탁금제도는 그 기탁금액이 과다하지 않는 한 헌법상 허용된다(헌재 1995.5.25. 92헌마269).

② (○) 기탁금제도 자체가 합헌일지라도 그 액수는 그야말로 불성실한 입후보를 차단하는 데 필요한 최소한에 그치고 진지한 자세로 입후보하려는 국민의 피선거권을 제한하는 정도여서는 아니 된다(헌재 2001.7.19. 2000헌마91).

④ (○) 예비후보자등록을 신청하는 사람은 해당 선거 기탁금의 100분의 20에 해당하는 금액을 중앙선거관리위원회규칙으로 정하는 바에 따라 관할선거구선거관리위원회에 기탁금으로 납부하여야 한다(공직선거법 제60조의2 제2항).

04 정답 ①

① (×) 선거운동이라 함은 특정 후보자의 당선 내지 이를 위한 득표에 필요한 모든 행위 또는 특정 후보자의 낙선에 필요한 모든 행위 중 당선 또는 낙선을 위한 것이라는 목적 의사가 객관적으로 인정될 수 있는 능동적, 계획적 행위를 말하는 것으로 풀이할 수 있다. 즉, 단순한 의견개진 등과 구별되는 가벌적 행위로서의 선거운동의 표지로 당선 내지 득표(반대후보자의 낙선)에의 목적성, 그 목적성의 객관적 인식가능성, 능동성 및 계획성이 요구된다(헌재 2001.8.30. 2000헌마121).

② (○) 설날・추석 등 명절 및 석가탄신일・기독탄신일 등에 하는 의례적인 인사말을 문자메시지(그림말・음성・화상・동영상 등 포함)로 전송하는 행위는 선거운동으로 보지 아니한다(공직선거법 제58조 제1항 제6호).

③ (○) 선거운동은 각급 선거관리위원회의 관리하에 법률이 정하는 범위 안에서 하되, 균등한 기회가 보장되어야 한다(헌법 제116조 제1항).

④ (○) 선거운동은 국민주권 행사의 일환일 뿐만 아니라, 정치적 표현의 자유의 영역에 속하는 것으로 민주사회를 구성하고 작동하는 요소이므로 제한 입법에 대해서는 엄격한 심사기준이 적용된다(헌재 2018.4.26. 2016헌마611).

05 정답 ①

① (×) 선거운동은 선거기간 개시일부터 선거일 전일까지에 한하여 할 수 있다(공직선거법 제59조).

② (○) 공무원 등 법령에 따라 정치적 중립을 지켜야 하는 자는 직무와 관련하여 또는 지위를 이용하여 선거에 부당한 영향력을 행사하는 등 선거에 영향을 미치는 행위를 할 수 없다(공직선거법 제85조 제1항).

③ (○) 누구든지 선거일 전 6일부터 선거일의 투표 마감 시각까지 선거에 관하여 정당에 대한 지지도나 당선인을 예상하게 하는 여론조사(모의투표나 인기투표에 의한 경우 포함)의 경위와 그 결과를 공표하거나 인용하여 보도할 수 없다(공직선거법 제108조 제1항).

④ (O) 공직선거법에 규정한 죄의 공소시효는 당해 선거일 후 6개월(선거일 후에 행하여진 범죄는 그 행위가 있는 날부터 6개월)을 경과함으로써 완성한다. 다만, 범인이 도피한 때나 범인이 공범 또는 범죄의 증명에 필요한 참고인을 도피시킨 때에는 그 기간은 3년으로 한다(공직선거법 제268조 제1항).

06 정답 ①

① (×) 대통령선거에 있어서는 중앙선거관리위원회가 유효투표의 다수를 얻은 자를 당선인으로 결정하고, 이를 국회의장에게 통지하여야 한다(공직선거법 제187조 제1항 본문).
② (O) 대통령선거에 있어서 최고득표자가 2인 이상인 때에는 국회의 재적의원 과반수가 출석한 공개회의에서 다수표를 얻은 자를 당선자로 한다(헌법 제67조 제2항).
③ (O) 대통령 후보자가 1인일 때에는 그 득표수가 선거권자 총수의 3분의 1 이상이 아니면 대통령으로 당선될 수 없다(헌법 제67조 제3항).
④ (O) 지역구국회의원선거에 있어서는 선거구선거관리위원회가 당해 국회의원지역구에서 유효투표의 다수를 얻은 자를 당선인으로 결정한다. 다만, 최고득표자가 2인 이상인 때에는 연장자를 당선인으로 결정한다(공직선거법 제188조 제1항).

07 정답 ②

② (×) 직업공무원제도에서 말하는 공무원은 국가 또는 공공단체와 근로관계를 맺고 이른바 공법상 특별권력관계 내지 특별행정법관계 아래 공무를 담당하는 것을 직업으로 하는 협의의 공무원을 말하며 정치적 공무원이라든가 임시적 공무원은 포함되지 않는다(헌재 1989.12.18, 89헌마32).
① (O) 직업공무원제도란 공무원이 집권 세력의 논공행상의 제물이 되는 엽관제도를 지양하고 정권교체에 따른 국가작용의 중단과 혼란을 예방하고 일관성 있는 공무수행의 독자성을 유지하기 위하여 헌법과 법률에 의하여 공무원의 신분이 보장되는 공직제도를 말한다(헌재 1989.12.18, 89헌마32).
③ (O) 직업공무원제도는 지방자치제도, 복수정당제도, 혼인제도 등과 함께 "제도보장"의 하나로서 이는 일반적인 법에 의한 폐지나 제도본질의 침해를 금지한다는 의미의 "최소보장"의 원칙이 적용되는바, 이는 기본권의 경우 헌법 제37조 제2항의 과잉금지의 원칙에 따라 필요한 경우에 한하여 "최소한으로 제한"되는 것과 대조되는 것이다(헌재 1994.4.28, 91헌바15).
④ (O) 공무원이 정년까지 근무할 수 있는 권리는 헌법의 공무원 신분보장 규정에 의하여 보호되는 기득권으로서 그 침해 내지 제한은 신뢰보호의 원칙에 위배되지 않는 범위 내에서만 가능하다(헌재 2000.12.14, 99헌마112).

08 정답 ④

④ (×) 공무원으로 채용된 공무원을 퇴직시키는 것은 공무원이 장기간 쌓은 지위를 박탈해 버리는 것이므로 같은 입법목적을 위한 것이라고 하여도 당연퇴직사유를 임용결격사유와 동일하게 취급하는 것은 타당하다고 할 수 없다(헌재 2003.10.30, 2002헌마684).
① (O) 공무원의 신분은 무제한 보장되는 것이 아니라 공무원의 지위 및 공무의 특수성을 고려하여 헌법이 정한 신분보장의 원칙 아래 법률로 그 내용이 정하여진다(헌재 2008.12.26, 2007헌마444).
② (O) 공무원의 보수청구권은 법률 및 법률의 위임을 받은 하위법령에서 보수의 구체적 수준이 형성되면 직업공무원제도의 한 내용으로서 재산권적 성격이 인정되는 공법상 권리가 된다(헌재 2008.12.26, 2007헌마444).
③ (O) 본인의 의사에 반한 불리한 처분이나 부작위에 관한 행정소송은 소청심사위원회의 심사·결정을 거치지 아니하면 제기할 수 없다(국가공무원법 제16조 제1항).

09 정답 ④

④ (×) 우리 헌법상 자치단체의 보장은 '단체자치'와 '주민자치'를 포괄하는 것이다. 다만 제도적 보장으로서 주민의 자치권은 원칙적으로 개별 주민들에게 인정된 권리라 볼 수 없다. 즉, 헌법상의 주민자치의 범위는 법률에 의하여 형성되고, 핵심영역이 아닌 한 법률에 의하여 제한될 수 있다(헌재 2006.2.23, 2005헌마403).
① (O) 지방자치제도는 '제도적 보장'의 하나로서, 제도적 보장은 객관적 제도를 헌법에 규정하여 당해 제도의 본질을 유지하려는 것으로서, 헌법제정권자가 특히 중요하고도 가치가 있다고 인정되고 헌법적으로 보장할 필요가 있다고 생각하는 국가제도를 헌법에 규정함으로써 장래의 법발전, 법형성의 방침과 범주를 미리 규율하려는 데 있다(헌재 2006.2.23, 2005헌마403).
② (O) 헌법 제117조 및 제118조가 보장하고 있는 본질적인 내용은 '자치단체의 보장', '자치기능의 보장' 및 '자치사무의 보장'으로 어디까지나 지방자치단체의 자치권으로 헌법은 지역주민들이 자신들이 선출한 자치단체의 장과 지방의회를 통하여 자치사무를 처리할 수 있는 대의제 또는 대표제 지방자치를 보장하고 있다(헌재 2001.6.28, 2000헌마735).
③ (O) 지방자치제도의 보장은 지방자치단체에 의한 자치행정을 일반적으로 보장한다는 것뿐이고 특정자치단체의 존속을 보장한다는 것은 아니며 지방자치단체의 폐치·분합에 있어 지방자치권의 존중은 법정절차의 준수(의견개진의 기회부여)로 족한 것이다(헌재 1995.3.23, 94헌마175).

10 정답 ①

① (×) 지방자치단체는 주민의 복리에 관한 사무를 처리하고 재산을 관리하며 법령의 범위 안에서 자치에 관한 규정을 제정할 수 있다(헌법 제117조 제1항).

② (○) 헌법상 지방자치제도보장의 핵심영역 내지 본질적 부분이 지방자치단체에 의한 자치행정을 일반적으로 보장하는 것이라면, 현행법에 따른 지방자치단체의 중층구조 또는 지방자치단체로서 특별시・광역시 및 도와 함께 시・군 및 구를 계속하여 존속하도록 할지 여부는 입법자의 입법형성권의 범위에 들어가는 것으로 보아야 한다(헌재 2006.4.27. 2005헌마1190).

③ (○) 지방의회의 의장은 지방의회 사무직원을 지휘・감독하고 법령과 조례・의회규칙으로 정하는 바에 따라 그 임면・교육・훈련・복무・징계 등에 관한 사항을 처리한다(지방자치법 제103조 제2항).

④ (○) 지방자치단체의 장이 그 직을 가지고 그 지방자치단체의 장 선거에 입후보하면 예비후보자 또는 후보자로 등록한 날부터 선거일까지 부단체장이 그 지방자치단체의 장의 권한을 대행한다(지방자치법 제111조 제2항).

경찰헌법 8회 모의고사 정답 및 해설

제8회 모의고사 정답

01	③	02	④	03	①	04	④	05	③
06	④	07	①	08	③	09	③	10	④

01 정답 ③

③ (×) 지방자치단체 주민으로서의 자치권 또는 주민권은 헌법에 의하여 직접 보장된 개인의 주관적 공권이 아니어서, 그 침해만을 이유로 하여 국가사무인 고속철도의 역의 명칭 결정의 취소를 구하는 헌법소원심판을 청구할 수 없다(헌재 2006.3.30, 2003헌마837).

① (○) 지방자치단체의 사무에는 자치사무와 위임사무가 있다. 위임사무는 지방자치단체가 위임받아 처리하는 국가사무임에 반하여, 자치사무는 지방자치단체가 주민의 복리를 위하여 처리하는 사무(헌법 제117조 제1항)이다(헌재 2009.5.28, 2006헌라6).

② (○) 자치사무는 법령의 범위 안에서 그 처리 여부와 방법을 자기책임 아래 결정할 수 있는 사무로서 지방자치권의 최소한의 본질적 사항이므로 지방자치단체의 자치권을 보장한다고 한다면 최소한 이 같은 자치사무의 자율성만은 침해해서는 안 된다(헌재 2009.5.28, 2006헌라6).

④ (○) 국가가 영토고권을 가지는 것과 마찬가지로, 지방자치단체에게 자신의 관할구역 내에 속하는 영토, 영해, 영공을 자유로이 관리하고 관할구역 내의 사람과 물건을 독점적, 배타적으로 지배할 수 있는 권리가 부여되어 있다고 할 수는 없다(헌재 2006.3.30, 2003헌라2).

02 정답 ④

④ (×) 헌법 제117조 제1항에서 규정하고 있는 법령에 법률 이외에 헌법 제75조 및 제95조 등에 의거한 대통령령, 총리령 및 부령과 같은 법규명령이 포함되는 것은 물론이지만, 헌법재판소의 "법령의 직접적인 위임에 따라 수임행정기관이 그 법령을 시행하는 데 필요한 구체적 사항을 정한 것이면, 그 제정형식은 비록 법규명령이 아닌 고시, 훈령, 예규 등과 같은 행정규칙이더라도, 그것이 상위법령의 위임한계를 벗어나지 아니하는 한 상위법령과 결합하여 대외적인 구속력을 갖는 법규명령으로서 기능하게 된다고 보아야 한다."고 판시한 바에 따라, 헌법 제117조 제1항에서 규정하는 법령에는 법규명령으로서 기능하는 행정규칙이 포함된다(헌재 2002.10.31, 2001헌라1).

① (○) 헌법이 규정하는 이러한 자치권 가운데에는 자치에 관한 규정을 스스로 제정할 수 있는 자치입법권은 물론이고 그밖에 그 소속 공무원에 대한 인사와 처우를 스스로 결정하고 이에 관련된 예산을 스스로 편성하여 집행하는 권한이 성질상 당연히 포함된다. 다만, 이러한 헌법상의 자치권의 범위는 법령에 의하여 형성되고 제한된다(헌재 2002.10.31, 2001헌라1).

② (○) 지방자치단체의 자치권은 헌법상 보장을 받고 있으므로 비록 법령에 의하여 이를 제한하는 것이 가능하다고 하더라도 그 제한이 불합리하여 자치권의 본질을 훼손하는 정도에 이른다면 이는 헌법에 위반된다고 보아야 할 것이다(헌재 2009.5.28, 2006헌라6).

③ (○) 지방자치법 제4조 제1항에 규정된 지방자치단체의 구역은 주민・자치권과 함께 자치단체의 구성요소이며, 자치권이 미치는 관할구역의 범위에는 육지는 물론 바다도 포함되므로, 공유수면에 대한 지방자치단체의 자치권한이 존재한다(헌재 2004.9.23, 2000헌라2).

03 정답 ①

① (×) 지방자치단체가 자치조례를 제정할 수 있는 사항은 지방자치단체의 고유사무인 자치사무와 개별법령에 의하여 지방자치단체에 위임된 단체위임사무에 한하는 것이고, 국가사무가 지방자치단체의 장에게 위임된 기관위임사무는 원칙적으로 자치조례의 제정범위에 속하지 않는다. 다만 기관위임사무에 있어서도 그에 관한 '개별법령에서 일정한 사항을 조례로 정하도록 위임하고 있는 경우'에는 위임받은 사항에 관하여 개별법령의 취지에 부합하는 범위 내에서 이른바 위임조례를 정할 수 있다(대판 2000.5.30, 99추85).

② (○) 지방자치법 제4조 제1항은 지방자치단체의 관할구역 경계를 결정함에 있어서 '종전'에 의하도록 하고 있고, 지방자치법의 개정연혁에 비추어 보면 위 '종전'이라는 기준은 최초로 제정된 법률조항까지 순차 거슬러 올라가게 되므로 1948.8.15. 당시 존재하던 관할구역의 경계가 원천적인 기준이 된다. 그런데 지금까지 우리 법체계에서는 공유수면의 행정구역 경계에 관한 명시적인 법령상의 규정이 존재한 바 없으므로, 공유수면에 대한 행정구역 경계가 불문법상으로 존재한다면 그에 따라야 한다(헌재 2015.7.30, 2010헌라2).

③ (○) 만약 해상경계에 관한 불문법도 존재하지 않으면, 주민, 구역과 자치권을 구성요소로 하는 지방자치단체의 본질에 비추어 지방자치단체의 관할구역에 경계가 없는 부분이 있다는 것을 상정할 수 없으므로, 헌법재판소가 지리상의 자연적 조건, 관련 법령의 현황, 연혁적인 상황, 행정권한 행사 내용, 사무 처리의 실상, 주민의 사회・경제적 편익 등을 종합하여 형평의 원칙에 따라 합리적이고 공평하게 해상경계선을 획정할 수밖에 없다(헌재 2015.7.30, 2010헌라2).

④ (○) 조례의 제정권자인 지방의회는 선거를 통해서 그 지역적인 민주적 정당성을 지니고 있는 주민의 대표기관이고 헌법이 지방자치단체에 포괄적인 자치권을 보장하고 있는 취지로 볼 때, 조례에 대한 법률의 위임은 법규명령에 대한 법률의 위임과 같이 반드시 구체적으로 범위를 정하여 할 필요가 없으며 '포괄적인 것으로 족'하다(헌재 1995.4.20, 92헌마264).

04 정답 ④

④ (×) 주민은 그 지방자치단체의 장 및 지방의회의원(비례대표 지방의회의원은 제외)을 소환할 권리를 가진다(지방자치법 제25조 제1항).

① (○) 지방자치단체의 장은 주민에게 과도한 부담을 주거나 중대한 영향을 미치는 지방자치단체의 주요 결정사항 등에 대하여 주민투표에 부칠 수 있다(지방자치법 제18조 제1항).

② (○) 지방자치법은 주민에게 주민투표권, 조례의 제정 및 개폐청구권, 감사청구권 등을 부여하고 있으나 이러한 제도는 어디까지나 입법에 의하여 채택된 것일 뿐 헌법에 의하여 이러한 제도의 도입이 보상되고 있는 것은 아니다. 그렇다면 주민투표권은 '법률이 보장하는 권리'일 뿐이지 헌법이 보장하는 기본권 또는 헌법상 제도적으로 보장되는 주관적 공권으로 볼 수 없다(헌재 2005.12.22. 2004헌마530).

③ (○) 주민투표에 부쳐진 사항은 주민투표권자 총수의 4분의 1 이상의 투표와 유효투표수 과반수의 득표로 확정된다(주민투표법 제24조 제1항 본문).

05 정답 ③

③ (×) 부모의 자녀 양육권은 공권력으로부터 자녀의 양육을 방해받지 않을 권리라는 점에서는 자유권적 기본권으로서의 성격을, 자녀의 양육에 관하여 국가의 지원을 요구할 수 있는 권리라는 점에서는 사회권적 기본권으로서의 성격을 아울러 가지고 있다(헌재 2008.10.30. 2005헌마1156).

① (○) 헌법은 가족제도를 특별히 보장함으로써, 양심의 자유, 종교의 자유, 언론의 자유, 학문과 예술의 자유와 같이 문화국가의 성립을 위하여 불가결한 기본권의 보장과 함께, 견해와 사상의 다양성을 그 본질로 하는 문화국가를 실현하기 위한 필수적인 조건을 규정한 것이다. 따라서 헌법은 제36조 제1항에서 혼인과 가정생활을 보장함으로써 가족의 자율영역이 국가의 간섭에 의하여 획일화・평준화되고 이념화되는 것으로부터 보호하고자 하는 것이다(헌재 2000.4.27. 98헌가16).

② (○) 개인의 인격권・행복추구권은 개인의 자기운명결정권을 그 전제로 하고 있으며, 이 자기운명결정권에는 성적자기결정권 특히 혼인의 자유와 혼인에 있어서 상대방을 결정할 수 있는 자유가 포함되어 있다(헌재 1997.7.16. 95헌가6).

④ (○) 특정한 법률조항이 혼인한 자를 불리하게 하는 차별취급은 중대한 합리적 근거가 존재하여 헌법상 정당화되는 경우에만 제36조 제1항에 위배되지 아니한다(헌재 2002.8.29. 2001헌바82).

06 정답 ④

④ (×) 헌법상의 기본권은 제1차적으로 개인의 자유로운 영역을 공권력의 침해로부터 보호하기 위한 방어적 권리이지만 다른 한편으로 헌법의 기본적인 결단인 객관적인 가치질서를 구체화한 것으로서, 사법을 포함한 모든 법 영역에 그 영향을 미치는 것이므로 사인 간의 사적인 법률관계도 헌법상의 기본권 규정에 적합하게 규율되어야 한다(대판 2010.4.22. 2008다38288).

① (○) 인권이란 대한민국헌법 및 법률에서 보장하거나 대한민국이 가입・비준한 국제인권조약 및 국제관습법에서 인정하는 인간으로서의 존엄과 가치 및 자유와 권리를 말한다(국가인권위원회법 제2조 제1호).

② (○) 인간의 존엄과 가치조항은 헌법이념의 핵심으로 국가는 헌법에 규정된 개별적 기본권을 비롯하여 헌법에 열거되지 아니한 자유와 권리까지도 이를 보장하여야 하고, 이를 통하여 개별 국민이 가지는 인간으로서의 존엄과 가치를 존중하고 확보하여야 한다는 헌법의 기본원리를 선언한 것이라 할 것이다(헌재 2001.7.19. 2000헌마546).

③ (○) 헌법 제37조 제1항은 "국민의 자유와 권리는 헌법에 열거되지 아니한 이유로 경시되지 아니한다."고 규정하고 있다. 이는 헌법에 명시적으로 규정되지 아니한 자유와 권리라도 헌법 제10조에서 규정한 인간의 존엄과 가치를 위하여 필요한 것일 때에는 이를 모두 보장함을 천명하는 것이다. 이러한 기본권으로서 일반적 행동자유권과 명예권 등을 들 수 있다(헌재 2002.1.31. 2001헌바43).

07 정답 ①

① (×) 헌법 전문은 헌법을 제정한 주체는 국민임을 밝히고 있고, 제1조 제2항은 "대한민국의 주권은 국민에게 있다."고 하여 '국민'이 주권자임을 선언하고 있다. 제2장은 「국민의 권리와 의무」라고 제목을 붙이고 각 조항에서 '국민'이 기본권의 주체임을 명시하고 있을 뿐만 아니라, 제2조 제1항은 "대한민국의 국민이 되는 요건은 법률로 정한다."고 하여 기본권의 주체인 국민에 관한 내용을 입법자가 형성하도록 하였다(헌재 2000.8.31. 97헌가12).

② (○) 초기 배아는 수정이 된 배아라는 점에서 형성 중인 생명의 첫걸음을 떼었다고 볼 여지가 있기는 하나 아직 모체에 착상되거나 원시선이 나타나지 않은 이상 현재의 자연과학적 인식 수준에서 독립된 인간과 배아 간의 개체적 연속성을 확정하기 어렵다고 봄이 일반적이라는 점, 배아의 경우 현재의 과학기술 수준에서 모태 속에서 수용될 때 비로소 독립적인 인간으로의 성장가능성을 기대할 수 있다는 점, 수정 후 착상 전의 배아가 인간으로 인식된다거나 그와 같이 취급하여야 할 필요성이 있다는 사회적 승인이 존재한다고 보기 어려운 점 등을 종합적으로 고려할 때, 기본권 주체성을 인정하기 어렵다(헌재 2010.5.27. 2005헌마346).

③ (○) 모든 인간은 헌법상 생명권의 주체가 되며, 형성 중의 생명인 태아에게도 생명에 대한 권리가 인정되어야 한다. 따라서 태아도 헌법상 생명권의 주체가 되며, 국가는 헌법 제10조에 따라 태아의 생명을 보호할 의무가 있다(헌재 2008.7.31. 2004헌바81).

④ (O) 심판대상 조항이나 공권력 작용이 넓은 의미의 국가조직 영역 내에서 공적 과제를 수행하는 주체의 권한 내지 직무영역을 제약하는 성격이 강한 경우에는 그 기본권 주체성이 부정될 것이지만, 그것이 '일반 국민으로서 국가에 대하여 가지는 헌법상의 기본권을 제약하는 성격이 강한 경우'에는 기본권 주체성을 인정할 수 있다(헌재 2008.1.17, 2007헌마700).

08 정답 ③

③ (×) 불법체류라는 것은 관련 법령에 의하여 체류자격이 인정되지 않는다는 것일 뿐이므로, 인간의 권리로서 외국인에게도 주체성이 인정되는 일정한 기본권에 관하여 불법체류 여부에 따라 그 인정 여부가 달라지는 것은 아니다(헌재 2012.8.23, 2008헌마430).

① (O) 공직자가 국가기관의 지위에서 순수한 직무상의 권한행사와 관련하여 기본권 침해를 주장하는 경우에는 기본권의 주체성을 인정하기 어렵다 할 것이나, 그 외의 사적인 영역에 있어서는 기본권의 주체가 될 수 있는 것이다(헌재 2009.3.26, 2007헌마843).

② (O) 국민의 권리가 아니라 인간의 권리로 볼 수 있는 기본권에 대해서는 외국인도 기본권의 주체가 될 수 있다(헌재 2012.8.23, 2008헌마430).

④ (O) 참정권과 입국의 자유에 대한 외국인의 기본권 주체성이 인정되지 않고, 외국인이 복수국적을 누릴 자유가 우리 헌법상 행복추구권에 의하여 보호되는 기본권이라고 보기 어렵다(헌재 2014.6.26, 2011헌마502).

09 정답 ③

③ (×) 공법인이나 이에 준하는 지위를 가진 자라 하더라도 공무를 수행하거나 고권적 행위를 하는 경우가 아닌 사경제 주체로서 활동하는 경우나 조직법상 국가로부터 독립한 고유 업무를 수행하는 경우, 그리고 다른 공권력 주체와의 관계에서 지배복종관계가 성립되어 일반 사인처럼 그 지배하에 있는 경우 등에는 기본권 주체가 될 수 있다(헌재 2022.7.21, 2019헌바543).

① (O) 법인도 사단법인·재단법인 또는 영리법인·비영리법인을 가리지 아니하고 위 한계 내에서는 헌법상 보장된 기본권이 침해되었음을 이유로 헌법소원심판을 청구할 수 있다(헌재 1991.6.3, 90헌마56).

② (O) 국가나 국가기관 또는 국가조직의 일부나 공법인은 기본권의 수범자이지 기본권의 주체로서 그 소지자가 아니고 오히려 국민의 기본권을 보호 내지 실현해야 할 책임과 의무를 지니고 있는 지위에 있을 뿐이다(헌재 1994.12.29, 93헌마120).

④ (O) 정당(진보신당)은 국민의 정치적 의사형성에 참여하기 위한 조직으로 성격상 권리능력 없는 단체에 속하지만, 구성원과는 독립하여 그 자체로서 기본권의 주체가 될 수 있다(헌재 2008.12.26, 2008헌마419).

10 정답 ④

④ (×) 법인도 법인의 목적과 사회적 기능에 비추어 볼 때 그 성질에 반하지 않는 범위 내에서 인격권의 한 내용인 사회적 신용이나 명예 등의 주체가 될 수 있고 법인이 이러한 사회적 신용이나 명예 유지 내지 법인격의 자유로운 발현을 위하여 의사결정이나 행동을 어떻게 할 것인지를 자율적으로 결정하는 것도 법인의 인격권의 한 내용을 이룬다고 할 것이다(헌재 2012.8.23, 2009헌가27).

① (O) 외국인이 국내에서 누리는 직업의 자유는 법률 이전에 헌법에 의해서 부여된 기본권이라고 할 수는 없고, 법률에 따른 정부의 허가에 의해 비로소 발생하는 권리이다(헌재 2014.8.28, 2013헌마359).

② (O) 근로의 권리 중 인간의 존엄성 보장에 필요한 최소한의 근로조건을 요구할 수 있는 '일할 환경에 관한 권리' 역시 외국인에게 보장되고, 고용허가를 받아 우리 사회에서 정당한 노동인력으로서 지위를 부여받은 외국인들의 직장선택의 자유도 인간의 권리로서 보장된다(헌재 2016.3.31, 2014헌마367).

③ (O) 평등권 및 평등선거의 원칙으로부터 나오는 선거에 있어서 기회균등의 원칙은 후보자에 대하여서는 물론 정당에 대하여서도 보장되는 것이며, 따라서 정당추천의 후보자가 선거에서 차등대우를 받는 것은 바로 정당이 선거에서 차등대우를 받는 것과 같은 결과가 되는 것이다(헌재 1991.3.11, 91헌마21).

PART

02

형사법

정답 및 해설편

형사법 1회 모의고사 정답 및 해설

제1회 모의고사 정답

01	④	02	③	03	④	04	①	05	③
06	①	07	④	08	①	09	③	10	④

01 정답 ④

④ (×) 특정범죄 가중처벌 등에 관한 법률 제4조 제1항의 위임을 받은 특정범죄 가중처벌 등에 관한 법률 시행령 제2조 제48호가 농업협동조합중앙회를 '정부관리기업체'의 하나로 규정한 것은 위임입법의 한계를 벗어난 것으로서 위헌·위법이라 할 수 없다(대판 2007.11.30, 2007도6556).

① (○) 성문법률주의란 범죄와 형벌은 성문의 법률로 규정되어야 한다는 원칙을 말하며 여기서의 법률은 형식적 의미의 법률의 의미한다. → 실질적 의미의 법률을 의미한다. (×)

② (○) 대판 2002.11.26, 2002도2998

③ (○) 대판 2007.11.30, 2007도6556

02 정답 ③

③ (×) 공직선거법에서 간판 등의 시설물설치를 금지하고, 설치가 허용되는 간판의 규격과 같은 세부적 사항은 선거관리위원회 규칙으로 정하도록 한 경우, 이러한 제한은 폐해방지에 필요한 최소한의 정도를 넘지 아니하여 표현의 자유 등을 침해한다고 할 수 없고, 설치가 허용되는 간판의 규격과 같은 세부적이고 기술적인 사항을 중앙선거관리위원회 규칙에서 정하도록 위임하였다 하여 이를 죄형법정주의와 포괄위임금지의 원칙에 어긋난다고 볼 수도 없다(대판 2005.1.13, 2004도7360).

① (○) 대판 2017.2.16, 2015도16014

② (○) 대판 2001.1.19, 99도5753

④ (○) 헌재 2000.6.29, 99헌가16

03 정답 ④

④ (×) 형을 종전보다 가볍게 형벌법규를 개정하면서 그 부칙으로 개정 전의 범죄에 대하여는 종전의 형벌법규를 적용하도록 규정한 것은 형벌불소급의 원칙과 신법우선주의에 반하지 않는다(대판 1995.1.24, 94도2787).

① (○) 대결 2008.7.24, 2008어4

② (○) 대판 2009.4.23, 2008도11017

③ (○) 대판 2016.1.28, 2015도15669

04 정답 ①

① (○) 형법 제62조의2 제1항에서 말하는 보호관찰은 형벌이 아니라 보안처분의 성격을 갖는 것으로서 과거의 불법에 대한 책임에 기초하고 있는 제재가 아니라, 장래의 위험성으로부터 행위자를 보호하고 사회를 방위하기 위한 목적적인 조치이므로 그에 관하여 반드시 행위 이전에 규정되어 있어야 하는 것은 아니며, 재판시의 규정에 의하여 보호관찰을 받을 것을 명할 수 있다고 보아야 할 것이고, 이와 같은 해석이 형벌불소급의 원칙 내지 죄형법정주의에 위배되는 것이라고 볼 수 없다(대판 1997.6.13, 97도703).

② (×) 평등의 원칙과 형벌불소급의 원칙에 반한다고 할 수 없다(대판 1999.9.17, 97도3349).

③ (×) 가정폭력범죄의 처벌 등에 관한 특례법이 정한 보호처분 중의 하나인 사회봉사명령은 가정폭력범죄를 범한 자에 대하여 환경의 조정과 성행의 교정을 목적으로 하는 것으로서 형벌 그 자체가 아니라 보안처분의 성격을 가지는 것이 사실이다. 그러나 한편으로 이는 가정폭력범죄행위에 대하여 형사처벌 대신 부과되는 것으로서 가정폭력범죄를 범한 자에게 의무적 노동을 부과하고 여가시간을 박탈하여 실질적으로는 신체적 자유를 제한하게 되므로 이에 대하여는 원칙적으로 형벌불소급의 원칙에 따라 행위시법을 적용함이 상당하다(대결 2008.7.24, 2008어4).

④ (×) 피고인에게 불리한 법률을 소급하여 적용한 위법이 있다고 할 수 없다(대판 2009.12.10, 2009도11448).

05 정답 ③

③ (×) 특정 범죄자에 대한 위치추적 전자장치 부착 등에 관한 법률에 의한 전자감시제도는 성폭력범죄로부터 국민을 보호함을 목적으로 하는 일종의 보안처분이므로 범죄행위를 한 자에 대한 응보를 주된 목적으로 그 책임을 추궁하는 사후적 처분인 형벌과 구별되어 그 본질을 달리하는 것으로서 형벌에 관한 소급입법금지의 원칙이 그대로 적용되지 않으므로 위 법률이 개정되어 부착명령기간을 연장하도록 규정하고 있더라도 그것이 소급입법금지의 원칙에 반한다고 볼 수 없다(대판 2010.12.23, 2010도11996).

① (○) 대판 1999.2.5, 98도4239

② (○) 대판 2011.7.14, 2009도7777

④ (○) 대판 1997.1.24, 96도1731

06 정답 ①

① (×) 정비사업 시행에 관한 서류와 관련 자료에 대한 열람·등사 요청에 즉시 응할 의무를 규정하고 이를 위반하는 행위를 처벌하는 구 도시 및 주거환경정비법 제86조 제6호, 제81조 제1항이 죄형법정주의의 명확성원칙에 위배되지 않는다(대판 2012.2.23, 2010도8981).

② (O) 헌재 2002.2.28, 99헌가8
③ (O) 대판 2001.1.19, 94도2413
④ (O) 헌재 2002.6.27, 2001헌바70

07 정답 ④

④ (O) 대판 1977.9.28, 77도405
① (×) 처벌규정에 '배포'행위는 규정되어 있지 아니하므로 복제행위 등과 별도로 처벌하는 것은 유추해석이나 확장해석을 금하는 죄형법정주의의 원칙상 허용되지 않는다(대판 1999.3.26, 97도1769).
② (×) 확장해석 내지 유추해석에 해당하지 아니한다(대판 2006.6.12, 2005도6525).
③ (×) 외국환관리법상의 몰수와 추징은 일반 형사법의 경우와 달리 범죄사실에 대한 징벌적 제재의 성격을 띠고 있다고 할 것이므로 여러 사람이 공모하여 범칙행위를 한 경우 몰수대상인 외국환 등을 몰수할 수 없을 때에는 각 범칙자 전원에 대하여 그 취득한 외국환 등의 가액 전부의 추징을 명하여야 하고, 그중 한 사람이 추징금 전액을 납부하였을 때에는 다른 사람은 추징의 집행을 면할 것이나, 그 일부라도 납부되지 아니하였을 때에는 그 범위 내에서 각 범칙자는 추징의 집행을 면할 수 없다(대판 1998.5.21, 95도2002).

08 정답 ①

① (×) 행위자의 가벌성 범위는 확대된다[대판(전) 1997.3.20, 96도1167].
② (O) 대판 1997.5.30, 97도597
③ (O) 대판 2008.4.24, 2006도8644
④ (O) 대판 2011.10.13, 2011도6287

09 정답 ③

③ (×) 식품위생법 제13조 제1항에서 금지하는 '식품에 관하여 의약품과 혼동할 우려가 있는 광고'란 라디오・텔레비전・신문・잡지・음악・영상・인쇄물・간판・인터넷 그 밖의 방법으로 식품 등의 품질・영양가・원재료・성분 등에 대하여 질병의 치료에 효능이 있다는 정보를 나타내거나 알리는 행위를 의미한다고 보아야 한다. 따라서 식품판매자가 식품을 판매하면서 특정 구매자에게 그 식품이 질병의 치료에 효능이 있다고 설명하고 상담하였다고 하더라도 이를 가리켜 법 제13조 제1항에서 금지하는 '광고'를 하였다고 볼 수 없고, 그와 같은 행위를 반복하였다고 하여 달리 볼 것은 아니다(대판 2014.4.30, 2013도15002).
① (O) 대판 2012.6.28, 2011도15097
② (O) 대판 1999.7.9, 98도17119
④ (O) 대판 2012.7.5, 2011도16167

10 정답 ④

④ (×) 공직선거법 제250조 제1항에 규정한 허위사실공표죄에서 '경력 등'이란 후보자의 '경력・학력・학위・상벌'을 말하고(같은 법 제64조 제5항), 그중 '경력'은 후보자의 행동이나 사적 등과 같이 후보자의 실적과 능력으로 인식되어 선거인의 공정한 판단에 영향을 미치는 사항을 말한다. 따라서 어떤 단체가 특정 후보자를 지지・추천하는지 여부는 후보자의 행동이나 사적 등에 관한 사항이라고 볼 수 없어 위에서 말하는 '경력'에 관한 사실에 포함되지 아니하고, 이와 달리 해석하는 것은 형벌법규를 지나치게 확장・유추해석하는 것으로서 죄형법정주의에 반하여 허용될 수 없다(대판 2011.3.10, 2010도16942).
① (O) 대판 2001.12.28, 2001도6130
② (O) 대판 2010.5.13, 2009도13332
③ (O) 대판 2007.10.12, 2007도6519

형사법 2회 모의고사 정답 및 해설

제2회 모의고사 정답

01	③	02	②	03	②	04	④	05	④
06	③	07	③	08	③	09	②	10	③

01 정답 ③

③ (×) [1] 범죄 후 법률 개정으로 형이 가벼워진 경우 공소시효기간의 기준(=신법의 법정형) ➡ 범죄 후 법률의 개정에 의하여 법정형이 가벼워진 경우에는 형법 제1조 제2항에 의하여 당해 범죄사실에 적용될 가벼운 법정형(신법의 법정형)이 공소시효기간의 기준이 된다. [2] 구 특정범죄가중처벌 등에 관한 법률 제6조 제7항, 제4항 제2호, 관세법 제271조 제2항, 제270조 제1항 제1호에 해당하는 관세포탈 미수행위를 범한 후, 2005.12.29. 위 특별법의 개정으로 위 범죄가 적용대상에서 제외되어 법정형이 가벼운 관세법으로 의율하게 되었으므로, 공소시효기간은 관세법의 법정형을 기준으로 한 3년이라고 한 사례(대판 2008.12.11, 2008도4376(대판 1987.12.22, 87도84)) ∴ 범죄 후 법률의 개정에 의하여 법정형이 가벼워진 경우라면 가벼워진 신법의 법정형이 공소시효기간의 기준이 된다.

① (○) 행위 시와 재판 시 사이에 수차 법령의 변경이 있는 경우에는 이 점에 관한 당사자의 주장이 없더라도 본조 제2항에 의하여 직권으로 행위시법과 제1, 2 심판시법의 세가지 규정에 의한 형의 경중을 비교하여 그중 가장 형이 경한 법규정을 적용하여 심판하여야 한다(대판 1968.12.17, 68도1324).

② (○) 형을 가볍게 개정하면서 그 부칙으로 개정법 시행 전의 범죄에 대하여 종전의 법을 적용하도록 규정하는 것이 형벌불소급원칙이나 신법우선주의에 반하는지 여부(소극) ➡ 형법 제1조 제2항 및 제8조에 의하면 범죄 후 법률의 변경에 의하여 형이 구법보다 경한 때에는 신법에 의한다고 규정하고 있으나, 신법에 경과규정을 두어 이러한 신법의 적용을 배제하는 것도 허용되는 것으로서, **형을 종전보다 가볍게 형벌법규를 개정하면서 그 부칙으로 개정된 법의 시행 전의 범죄에 대하여 종전의 형벌법규를 적용하도록 규정한다 하여 헌법상의 형벌불소급의 원칙이나 신법우선주의에 반한다고 할 수 없다**(대결 1999.4.13, 99초76(대판 1999.7.9, 99도1695)).

④ (○) 범죄의 성립과 처벌은 행위 시의 법률에 의한다고 할 때의 "행위 시"는 범죄행위의 종료 시를 의미함(대판 1994.5.10, 94도563)

제1조(범죄의 성립과 처벌) ① 범죄의 성립과 처벌은 행위 시의 법률에 의한다.

02 정답 ②

② (×) [1] '외국에서 집행된 형의 산입' 규정인 형법 제7조의 취지 / 형법 제7조에서 정한 '외국에서 형의 전부 또는 일부가 집행된 사람'의 의미 및 형사사건으로 외국 법원에 기소되었다가 무죄판결을 받기까지 상당 기간 미결구금된 사람이 이에 해당하는지 여부(소극)와 그 미결구금 기간이 형법 제7조에 의한 산입의 대상이 되는지 여부(소극) / 외국에서 미결구금되었다가 무죄판결을 받은 사람의 미결구금일수를 형법 제7조의 유추적용에 의하여 그가 국내에서 같은 행위로 인하여 선고받는 형에 산입할 수 있는지 여부(소극) ➡ [다수의견] (가) 형법 제7조는 "죄를 지어 외국에서 형의 전부 또는 일부가 집행된 사람에 대해서는 그 집행된 형의 전부 또는 일부를 선고하는 형에 산입한다."라고 규정하고 있다. 이 규정의 취지는, 형사판결은 국가주권의 일부분인 형벌권 행사에 기초한 것이어서 피고인이 외국에서 형사처벌을 과하는 확정판결을 받았더라도 그 외국 판결은 우리나라 법원을 기속할 수 없고 우리나라에서는 기판력도 없어 일사부재리의 원칙이 적용되지 않으므로, 피고인이 동일한 행위에 관하여 우리나라 형벌법규에 따라 다시 처벌받는 경우에 생길 수 있는 실질적인 불이익을 완화하려는 것이다. 그런데 여기서 '외국에서 형의 전부 또는 일부가 집행된 사람'이란 문언과 취지에 비추어 '외국 법원의 유죄판결에 의하여 자유형이나 벌금형 등 형의 전부 또는 일부가 실제로 집행된 사람'을 말한다고 해석하여야 한다. 따라서 형사사건으로 외국 법원에 기소되었다가 무죄판결을 받은 사람은, 설령 그가 무죄판결을 받기까지 상당 기간 미결구금되었더라도 이를 유죄판결에 의하여 형이 실제로 집행된 것으로 볼 수는 없으므로, '외국에서 형의 전부 또는 일부가 집행된 사람'에 해당한다고 볼 수 없고, 그 미결구금 기간은 형법 제7조에 의한 산입의 대상이 될 수 없다(대판(전) 2017.8.24, 2017도5977). ∴ 한국인 乙이 외국에서 미결구금되었다가 무죄판결을 받은 경우 그 미결구금일수는 국내에서 동일한 행위로 인하여 선고받은 형에 산입하여서는 아니 된다.

① (○) [1] 형법 제5조, 제6조의 각 규정에 의하면, 외국인이 외국에서 죄를 범한 경우에는 형법 제5조 제1호 내지 제7호에 열거된 죄를 범한 때와 형법 제5조 제1호 내지 제7호에 열거된 죄 이외에 대한민국 또는 대한민국 국민에 대하여 죄를 범한 때에만 대한민국 형법이 적용되어 우리나라에 재판권이 있게 되고, 여기서 '대한민국 또는 대한민국 국민에 대하여 죄를 범한 때'란 대한민국 또는 대한민국 국민의 법익이 직접적으로 침해되는 결과를 야기하는 죄를 범한 경우를 의미한다. [2] 캐나다 시민권자인 피고인이 캐나다에서 위조사문서를 행사하였다는 내용으로 기소된 사안에서, 형법 제234조의 위조사문서행사죄는 형법 제5조 제1호 내지 제7호에 열거된 죄에 해당하지 않고, 위조사문서행사를 형법 제6조의 대한민국 또는 대한민국 국민의 법익을 직접적으로 침해하는 행위라고 볼 수도 없으므로 → 피고인의 행위에 대하여는 우리나라에 재판권이 없는데도, 위 행위가 외국인의 국외범으로서 우리나라에 재판권이 있다고 보아 유죄를 인정한 원심판결에 재

판권 인정에 관한 법리오해의 위법이 있다(대판 2011.8.25, 2011도6507).
제6조(대한민국과 대한민국국민에 대한 국외범) 본법은 대한민국영역외에서 대한민국 또는 대한민국국민에 대하여 전조에 기재한 이외의 죄를 범한 외국인에게 적용한다. 단 행위지의 법률에 의하여 범죄를 구성하지 아니하거나 소추 또는 형의 집행을 면제할 경우에는 예외로 한다.

③ (O) 도박죄를 처벌하지 않는 외국 카지노에서의 도박행위의 위법성 여부(적극) ➡ 형법 제3조는 "본법은 대한민국 영역 외에서 죄를 범한 내국인에게 적용한다."고 하여 형법의 적용 범위에 관한 속인주의를 규정하고 있고, 또한 국가 정책적 견지에서 도박죄의 보호법익보다 좀더 높은 국가이익을 위하여 예외적으로 **내국인의 출입을 허용하는 폐광지역개발지원에 관한 특별법 등에 따라 카지노에 출입하는 것은 법령에 의한 행위로 위법성이 조각된다고 할 것**이나, 도박죄를 처벌하지 않는 외국 카지노에서의 도박이라는 사정만으로 그 위법성이 조각된다고 할 수 없으므로, 원심이, 피고인이 상습으로 1996.9.19.부터 1997.8.25.경까지 사이에 판시와 같이 미국의 네바다주에 있는 미라지 호텔 카지노에서 도박하였다는 공소사실에 대하여 유죄를 인정한 것도 정당하고, 거기에 상고이유로 주장하는 바와 같이 도박죄의 위법성조각에 관한 법리오해 등의 위법이 있다고 할 수 없다(대판 2004.4.23, 2002도2518 / 대판 2017.4.13, 2017도953).

④ (O) 제5조 제6호
제5조(외국인의 국외범) 본법은 대한민국영역외에서 다음에 기재한 죄를 범한 외국인에게 적용한다.
1. 내란의 죄 2. 외환의 죄
3. 국기에 관한 죄 4. 통화에 관한 죄
5. 유가증권, 우표와 인지에 관한 죄
6. 문서에 관한 죄중 제225조 내지 제230조
7. 인장에 관한 죄중 제238조

03 정답 ②

② (×) 형법 제1조 제2항 및 제8조에 의하면, 범죄 후 법률의 변경에 의하여 형이 구법보다 가벼운 때에는 원칙적으로 신법에 따라야 하지만, 신법에 경과규정을 두어 이러한 신법의 적용을 배제하는 것도 허용되는 것으로서, 형벌법규의 형을 종전보다 가볍게 개정하면서 그 부칙에서 개정된 법의 시행 전의 범죄에 대하여는 종전의 형벌법규를 적용하도록 규정한다 하여 형벌불소급의 원칙이나 신법우선의 원칙에 반한다고 할 수 없다(대판 2013.7.11, 2011도15056 / 대판 2011.7.14, 2011도1303 판결 등 참조).

① (O) 포괄일죄로 되는 개개의 범죄행위가 법 개정의 전후에 걸쳐서 행하여진 경우에는 신・구법의 법정형에 대한 경중을 비교하여 볼 필요도 없이 범죄 실행 종료 시의 법이라고 할 수 있는 신법을 적용하여 포괄일죄로 처단하여야 한다(대판 1998.2.24, 97도183).

③ (O) 한국인이 외국인의 출입이 허용되는 필리핀국 마닐라시에 있는 카지노에서 상습적으로 도박을 한 경우 형법 제3조 속인주의에 우리 형법이 적용되므로 상습도박죄가 성립한다(대판 2001.9.25, 99도3337).

④ (O) 형법 제239조 제1항의 사인위조죄는 형법 제6조의 대한민국 또는 대한민국 국민에 대하여 범한 죄에 해당하지 아니하므로 중국 국적자가 중국에서 대한민국 국적 주식회사의 인장을 위조한 경우에는 외국인의 국외범으로서 그에 대하여 재판권이 없다(대판 2002.11.26, 2002도4929).

04 정답 ④

④ (×) 지방자치단체가 양벌규정에 의한 처벌대상이 되는 법인에 해당하는지 여부 및 법령상 지방자치단체의 장이 처리하도록 규정하고 있는 사무가 자치사무인지 기관위임사무인지 여부의 판단 방법 ➡ 국가가 본래 그의 사무의 일부를 지방자치단체의 장에게 위임하여 처리하게 하는 기관위임사무의 경우 지방자치단체는 국가기관의 일부로 볼 수 있고, 지방자치단체가 그 고유의 자치사무를 처리하는 경우 지방자치단체는 국가기관의 일부가 아니라 국가기관과는 별도의 독립한 공법인으로서 양벌규정에 의한 처벌대상이 되는 법인에 해당한다(대판 2009.6.11, 2008도6530). ∴ 그 고유의 자치사무를 처리하는 경우에는 국가기관의 일부가 아니라 국가기관과는 별도로 독립한 공법인으로서 양벌규정에 의한 처벌대상이 되는 법인에 해당한다.

① (O) 타인의 사무를 처리할 의무의 주체가 법인인 경우 그 법인의 대표기관이 배임죄의 주체가 될 수 있는지 여부(적극) ➡ 다수의견 : 형법 제355조 제2항의 배임죄에 있어서 타인의 사무를 처리할 의무의 주체가 법인이 되는 경우라도 법인은 다만 사법상의 의무주체가 될 뿐 범죄능력이 없는 것이며 그 타인의 사무는 법인을 대표하는 자연인인 대표기관의 의사결정에 따른 대표행위에 의하여 실현될 수 밖에 없어 그 대표기관은 마땅히 법인이 타인에 대하여 부담하고 있는 의무 내용 대로 사무를 처리할 임무가 있다 할 것이므로 법인이 처리할 의무를 지는 타인의 사무에 관하여는 법인이 배임죄의 주체가 될 수 없고 그 법인을 대표하여 사무를 처리하는 자연인인 대표기관이 바로 타인의 사무를 처리하는 자 즉 배임죄의 주체가 된다(대판(전) 1984.10.10, 82도2595).

② (O) 구 산업안전보건법 제71조의 '양벌규정'이 적용되기 위한 요건 및 구체적인 사안에서 '법인'이 상당한 주의 또는 관리감독 의무를 게을리하였는지 여부의 판단 기준 ➡ 형벌의 자기책임원칙에 비추어 보면, 위반행위가 발생한 그 업무와 관련하여 법인이 상당한 주의 또는 관리감독 의무를 게을리한 때에 한하여 구 산업안전보건법 제71조의 양벌규정이 적용된다고 보아야 하며, 구체적인 사안에서 법인이 상당한 주의 또는 관리감독 의무를 게을리하였는지 여부는 당해 위반행위와 관련된 모든 사정 즉, 당해 법률의 입법 취지, 처벌조항 위반으로 예상되는 법익 침해의 정도, 그 위반행위에 관하

여 양벌규정을 마련한 취지 등은 물론 위반행위의 구체적인 모습과 그로 인하여 실제 야기된 피해 또는 결과의 정도, 법인의 영업 규모 및 행위자에 대한 감독가능성 또는 구체적인 지휘감독 관계, 법인이 위반행위 방지를 위하여 실제 행한 조치 등을 전체적으로 종합하여 판단하여야 한다(대판 2010.9.9, 2008도7834).

③ (○) 양벌규정인 자동차운수사업법 제74조를 법인격 없는 사단이나 그 구성원 개개인에 적용할 수 있는지 여부 ➡ 법인격 없는 사단에 대하여서도 위 양벌규정을 적용할 것인가에 관하여는 아무런 명문의 규정을 두고 있지 아니하므로, 죄형법정주의의 원칙상 법인격 없는 사단에 대하여는 같은 법 제74조에 의하여 처벌할 수 없고, **나아가 법인격 없는 사단에 고용된 사람이 유상운송행위를 하였다 하여 법인격 없는 사단의 구성원 개개인이 위 법 제74조 소정의 "개인"의 지위에 있다하여 처벌할 수도 없다**(대판 1995.7.28, 94도3325).

05 정답 ④

④ (○) 화물자동차운송사업면허를 가진 운송사업자와 실질적으로 자동차를 소유하고 있는 차주 간의 계약으로 외부적으로는 자동차를 운송사업자 명의로 등록하여 운송사업자에게 귀속시키고 내부적으로는 각 차주들이 독립된 관리 및 계산으로 영업을 하며 운송사업자에 대하여는 지입료를 지불하는 지입제 형식의 운송사업에 있어, 그 지입차주가 세무관서에 독립된 사업자등록을 하고 지입된 차량을 직접 운행·관리하면서 그 명의로 운송계약을 체결하였다고 하더라도, 지입차주는 객관적으로나 외형상으로나 그 차량의 소유자인 지입회사와의 위탁계약에 의하여 그 위임을 받아 운행·관리를 대행하는 지위에 있는 자로서, 구 도로법(2008.3.21. 법률 제8976호로 전부 개정되기 전의 것) 제86조에서 정한 '대리인·사용인 기타의 종업원'에 해당한다. 한편, 그 사업장의 근로자와의 관계에 있어서도 지입차량의 소유자이자 대외적인 경영 주체에 해당하는 지입회사가 직접 근로관계에 대한 책임을 지는 사용자라고 보아야 하므로, 비록 지입회사가 지입차량의 운전자를 직접 고용하여 지휘·감독을 한 바 없다 하더라도, 객관적으로 지입차량의 운전자를 지휘·감독할 관계에 있는 사용자로서 그 지휘·감독의 소홀에 따른 책임을 진다(대판 2009.9.24, 2009도5302).

① (×) 합병으로 소멸한 법인이 양벌규정에 따라 부담하던 형사책임이 합병 후 존속회사에 승계되는지 여부(소극) ➡ 회사합병이 있는 경우 피합병회사의 권리·의무는 사법상의 관계나 공법상의 관계를 불문하고 모두 합병으로 인하여 존속하는 회사에 승계되는 것이 원칙이지만, 그 성질상 이전을 허용하지 않는 것은 승계의 대상에서 제외되어야 할 것인바, 양벌규정에 의한 법인의 처벌은 어디까지나 형벌의 일종으로서 행정적 제재처분이나 민사상 불법행위책임과는 성격을 달리하는 점, 형사소송법 제328조가 '피고인인 법인이 존속하지 아니하게 되었을 때'를 공소기각결정의 사유로 규정하고 있는 것은 형사책임이 승계되지 않음을 전제로 한 것이라고 볼 수 있는 점 등에 비추어 보면, 합병으로 인하여 소멸한 법인이 그 종업원 등의 위법행위에 대해 양벌규정에 따라 부담하던 형사책임은 그 성질상 이전을 허용하지 않는 것으로서 합병으로 인하여 존속하는 법인에 승계되지 않는다(대판 2007.8.23, 2005도4471). ∴ ~ 합병으로 인하여 소멸한 법인이 그 종업원 등의 위법행위에 대해 양벌규정에 따라 부담하던 형사책임은 그 성질상 이전을 허용하지 않는 것으로서 합병으로 인하여 존속하는 법인에 승계되지 않는다.

② (×) 양벌규정에 의한 영업주의 처벌은 금지위반행위자인 종업원의 처벌에 종속하는 것이 아니라 독립하여 그 자신의 종업원에 대한 선임감독상의 과실로 인하여 처벌되는 것이므로 종업원의 범죄성립이나 처벌이 영업주 처벌의 전제조건이 될 필요는 없다(대판 2006.2.24, 2005도7673 / 대판 1987.11.10, 87도1213 참조).

③ (×) 회사 대표자의 위반행위에 대하여 징역형의 형량을 작량감경하고 병과하는 벌금형에 대하여 선고유예를 한 이상 양벌규정에 따라 그 회사를 처단함에 있어서도 같은 조치를 취하여야 한다는 논지는 독자적인 견해에 지나지 아니하여 받아들일 수 없다(대판 1995.12.12, 95도1893).

06 정답 ③

③ (×) 상태범(狀態犯) ㉮ 구성요건적 실행행위에 의하여 법익침해가 발생함으로써 범죄는 기수에 이르고 종료하지만, 그 위법상태는 기수 이후에도 존속되는 범죄, ㉯ 이 위법상태에 포섭될 수 있는 기수 이후의 행위는 불가벌적 사후행위가 된다. ㉰ 상태범의 경우에 기수시기와 종료시기는 일치하지만, 행위 계속과 위법상태 계속은 일치하지 않는다. ㉱ 절도죄, 횡령죄 등이 여기에 해당한다. ∴ 상태범은 기수와 범죄행위의 종료 시는 일치하지만, 범죄행위의 종료 시와 위법상태의 종료 시는 일지하지 않는다.

① (○) 구체적 위험범 ㉮ 법익침해의 현실적 위험이 야기된 경우에 구성요건이 충족되는 범죄, ㉯ 자기소유일반건조물방화죄, 일반물건방화죄 등 ㉰ 위험의 정도 ➡ 현실적 위험 ㉱ 위험의 발생 ➡ 구성요건요소이다. ㉲ 위험의 인식 ➡ 고의의 내용이다.

② (○) 부진정신분범 ㉮ 진정신분범 ➡ 일정한 신분이 있는 자만이 정범이 될 수 있는 신분범, ㉯ 부진정신분범 ➡ 행위자의 신분이 형의 가중·감경사유로 되는 신분범

④ (○) 거동범(擧動犯, =형식범) ㉮ 구성요건의 내용이 결과의 발생을 요하지 않고 구성요건에 규정된 행위를 함으로써 충족되는 범죄이다. 폭행죄, 주거침입죄, 위증죄, 무고죄, 명예훼손죄, 추상적 위험범 등이 여기에 해당함 ㉯ 구성요건적 결과와 보호법익에 대한 침해는 구별되므로, 거동범일지라도 법익침해 내지 위태화가 있을 수 있고, 결과반가치도 인정할 수 있다.

07 정답 ③

③ (○) : 일반적으로 계속범의 경우 실행행위가 종료되는 시점에서의 법률이 적용되어야 할 것이나, 법률이 개정되면서 그 부칙에서 '개정된 법 시행 전의 행위에 대한 벌칙의 적용에 있어서는 종전의 규정에 의한다'는 경과규정을 두고 있는 경우 개정된 법이 시행되기 전의 행위에 대해서는 개정 전의 법을, 그 이후의 행위에 대해서는 개정된 법을 각각 적용하여야 한다(대판 2001.9.25, 2001도3990).

① (×) : 체포죄는 계속범으로서 체포의 행위에 확실히 사람의 신체의 자유를 구속한다고 인정할 수 있을 정도의 시간적 계속이 있어야 기수에 이르고, 신체의 자유에 대한 구속이 그와 같은 정도에 이르지 못하고 일시적인 것으로 그친 경우에는 체포죄의 미수범이 성립할 뿐이다(대판 2020.3.27, 2016도18713). ∴ ~ 체포죄는 체포행위에 확실히 사람의 신체의 자유를 구속한다고 인정할 수 있을 정도의 시간적 계속이 있어야 기수가 되는 계속범이다.

② (×) : 공소시효의 기산점은 종료 시이다(형사소송법 제253조 제1항). 즉시범・상태범의 공소시효의 기산점은 기수 시(기수 시가 곧 종료 시이다)이나, 계속범은 종료 시가 공소시효의 기산점이다.

④ (×) : 일반교통방해죄에서 교통방해 행위는 계속범의 성질을 가지는 것이어서 교통방해의 상태가 계속되는 한 위법상태는 계속 존재한다(2017도9146). ∴ ~ 교통방해의 상태가 계속되는 한 위법상태는 계속되는 계속범이다.

08 정답 ③

③ (×) 귀책사유 없는 사고차량의 운전자도 도로교통법 제50조 제1항, 제2항의 구호조치의무 및 신고의무가 있는지 여부(적극) ➡ 도로교통법 제50조 제1항, 제2항이 규정한 교통사고발생 시의 구호조치의무 및 신고의무는 교통질서의 회복 등에 관하여 적절한 조치를 취하게 하기 위한 방법으로 부과된 것이므로 교통사고의 결과가 피해자의 구호 및 교통질서의 회복을 위한 조치가 필요한 상황인 이상 그 의무는 교통사고를 발생시킨 당해 차량의 운전자에게 그 사고발생에 있어서 고의・과실 혹은 유책・위법의 유무에 관계없이 부과된 의무라고 해석함이 상당할 것이므로, **당해 사고에 있어 귀책사유가 없는 경우에도 위 의무가 없다 할 수 없고**, 또 위 의무는 신고의무에만 한정되는 것이 아니므로 타인에게 신고를 부탁하고 현장을 이탈하였다고 하여 위 의무를 다한 것이라고 말할 수는 없다(대판 2002.5.24, 2000도1731). ∴ 구 도로교통법 제50조의 교통사고 운전자의 사상자 구호조치의무는 선행행위의 위법 인정 불문하고 작위의무를 인정한 것이라고 할 수 있다.

① (○) 살해의 의사로 위험한 저수지로 유인한 조카(10세)가 물에 빠지자 구호하지 아니한 채 방치한 행위를 부작위에 의한 살인행위로 본 사례 ➡ 피고인이 조카인 피해자(10세)를 살해할 것을 마음먹고 저수지로 데리고 가서 미끄러지기 쉬운 제방 쪽으로 유인하여 함께 걷다가 피해자가 물에 빠지자 그를 구호하지 아니하여 피해자를 익사하게 한 것이라면 피해자가 스스로 미끄러져서 물에 빠진 것이고, 그 당시는 피고인이 살인죄의 예비 단계에 있었을 뿐 아직 실행의 착수에는 이르지 아니하였다고 하더라도, 피해자의 숙부로서 익사의 위험에 대처할 보호능력이 없는 나이 어린 피해자를 익사의 위험이 있는 저수지로 데리고 갔던 **피고인으로서는 피해자가 물에 빠져 익사할 위험을 방지하고 피해자가 물에 빠지는 경우 그를 구호하여 주어야 할 법적인 작위의무가 있다**고 보아야 할 것이고, 피해자가 물에 빠진 후에 피고인이 살해의 범의를 가지고 그를 구호하지 아니한 채 그가 익사하는 것을 용인하고 방관한 행위(부작위)는 피고인이 그를 직접 물에 빠뜨려 익사시키는 행위와 다름없다고 형법상 평가될 만한 살인의 실행행위라고 보는 것이 상당하다(대판 1992.2.11, 91도2951).

② (○) 사기죄의 요건으로서의 기망은 널리 재산상의 거래관계에 있어 서로 지켜야 할 신의와 성실의 의무를 저버리는 모든 적극적 또는 소극적 행위를 말하는 것이고, 이러한 소극적 행위로서의 **부작위에 의한 기망은 법률상 고지의무 있는 자가 일정한 사실에 관하여 상대방이 착오에 빠져 있음을 알면서도 이를 고지하지 아니함을 말하는 것**으로서, 일반거래의 경험칙상 상대방이 그 사실을 알았더라면 당해 법률행위를 하지 않았을 것이 명백한 경우에는 신의칙에 비추어 그 사실을 고지할 법률상 의무가 인정되는 것이다(대판 1998.12.8, 98도3263).

④ (○) [1] 부작위에 의한 기망은 법률상 고지의무 있는 자가 일정한 사실에 관하여 상대방이 착오에 빠져 있음을 알면서도 이를 고지하지 아니함을 말하는 것으로서, **일반거래의 경험칙상 상대방이 그 사실을 알았더라면 당해 법률행위를 하지 않았을 것이 명백한 경우에는 신의칙에 비추어 그 사실을 고지할 법률상 의무가 인정되는 것**이다. [2] 특정 시술을 받으면 아들을 낳을 수 있을 것이라는 착오에 빠져있는 피해자들에게 그 시술의 효과와 원리에 관하여 사실대로 고지하지 아니한 채 아들을 낳을 수 있는 시술인 것처럼 가장하여 일련의 시술과 처방을 행한 의사는 부작위에 의한 사기죄가 성립한다(대판 2000.1.28, 99도2884).

09 정답 ②

② (×) 설문은 입법론에 해당하며, 현행법은 부진정부작위범에 대해 형을 감경할 수 있는 규정을 두고 있지 않다.

① (○) 부작위에 의한 공범

부작위에 의한 교사	부작위는 피교사자에 대해서 현실적으로 아무런 심리적 영향을 주지 못하므로 부작위에 의한 교사는 불가능하다.
부작위에 의한 방조	결과발생을 방지해야 할 보증인지위에 있는 자가 정범의 범행을 방치한 경우에 가능하다. 형법상 방조행위가 부작위에 의하여도 성립하는지 여부(적극) ➡ 형법상 방조행위는 정범의 실행을 용이하게 하는 직접, 간접의 모든 행위를 가리키는 것으로서 작위에 의한 경우뿐만 아니라 부작위에 의하여도 성립되는 것이다(대판 2006.4.28, 2003도4128).

③ (○) 부작위범 사이의 공동정범의 성립요건 ➡ 부작위범 사이의 공동정범은 다수의 부작위범에게 공통된 의무가 부여되어 있고 그 의무를 공통으로 이행할 수 있을 때에만 성립한다고 할 것이다(대판 2008.3.27, 2008도89).

④ (○) [1] 부작위에 의한 기망은 법률상 고지의무 있는 자가 일정한 사실에 관하여 상대방이 착오에 빠져 있음을 알면서도 이를 고지하지 아니함을 말하는 것으로서, **일반거래의 경험칙상 상대방이 그 사실을 알았더라면 당해 법률행위를 하지 않았을 것이 명백한 경우에는 신의칙에 비추어 그 사실을 고지할 법률상 의무가 인정되는 것**이다. [2] 특정 시술을 받으면 아들을 낳을 수 있을 것이라는 착오에 빠져있는 피해자들에게 그 시술의 효과와 원리에 관하여 사실대로 고지하지 아니한 채 아들을 낳을 수 있는 시술인 것처럼 가장하여 일련의 시술과 처방을 행한 의사는 부작위에 의한 사기죄가 성립한다(대판 2000.1.28, 99도2884).

10 정답 ③

③ (×) 보증인의무의 체계적 지위(보증인 지위와 보증인의무의 관계)

위법성요소설	㉮ 부진정부작위범은 작위범과 달리 구성요건에서 무엇을 하여야 할 것인가를 규정하고 있지 않기 때문에 구성요건해당성이 위법성을 징표할 수 없다. ㉯ 보증인 지위에 있는 자가 작위의무에 위반하여 부작위를 한 때 비로소 그 행위의 위법성이 인정된다.	작위의무 없는 자의 부작위도 부진정부작위범의 구성요건에 해당하게 되어 구성요건해당성을 부당하게 확대시킨다. ∴ 보증인 지위와 보증인 의무를 모두 부진정부작위범의 위법성요소로 이해하는 견해[구성요건요소로 보는 견해 ×]에 따르면 부진정부작위범의 구성요건해당성이 지나치게 확대된다.
구성요건요소설 (보증인설)	㉮ 보증인의 부작위만이 작위와 같은 것으로 평가될 수 있다. ㉯ ∴ 보증인지위와 그 것의 기초가 되는 보증인의무는 구성요건요소가 된다.	작위범에서는 법적 의무가 구성요건요소가 아님에도 불구하고 부진정부작위범의 작위의무를 구성요건요소라고 하는 것은 체계적으로 부당하다.
이분설 (다수설)	보증인지위와 보증인의무를 구별 ㉮ 보증인지위 ➡ 구성요건요소 ㉯ 보증인의무 ➡ 위법성의 요소가 된다.	이분설이 타당하다. 이분설에 의할 때 보증인의무는 적극적인 위법성의 구성요소라기보다는 단지 부진정부작위범에서 위법성 인식의 대상 및 금지착오 문제를 규율하기 위한 준거점이 될 뿐이다.

① (○) 진정부작위범과 부진정부작위범 구별

❶ 형식설(통설) ㉮ 진정부작위범 ➡ 법률에 명문으로 부작위에 의해서만 실현될 수 있도록 규정된 범죄(➲ 거동범외에 결과범도 성립), ㉯ 부진정부작위범 ➡ 법률상의 규정형식은 작위범이지만 이를 부작위에 의해서도 실현할 수 있는 범죄(➲ 결과범 외에 거동범도 성립)

❷ 실질설 ㉮ 진정부작위범 ➡ 요구된 행위를 단순히 부작위 함으로써 성립되는 범죄(➲ 거동범), ㉯ 부진정부작위범 ➡ 부작위 이외에 구성요건적 결과 발생이 있어야 성립하는 범죄(➲ 결과범)

② (○) 부작위에 의한 공범

부작위에 의한 교사	부작위는 피교사자에 대해서 현실적으로 아무런 심리적 영향을 주지 못하므로 부작위에 의한 교사는 불가능하다.
부작위에 의한 방조	결과발생을 방지해야 할 보증인지위에 있는 자가 정범의 범행을 방치한 경우에 가능하다. 형법상 방조행위가 부작위에 의하여도 성립하는지 여부(적극) ➡ 형법상 방조행위는 정범의 실행을 용이하게 하는 직접, 간접의 모든 행위를 가리키는 것으로서 작위에 의한 경우뿐만 아니라 부작위에 의하여도 성립되는 것이다(대판 2006.4.28, 2003도4128).

④ (○) 다의적 행태의 경우 ➡ 하나의 행위가 작위적 요소와 부작위적 요소를 동시에 포함하고 있는 경우 어느 것을 형법적 판단의 기준으로 삼아야 할 것인가?

자연적관찰 방법 (에너지 투입설)	판례(➲ 자연적 관찰방법) "보라매병원 사건" 이른바 부진정부작위범에 있어서 부작위범의 보충성 ➡ 어떠한 범죄가 적극적 작위에 의하여 이루어질 수 있음은 물론 결과의 발생을 방지하지 아니하는 소극적 부작위에 의하여도 실현될 수 있는 경우에, 행위자가 자신의 신체적 활동이나 물리적·화학적 작용을 통하여 적극적으로 타인의 법익 상황을 악화시킴으로써 결국 그 타인의 법익을 침해하기에 이르렀다면, ➡이는 작위에 의한 범죄로 봄이 원칙이고, 작위에 의하여 악화된 법익 상황을 다시 되돌이키지 아니한 점에 주목하여 이를 부작위범으로 볼 것은 아니며, 나아가 악화되기 이전의 법익 상황이, 그 행위자가 과거에 행한 또 다른 작위의 결과에 의하여 유지되고 있었다 하여 이와 달리 볼 이유가 없다(대판 2004.6.24, 2002도995).
평가적관찰 방법 (다수설)	그 행위의 사회적 의미의 중점 또는 법적 비난의 초점이 어디에 있는가를 기준으로 작위와 부작위를 구별하는 견해

형사법 3회 모의고사 정답 및 해설

제3회 모의고사 정답

01	②	02	③	03	②	04	①	05	①
06	④	07	②	08	①	09	②	10	①

01 정답 ②

② (×) 임차인이 자신의 비용으로 설치·사용하던 가스설비의 휴즈콕크를 아무런 조치 없이 제거하고 이사를 간 후 가스공급을 개별적으로 차단할 수 있는 주밸브가 열려져 가스가 유입되어 폭발사고가 발생한 경우, 구 액화석유가스의 안전 및 사업관리법상의 관련 규정 취지와 그 주밸브가 누군가에 의하여 개폐될 가능성을 배제할 수 없다는 점 등에 비추어 그 **휴즈콕크를 제거하면서 그 제거부분에 아무런 조치를 하지 않고 방치하면 주밸브가 열리는 경우 유입되는 가스를 막을 아무런 안전장치가 없어 가스 유출로 인한 대형사고의 가능성이 있다는 것은 평균인의 관점에서 객관적으로 볼 때 충분히 예견할 수 있다**는 이유로 임차인의 과실과 가스폭발사고 사이의 상당인과관계를 인정한 사례(대판 2001.6.1, 99도5086) ∴ 임차인이 자신의 비용으로 설치·사용하던 가스설비의 휴즈콕크를 아무런 조치 없이 제거하고 이사를 간 후 주밸브가 열려져 가스가 유입되어 폭발사고가 발생한 경우 임차인의 과실과 가스폭발사고 사이에 상당인과관계가 인정된다.

① (○) 피고인의 강타로 인하여 임신 7개월의 피해자가 지상에 넘어져서 4일 후에 낙태하고 위 낙태로 유발된 심근경색증으로 죽음에 이르게 된 경우 피고인의 구타행위와 피해자의 사망 간에는 인과관계가 있다(대판 1972.3.28, 72도296).

③ (○) 피고인들이 공동하여 피해자를 폭행하여 당구장 3층에 있는 화장실에 숨어 있던 피해자를 다시 폭행하려고 피고인 갑은 화장실을 지키고, 피고인 을은 당구치는 기구로 문을 내려쳐 부수자 위협을 느낀 피해자가 화장실 창문 밖으로 숨으려다가 실족하여 떨어짐으로써 사망한 경우에는 피고인들의 위 폭행행위와 피해자의 사망 사이에는 인과관계가 있다고 할 것이므로 폭행치사죄의 공동정범이 성립된다(대판 1990.10.16, 90도1786).

④ (○) [1] 고속도로를 운행하는 자동차의 운전자로서는 일반적인 경우에 고속도로를 횡단하는 보행자가 있을 것까지 예견하여 보행자와의 충돌사고를 예방하기 위하여 급정차 등의 조치를 취할 수 있도록 대비하면서 운전할 주의의무가 없고, 다만 **고속도로를 무단횡단하는 보행자를 충격하여 사고를 발생시킨 경우라도 운전자가 상당한 거리에서 보행자의 무단횡단을 미리 예상할 수 있는 사정**이 있었고, 그에 따라 즉시 감속하거나 급제동하는 등의 조치를 취하였다면 보행자와의 충돌을 피할 수 있었다는 등의 특별한 사정이 인정되는 경우에만 **자동차 운전자의 과실이 인정**될 수 있다.

[2] 야간에 고속도로를 무단횡단하는 보행자를 충격하여 사망에 이르게 한 운전자의 과실과 사고 사이의 상당인과관계를 인정한 원심을 파기한 사례(대판 2000.9.5, 2000도2671)
➡ 피고인에게 야간에 고속버스와의 안전거리를 확보하지 아니한 채 진행하다가 고속버스의 우측으로 제한최고속도를 시속 20km 초과하여 고속버스를 추월한 잘못이 있더라도, 이 사건 사고경위에 비추어 볼 때 피고인의 위와 같은 잘못과 이 사건 사고결과와의 사이에 상당인과관계가 있다고 할 수도 없다.

02 정답 ③

㉠ (○) [1] 피해자들에 대한 가해행위를 분담하여 직접 실행한 피고인 1·3·5·6 등이 소론과 같이 피해자들의 머리나 가슴 등 치명적인 부위를 낫이나 칼로 찌르지는 않았다고 하더라도, 쇠파이프와 각목으로 피해자들의 머리와 몸을 마구 때리고 낫으로 팔과 다리를 난자한 이상 (중략) 살인의 미필적 고의가 있었다고 볼 수 있다. [2] 살인의 실행행위가 피해자의 사망이라는 결과를 발생하게 한 유일한 원인이거나 직접적인 원인이어야만 되는 것은 아니므로, 살인의 실행행위와 피해자의 사망과의 사이에 다른 사실이 개재되어 그 사실이 치사의 직접적인 원인이 되었다고 하더라도 그와 같은 사실이 통상 예견할 수 있는 것에 지나지 않는다면 살인의 실행행위와 피해자의 사망과의 사이에 인과관계가 있는 것이다(대판 1994.3.22, 93도3612).

㉡ (×) 피고인이 자동차를 운전하다 횡단보도를 걷던 보행자 갑을 들이받아 그 충격으로 횡단보도 밖에서 갑과 동행하던 피해자 을이 밀려 넘어져 상해를 입은 사안에서, 위 사고는, 피고인이 횡단보도 보행자 갑에 대하여 구 도로교통법 제27조 제1항에 따른 주의의무를 위반하여 운전한 업무상 과실로 야기되었고, 을의 상해는 이를 직접적인 원인으로 하여 발생하였다는 이유로, 피고인의 행위가 구 교통사고처리 특례법 제3조 제2항 단서 제6호에서 정한 횡단보도 보행자 보호의무의 위반 행위에 해당한다고 한 사례(대판 2011.4.28, 2009도12671) ∴ 피고인이 자동차를 운전하다 횡단보도를 걷던 보행자 甲을 들이받아 그 충격으로 횡단보도 밖에서 甲과 동행하던 피해자 乙이 밀려 넘어져 상해를 입은 경우, 피고인의 구 「도로교통법」 제27조 제1항에 따른 주의의무를 위반하여 운전한 업무상 과실과 乙의 상해 사이에는 인과관계가 인정된다.

㉢ (×) 위계에 의한 간음죄가 보호대상으로 삼는 아동·청소년, 미성년자, 심신미약자, 피보호자·피감독자, 장애인 등의 성적 자기결정 능력은 그 나이, 성장과정, 환경, 지능 내지 정신기능 장애의 정도 등에 따라 개인별로 차이가 있으므로 간음행위와 인과관계가 있는 위계에 해당하는지 여부를 판단할 때에는 구체적인 범행 상황에 놓인 피해자의 입장과 관점이 충분히 고려되어야 하고, 일반적·평균적 판단능력을 갖춘 성인 또는 충분한 보호와 교육을 받은 또래의 시각에서 인과관계를 쉽사리 부정하여서는 안 된다(대판(전) 2020.8.27, 2015도9436).

㉣ (×) 강간행위와 그것이 원인이 된 피해자의 자살행위 간에 인과관계의 유무(소극) ➡ 강간을 당한 피해자가 집에 돌아가 음독자살하기에 이르른 원인이 강간을 당함으로 인하여 생긴 수치심과 장래에 대한 절망감 등에 있었다 하더라도 그 자살행위가 바로 강간행위로 인하여 생긴 당연의 결과라고 볼 수는 없으므로 강간행위와 피해자의 자살행위 사이에 인과관계를 인정할 수는 없다(대판 1982.11.23, 82도1446). ∴ 강간을 당한 피해자가 집에 돌아가 음독자살하기에 이른 원인이 강간을 당함으로 인하여 생긴 수치심과 장래에 대한 절망감 등에 있었다면 그 자살행위가 바로 강간행위로 인하여 생긴 당연한 결과라고 볼 수 없으므로 강간을 한 피고인을 강간치사죄로 처벌할 수 없다.

03 정답 ②

㉠ (○) 의사가 설명의무를 위반한 채 의료행위를 하여 피해자에게 상해가 발생하였다고 하더라도, 업무상 과실로 인한 형사책임을 지기 위해서는 피해자의 상해와 의사의 설명의무 위반 내지 승낙취득 과정의 잘못 사이에 상당인과관계가 존재하여야 하고, 이는 한의사의 경우에도 마찬가지이다(대판 2011.4.14, 2010도10104).

㉡ (×) 자상으로 급성신부전증이 발생한 피해자가 음식과 수분의 섭취를 억제해야 함에도 콜라와 김밥을 함부로 먹은 탓에 체내에 수분저류가 발생하여 합병증이 유발됨으로써 사망한 경우, 살인의 실행행위가 피해자의 사망이라는 결과를 발생하게 한 유일한 원인이거나 직접적인 원인이어야만 되는 것은 아니므로, 살인의 실행행위와 피해자의 사망과의 사이에 다른 사실이 개재되어 그 사실이 치사의 직접적인 원인이 되었다고 하더라도 그와 같은 사실이 통상 예견할 수 있는 것에 지나지 않는다면 살인의 실행행위와 피해자의 사망과의 사이에 인과관계가 있는 것으로 보아야 한다(대판 2011.4.14, 2010도10104).

㉢ (×) 폭행 또는 협박으로 타인의 재물을 강취하려는 행위와 이에 극도의 흥분을 느끼고 공포심에 사로잡혀 이를 피하려다 상해에 이르게 된 사실과는 상당인과관계가 있다 할 것이고 이 경우 강취 행위자가 상해의 결과의 발생을 예견할 수 있었다면 이를 강도치상죄로 다스릴 수 있다(대판 1996.7.12, 96도1142).

㉣ (○) 피고인의 자상행위가 피해자를 사망하게 한 직접적 원인은 아니었다 하더라도 이로부터 발생된 다른 간접적 원인이 결합되어 사망의 결과를 발생하게 한 경우라도 그 행위와 사망 간에는 인과관계가 있다고 할 것인바, 이 사건 진단서에는 직접사인 심장마비, 호흡부전, 중간선행사인 패혈증, 급성심부전증, 선행사인 자상, 장골정맥파열로 되어 있으며, 피해자가 부상한 후 1개월이 지난 후에 위 패혈증 등으로 사망하였다 하더라도 그 패혈증이 위 자창으로 인한 과다한 출혈과 상처의 감염 등에 연유한 것인 이상 자상행위와 사망과의 사이에 인과관계의 존재를 부정할 수 없다(대판 1982.12.28, 82도2525).

04 정답 ①

㉠ (×) 고의의 일종인 미필적 고의는 중대한 과실과는 달리 범죄사실의 발생 가능성에 대한 인식이 있고 나아가 범죄사실이 발생할 위험을 용인하는 내심의 의사가 있어야 한다. 행위자가 범죄사실이 발생할 가능성을 용인하고 있었는지는 행위자의 진술에 의존하지 않고 외부에 나타난 행위의 형태와 행위의 상황 등 구체적인 사정을 기초로 일반인이라면 범죄사실이 발생할 가능성을 어떻게 평가할 것인지를 고려하면서 행위자의 입장에서 그 심리상태를 추인하여야 한다(대판 2017.1.12, 2016도15470).

② (○) 절도죄에 있어서 재물의 타인성을 오신하여 그 재물이 자기에게 취득(빌린 것)할 것이 허용된 동일한 물건으로 오인하고 가져온 경우에는 범죄사실에 대한 인식이 있다고 할 수 없으므로 범의가 조각되어 절도죄가 성립하지 아니한다(대판 1983.9.13, 83도1762).

③ (○) 명예훼손죄의 주관적 구성요건으로서의 범의는 행위자가 피해자의 명예가 훼손되는 결과를 발생케 하는 사실을 인식하므로 족하다 할 것이나, 새로 목사로서 부임한 피고인이 전임목사에 관한 교회내의 불미스러운 소문의 진위를 확인하기 위하여 이를 교회집사들에게 물어보았다면 이는 경험칙상 충분히 있을 수 있는 일로서 명예훼손의 고의없는 단순한 확인에 지나지 아니하여 사실의 적시라고 할 수 없다. 이 점에서 피고인에게 명예훼손의 고의 또는 미필적 고의가 있을 수 없다(대판 1985.5.28, 85도588).

④ (○) 부진정 부작위범의 고의는 반드시 구성요건적 결과발생에 대한 목적이나 계획적인 범행 의도가 있어야 하는 것은 아니고 법익침해의 결과발생을 방지할 법적 작위의무를 가지고 있는 사람이 의무를 이행함으로써 결과발생을 쉽게 방지할 수 있었음을 예견하고도 결과발생을 용인하고 이를 방관한 채 의무를 이행하지 아니한다는 인식을 하면 족하며, 이러한 작위의무자의 예견 또는 인식 등은 확정적인 경우는 물론 불확정적인 경우이더라도 미필적 고의로 인정될 수 있다. 이때 작위의무자에게 이러한 고의가 있었는지는 작위의무자의 진술에만 의존할 것이 아니라, 작위의무의 발생근거, 법익침해의 태양과 위험성, 작위의무자의 법익침해에 대한 사태지배의 정도, 요구되는 작위의무의 내용과 이행의 용이성, 부작위에 이르게 된 동기와 경위, 부작위의 형태와 결과발생 사이의 상관관계 등을 종합적으로 고려하여 작위의무자의 심리상태를 추인하여야 한다(대판(전) 2015.11.12, 2015도6809).

05 정답 ①

㉠ (○) 고의의 인식대상은 객관적 구성요건요소이다. 따라서 설문의 주체는 고의의 인식대상임

㉡ (×) 처벌조건으로 고의의 인식대상이 아님

㉢ (×) 처벌조건 내지 소추조건으로 고의의 인식대상이 아님

㉣ (○) 객관적 구성요건 요소인 행위방법(수단)으로서 고의의 인식대상임

㉤ (×) 소추조건으로 고의의 인식대상이 아님

06 정답 ④

④ (×) 면허증에 그 유효기간과 적성검사를 받지 아니하면 면허가 취소된다는 사실이 기재되어 있고, 이미 적성검사 미필로 면허가 취소된 전력이 있는데도 면허증에 기재된 유효기간이 5년 이상 지나도록 적성검사를 받지 아니한 채 자동차를 운전하였다면 비록 적성검사 미필로 인한 운전면허 취소사실이 통지되지 아니하고 공고되었다 하더라도 면허취소사실을 알고 있었다고 보아야 하므로 무면허운전죄가 성립한다(대판 2002.10.22, 2002도4203). ∴ 이미 적성검사 미필로 면허가 취소된 전력이 있는데도 면허증에 기재된 유효기간이 5년 이상 지나도록 적성검사를 받지 아니한 채 자동차를 운전하였다 하였다면 적성검사 미필로 인한 운전면허 취소사실이 통지되지 아니하고 공고되었다하더라도 운전자가 면허취소 사실을 알고 있었다고 보아야 하므로 무면허운전죄가 성립한다.

① (○) 어로저지선을 넘어 어로작업을 하면 납북될 염려와 납북되면 그들의 활동을 찬양할 것을 예견하였다 하더라도 납북되어도 좋다는 생각에서 들어간 것이 아니면 위 범행에 대한 미필적 고의가 있다 할 수 없다(대판 1969.12.9, 69도1671).

② (○) 전당포영업자가 보석들을 전당잡으면서 인도받을 당시 장물인 정을 몰랐다가 그 후 장물일지도 모른다고 의심하면서 소유권포기각서를 받은 행위는 장물취득죄에 해당하지 않고, 또한 **전당포영업자가 대여금채권의 담보로 보석들을 전당잡은 경우에는 이를 점유할 권한이 있는 때에 해당하여 장물보관죄 역시 성립하지 않는다**(대판 2006.10.13, 2004도6084).

③ (○) 공무집행방해죄에 있어서의 범의는 상대방이 직무를 집행하는 공무원이라는 사실, 그리고 이에 대하여 폭행 또는 협박을 한다는 사실을 인식하는 것을 그 내용으로 하고, 그 인식은 불확정적인 것이라도 소위 미필적 고의가 있다고 보아야 하며, 그 직무집행을 방해할 의사를 필요로 하지 아니하고 이와 같은 범의는 피고인이 이를 자백하고 있지 않고 있는 경우에는 그것을 입증함에 있어서는 사물의 성질상 고의와 상당한 관련성이 있는 간접사실을 증명하는 방법에 의할 수밖에 없는 것이나, 그때에 무엇이 상당한 관련성이 있는 간접사실에 해당할 것인가는 정상적인 경험칙에 바탕을 두고 치밀한 관찰력이나 분석력에 의하여 사실의 연결상태를 합리적으로 판단하는 것 외에 다른 방법은 없다(대판 1995.1.24, 94도1949).

07 정답 ②

② (×) 甲이 乙을 살해할 의사로 乙의 물병에 독약을 탔으나 乙의 개가 이 물을 마시고 죽은 경우 ➡ 구체적 부합설에 따르면 乙에 대한 살인죄만 성립한다. [동가치 착오(추상적 사실의 착오) 중 방법의 착오 유형이므로 구체적 부합설은 발생사실의 과실과(설문의 과실손괴는 처벌 조항 없음) 인식사실의 미수(살인미수)를 인정함]

① (○) 동가치 착오(구체적 사실의 착오) 중 방법의 착오 유형 ➡ ∴ 법정적 부합설은 발생사실의 기수를 인정함

③ (○) 동가치 착오(구체적 사실의 착오) 중 객체의 착오 유형 ➡ ∴ 구체적 부합설과 법정적 부합설은 모두 발생사실의 기수(丙에 대한 살인기수)를 인정함

④ (○) 이가치 착오(추상적 사실의 착오) 중 방법의 착오 유형 ➡ ∴ 구체적 부합설은 발생사실의 과실과(과실상해) 인식사실의 미수(손괴미수)의 상장적 경합을 인정함

08 정답 ①

① (×) 설문은 동가치 착오 중 객체의 착오에 해당한다. 법정적 부합설인 판례에 의하면 발생사실의 고의기수를 인정하나 존속을 인식하지 못하였으므로 제15조 제1항에 따라 보통살인죄가 된다.

② (○) 피고인이 먼저 피해자 1을 향하여 살의를 갖고 소나무 몽둥이(증 제1호, 길이 85센티미터 직경 9센티미터)를 양손에 집어들고 힘껏 후려친 가격으로 피를 흘리며 마당에 고꾸라진 동녀와 동녀의 등에 업힌 피해자 2의 머리부분을 위 몽둥이로 내리쳐 피해자 2를 현장에서 두개골절 및 뇌좌상으로 사망케 한 소위를 살인죄로 의율한 원심조처는 정당하다. 설문은 동가치 착오(구체적 사실의 착오)이면서 방법의 착오에 해당한다. 판례는 법정적 부합설과 같은 결론을 취하므로 B에 대한 살인죄가 성립한다(대판 1984.1.24, 85도2813 참고).

③ (○) 동가치 착오(구체적 사실의 착오)이면서 방법의 착오에 해당한다. 구체적 부합설에 의하면 인식에 대한 미수와 발생사실의 과실의 상상적 경합범이 성립한다. A에 대한 상해미수죄와 B에 대한 과실치상죄의 상상적 경합이 된다.

④ (○) 동가치 착오(구체적 사실의 착오)이면서 객체의 착오에 해당한다. 법정적 부합설에 의하면 발생사실의 고의기수가 된다. B에 대한 상해죄가 성립한다.

09 정답 ②

② (×) : 법정적 부합설에 따르면 강아지에 손괴미수죄와 A에 대한 과실치사죄의 상상적 경합이 성립하며, 추상적 부합설에 따르면 강아지에 대한 손괴기수죄와 A에 대한 과실치사죄의 상상적 경합이 성립하게 된다. 따라서 법정적 부합설과 추상적 부합설의 결론은 다르다.

① (○) 구성요건적 착오(사실의 착오)의 문제로 이가치 착오(추상적 사실의 착오) 중 방법의 착오에 해당한다.

③ (○) 이가치 착오(추상적 사실의 착오) 중 방법의 착오 유형 ➡ ∴ 구체적 부합설은 발생사실의 과실과(과실상해) 인식사실의 미수(손괴미수)의 상장적 경합을 인정함. 강아지에 대한 손괴미수죄와 A에 대한 과실치사죄의 상상적 경합이 성립한다.

④ (○) 동가치 착오(구체적 사실의 착오) 중 방법의 착오이다. 판례(법정적 부합설)에 의하면 발생사실의 기수책임이므로 A에 대한 살인죄의 성립을 긍정한다.

10 정답 ①

㉠ (O) 사례는 개괄적 고의에 대한 내용이다. 이에 판례는 전 과정을 개괄적으로 보면 결국 甲이 처음에 예견한 살인을 실현한 것이므로, 甲은 살인죄가 성립한다(대판 1988.6.28, 88도650).

㉡ (O) 증거인멸죄는 타인의 형사사건 또는 징계사건에 관한 증거를 인멸, 은닉, 위조 또는 변조하거나 위조 또는 변조한 증거를 사용한 경우를 처벌하는 규정이다. 따라서 자기의 형사사건에 관한 증거를 인멸하는 경우에는 증거인멸죄가 성립하지 않는다.

㉢ (×) 전 과정을 개괄적으로 보면 결국 甲이 처음에 예견한 살인을 실현한 것이므로, 甲은 살인죄가 성립한다(대판 1988.6.28, 88도650).

㉣ (×) 피고인이 피해자에게 우측 흉골골절 및 늑골골절상과 이로 인한 우측 심장벽좌상과 심낭내출혈 등의 상해를 가함으로써, 피해자가 바닥에 쓰러진 채 정신을 잃고 빈사상태에 빠지자, 피해자가 사망한 것으로 오인하고, 피고인의 행위를 은폐하고 피해자가 자살한 것처럼 가장하기 위하여 피해자를 베란다로 옮긴 후 베란다 밑 약 13m 아래의 바닥으로 떨어뜨려 피해자로 하여금 현장에서 좌측 측두부 분쇄함몰골절에 의한 뇌손상 및 뇌출혈 등으로 사망에 이르게 하였다면, 피고인의 행위는 포괄하여 단일의 상해치사죄에 해당한다(대판 1994.11.4, 94도2361).

형사법 4회 모의고사 정답 및 해설

제4회 모의고사 정답

01	④	02	①	03	④	04	②	05	③
06	①	07	③	08	②	09	③	10	①

01 정답 ④

④ (×) 운동경기에 참가하는 자가 경기규칙을 준수하는 중에 또는 그 경기의 성격상 당연히 **예상되는 정도의 경미한 규칙위반 속에 제3자에게 상해의 결과를 발생시킨 것으로서, 사회적 상당성의 범위를 벗어나지 아니하는 행위라면 과실치상죄가 성립하지 않는다.** 그러나 골프경기를 하던 중 골프공을 쳐서 아무도 예상하지 못한 자신의 등 뒤편으로 보내어 등 뒤에 있던 경기보조원(캐디)에게 상해를 입힌 경우에는 주의의무를 현저히 위반하여 사회적 상당성의 범위를 벗어난 행위로서 과실치상죄가 성립한다(대판 2008.10.23, 2008도6940). ∴ 골프경기 중 골프공을 쳐서 아무도 예상하지 못한 자신의 등 뒤편으로 보내어 등 뒤에 있던 경기보조원(캐디)이 상해를 입은 경우에는 주의의무를 위반한 것으로 볼 수 있으므로 과실치상죄가 성립한다.

① (○) 차량의 운전자로서는 횡단보도의 신호가 적색인 상태에서 반대차선상에 정지해 있는 차량의 뒤로 보행자가 건너오지 않을 것이라고 신뢰하는 것이 당연하고 그렇지 아니할 사태까지 예상하여 그에 대한 주의의무를 다하여야 한다고는 할 수 없다(대판 1993.2.23, 92도2077).

② (○) 술을 마시고 찜질방에 들어온 乙이 찜질방 직원 몰래 후문으로 나가 술을 더 마신 다음 후문으로 다시 들어와 발한실에서 잠을 자다가 사망한 사안에서, 乙이 처음 찜질방에 들어갈 당시 술에 만취하여 목욕장의 정상적 이용이 곤란한 상태였다고 단정하기 어렵고, 찜질방 직원 및 영업주에게 손님이 몰래 후문으로 나가 술을 더 마시고 들어올 경우까지 예상하여 직원을 추가로 배치하거나 후문으로 출입하는 모든 자를 통제·관리하여야 할 업무상 주의의무가 있다고 보기 어렵다는 이유로, 위 찜질방 직원 및 영업주가 공중위생영업자로서의 업무상 주의의무를 위반하였다고 본 원심판단에 법리오해 및 심리미진의 위법이 있다(대판 2010.2.11, 2009도9807).

③ (○) [1] 수혈은 종종 그 과정에서 부작용을 수반하는 의료행위이므로, 수혈을 담당하는 의사는 혈액형의 일치 여부는 물론 수혈의 완성 여부를 확인하고, (중략) 간호사로 하여금 의료행위에 관여하게 하는 경우에도 그 의료행위는 의사의 책임하에 이루어지는 것이고 (중략) 이를 소홀히 한 채 만연히 간호사를 신뢰하여 간호사에게 당해 의료행위를 일임함으로써 간호사의 과오로 환자에게 위해가 발생하였다면 의사는 그에 대한 과실책임을 면할 수 없다. [2] 피고인이 근무하는 병원에서는 인턴의 수가 부족하여 수혈의 경우 두 번째 이후의 혈액봉지는 인턴 대신 간호사가 교체하는 관행이 있었다고 하더라도, 위와 같이 혈액봉지가 바뀔 위험이 있는 상황에서 피고인이 그에 대한 아무런 조치도 취함이 없이 간호사에게 혈액봉지의 교체를 일임한 것이 관행에 따른 것이라는 이유만으로 정당화될 수는 없다(대판 1998.2.27, 97도2812).

02 정답 ①

① (○) 의료사고에 있어 의료인의 과실의 유무를 판단함에 있어서는 같은 업무와 직무에 종사하는 일반적 보통인의 주의정도를 표준으로 하여야 하되, 사고 당시의 일반적인 의학 수준과 의료환경 및 조건, 의료행위의 특수성 등이 고려되어야 한다(대판 2010.3.25, 2008도590 / 대판 2018.5.15, 2016도13089).

② (×) 형법 제10조 제3항은 고의에 의한 원인에 있어서의 자유로운 행위만이 아니라 과실에 의한 원인에 있어서의 자유로운 행위까지도 포함하는 것으로서 위험의 발생을 예견할 수 있었는데도 자의로 심신장애를 야기한 경우도 그 적용대상이 된다고 할 것이어서, 피고인이 음주운전을 할 의사를 가지고 음주만취한 후 운전을 결행하여 교통사고를 일으켰다면 피고인은 **음주 시에 교통사고를 일으킬 위험성을 예견하였는데도 자의로 심신장애를 야기한 경우에 해당**하므로 위 법조항에 의하여 **심신장애로 인한 감경 등을 할 수 없다**(대판 1992.7.28, 92도999). ∴ 법 제10조 제3항(원인에 있어서 자유로운 행위)은 고의에 의한 원인에 있어서의 자유로운 행위만 아니라 과실에 의한 원인에 있어서의 자유로운 행위까지 포함하는 것이다.

③ (×) 교량붕괴에 있어서의 과실에 의한 공동정범 성립 여부(적극) ➡ 성수대교와 같은 교량이 그 수명을 유지하기 위하여는 건설업자의 완벽한 시공, 감독공무원들의 철저한 제작시공상의 감독 및 유지·관리를 담당하고 있는 공무원들의 철저한 유지·관리라는 조건이 합치되어야 하는 것이므로, 위 각 단계에서의 과실 그것만으로 붕괴원인이 되지 못한다고 하더라도 그것이 합쳐지면 교량이 붕괴될 수 있다는 점은 쉽게 예상할 수 있고, 따라서 위 각 단계에 관여한 자는 전혀 과실이 없다거나 과실이 있다고 하여도 교량붕괴의 원인이 되지 않았다는 등의 특별한 사정이 있는 경우를 제외하고는 붕괴에 대한 공동책임을 면할 수 없다. 이 사건의 경우, 피고인들은 이 사건 성수대교를 안전하게 건축되도록 한다는 공동의 목표와 의사연락이 있었다고 보아야 할 것이므로, 피고인들 사이에는 이 사건 업무상과실치사상등죄에 대하여 형법 제30조 소정의 공동정범의 관계가 성립된다고 보아야 할 것이다(대판 1997.11.28, 97도1740). ∴ 교량붕괴 사고와 관련하여, 건설업자 甲과 이를 감독하는 공무원 乙 및 완공된 교량의 관리를 담당하는 공무원 丙의 과실이 서로 합쳐져 교량이 붕괴된 사실이 인정되면 과실범의 공동정범이 성립한다.

④ (×) 택시 운전자인 피고인이 심야에 밀집된 주택 사이의 좁은 골목길이자 직각으로 구부러져 가파른 비탈길의 내리막에

누워 있던 피해자의 몸통 부위를 택시 바퀴로 역과하여 그 자리에서 사망에 이르게 한 사안에서, 위 사고 당시 시각과 사고 당시 도로상황 등에 비추어 자동차 운전업무에 종사하는 피고인으로서는 평소보다 더욱 속도를 줄이고 전방 좌우를 면밀히 주시하여 안전하게 운전함으로써 사고를 미연에 방지할 주의의무가 있었는데도, 이를 게을리한 채 그다지 속도를 줄이지 아니한 상태로 만연히 진행하던 중 전방 도로에 누워 있던 피해자를 발견하지 못하여 위 사고를 일으켰으므로, 사고 당시 피고인에게는 이러한 업무상 주의의무를 위반한 잘못이 있다(대판 2011.5.26, 2010도17506). ∴ 택시운전기사가 ~ 그에게 업무상 주의의무 위반을 인정할 수 있다.

03 정답 ④

④ (×) 제181조, 제189조 ∴ 과실일수죄는 형법상 처벌규정이 있으며, 과실교통방해죄도 처벌규정이 있다.

> 제181조(과실일수) 과실로 인하여 제177조 또는 제178조에 기재한 물건을 침해한 자 또는 제179조에 기재한 물건을 침해하여 공공의 위험을 발생하게 한 자는 1천만원 이하의 벌금에 처한다.
> 제189조(과실) ① 과실로 인하여 제185조(과실교통방해죄) 내지 제187조의 죄를 범한 자는 1천만원 이하의 벌금에 처한다.

① (O) 대판 1979.8.21, 79도1249 ➡ 행위공동설의 입장에서 과실범의 공동정범을 긍정 / 1. 형법 제30조에 "공동하여 죄를 범한 때"의 "죄"라 함은 고의범이고 과실범이고를 불문하므로 두사람 이상이 어떠한 과실행위를 서로의 의사연락하에 이룩하여 범죄가 되는 결과를 발생케 한 것이라면 과실범의 공동정범이 성립된다. 2. 운전병이 운전하던 짚차의 **선임 탑승자는 이 운전병의 안전운행을 감독하여야 할 책임**이 있는데 오히려 **운전병을 데리고 주점에 들어가서 같이 음주한 다음 운전케** 한 결과 위 운전병이 **음주로 인하여 취한 탓으로 사고가 발생한 경우**에는 **위 선임 탑승자에게도 과실범의 공동정범이 성립**한다.

② (O) 고속국도에서는 보행으로 통행, 횡단하거나 출입하는 것이 금지되어 있으므로 고속국도를 주행하는 차량의 운전자는 도로양측에 휴게소가 있는 경우에도 동 도로상에 보행자가 있음을 예상하여 감속등 조치를 할 주의의무가 있다 할 수 없다(대판 1977.6.28, 77도403).

③ (O) 술을 마시고 찜질방에 들어온 乙이 찜질방 직원 몰래 후문으로 나가 술을 더 마신 다음 후문으로 다시 들어와 발한실에서 잠을 자다가 사망한 사안에서, 乙이 처음 찜질방에 들어갈 당시 술에 만취하여 목욕장의 정상적 이용이 곤란한 상태였다고 단정하기 어렵고, 찜질방 직원 및 영업주에게 손님이 몰래 후문으로 나가 술을 더 마시고 들어올 경우까지 예상하여 직원을 추가로 배치하거나 후문으로 출입하는 모든 자를 통제·관리하여야 할 업무상 주의의무가 있다고 보기 어렵다는 이유로, 위 찜질방 직원 및 영업주가 공중위생영업자로서의 업무상 주의의무를 위반하였다고 본 원심판단에 법리오해 및 심리미진의 위법이 있다(대판 2010.2.11, 2009도9807).

04 정답 ②

② (×) 형법 제10조 제3항은 고의에 의한 원인에 있어서의 자유로운 행위만이 아니라 과실에 의한 원인에 있어서의 자유로운 행위까지도 포함하는 것으로서 위험의 발생을 예견할 수 있었는데도 자의로 심신장애를 야기한 경우도 그 적용대상이 된다고 할 것이어서, 피고인이 음주운전을 할 의사를 가지고 음주만취한 후 운전을 결행하여 교통사고를 일으켰다면 피고인은 **음주 시에 교통사고를 일으킬 위험성을 예견하였는데도 자의로 심신장애를 야기한 경우에 해당**하므로 위 법조항에 의하여 **심신장애로 인한 감경 등을 할 수 없다**(대판 1992.7.28, 92도999). ∴ 법 제10조 제3항(원인에 있어서 자유로운 행위)은 고의에 의한 원인에 있어서의 자유로운 행위만 아니라 과실에 의한 원인에 있어서의 자유로운 행위까지 포함하는 것이다.

① (O) 과실범의 미수 ㉠ 미수범은 고의범의 경우에만 인정된다. 그러므로 과실범의 경우에는 고의범처럼 결과발생을 인식·인용하여 실행에 옮기는 과정이 없기 때문에 미수가 성립할 수 없다. ㉡ 또한 형법상 이에 대한 처벌규정도 없다.

③ (O) 제119조, 제172조, 제173조의2

> 제119조(폭발물사용) ① 폭발물을 사용하여 사람의 생명, 신체 또는 재산을 해하거나 기타 공안을 문란한 자는 사형, 무기 또는 7년 이상의 징역에 처한다.
> ② 전쟁, 천재 기타 사변에 있어서 전항의 죄를 범한 자는 사형 또는 무기징역에 처한다.
> ③ 전2항의 미수범은 처벌한다.
> 제172조(폭발성물건파열) ① 보일러, 고압가스 기타 폭발성 있는 물건을 파열시켜 사람의 생명, 신체 또는 재산에 대하여 위험을 발생시킨 자는 1년 이상의 유기징역에 처한다.
> ② 제1항의 죄를 범하여 사람을 상해에 이르게 한 때에는 무기 또는 3년 이상의 징역에 처한다. 사망에 이르게 한 때에는 무기 또는 5년 이상의 징역에 처한다.
> 제173조의2(과실폭발성물건파열등) ① 과실로 제172조 제1항, 제172조의2 제1항, 제173조 제1항과 제2항의 죄를 범한 자는 5년 이하의 금고 또는 1천500만원 이하의 벌금에 처한다.
> ② 업무상과실 또는 중대한 과실로 제1항의 죄를 범한 자는 7년 이하의 금고 또는 2천만원 이하의 벌금에 처한다.

④ (O) 제364조

> 제364조(업무상과실, 중과실) 업무상과실 또는 중대한 과실로 인하여 제362조의 죄를 범한 자는 1년 이하의 금고 또는 500만원 이하의 벌금에 처한다.
> ▸ 업무상과실장물취득죄는 단순과실장물취득죄보다 형이 가중되는 가중적 구성요건이 아니며(즉 감경적 구성요건임) 부진정신분범이 아니다(즉 업무가 정범요소가 되어 업무자의 행위만이 구성요건에 해당하는 경우로서 진정신분범임).

05 정답 ③

③ (×) 원발주자에 의해 임명되지 않은 공사현장감독의 업무상 과실책임 ➡ 피고인이 사업 당시 공사현장감독인인 이상 그 공사의 원래의 발주자의 직원이 아니고 또 동 **발주자에 의하여 현장감독에 임명된 것도 아니며, 건설업법상 요구되는 현장건설기술자의 자격도 없다는 등의 사유는 업무상과실책임을 물음에 아무런 영향도 미칠 수 없다**(대판 1983.6.14, 82도2713). ∴ 공사현장 감독인이 공사의 발주자에 의하여 현장감독에 임명된 것이 아니고, 건설업법상 요구되는 현장건설기술자의 자격도 없더라도 업무상 과실책임을 물을 수 있다.

① (○) 과실범의 미수 ㉠ 미수범은 고의범의 경우에만 인정된다. 그러므로 과실범의 경우에는 고의범처럼 결과발생을 인식·인용하여 실행에 옮기는 과정이 없기 때문에 미수가 성립할 수 없다. ㉡ 또한 형법상 이에 대한 처벌규정도 없다.

② (○) 행정상의 단속을 주안으로 하는 법규의 경우 명시적 규정 없이도 과실범으로 처벌할 수 있는지 여부(원칙적 소극) ➡ 행정상의 단속을 주안으로 하는 법규라 하더라도 '명문규정이 있거나 해석상 과실범도 벌할 뜻이 명확한 경우'를 제외하고는 형법의 원칙에 따라 '고의'가 있어야 벌할 수 있다(대판 2010.2.11, 2009도9807).

④ (○) 택시 운전자인 피고인이 심야에 밀집된 주택 사이의 좁은 골목길이자 직각으로 구부러져 가파른 비탈길의 내리막에 누워 있던 피해자의 몸통 부위를 택시 바퀴로 역과하여 그 자리에서 사망에 이르게 한 사안에서, 위 사고 당시 시각과 사고 당시 도로상황 등에 비추어 자동차 운전업무에 종사하는 피고인으로서는 평소보다 더욱 속도를 줄이고 전방 좌우를 면밀히 주시하여 안전하게 운전함으로써 사고를 미연에 방지할 주의의무가 있었는데도, 이를 게을리한 채 그다지 속도를 줄이지 아니한 상태로 만연히 진행하던 중 전방 도로에 누워 있던 피해자를 발견하지 못하여 위 사고를 일으켰으므로, 사고 당시 피고인에게는 이러한 업무상 주의의무를 위반한 잘못이 있다(대판 2011.5.26, 2010도17506). ∴ 택시운전기사가 ~ 그에게 업무상 주의의무 위반을 인정할 수 있다.

06 정답 ①

① (×) 부득이한 사정으로 중앙선을 침범하여 교통사고를 일으켰으므로 교통사고처리특례법 제3조 제2항 제2호 소정의 중앙선침범에는 해당하지 아니하나 업무상과실치사상죄 및 도로교통법 제108조 위반의 범죄에 해당한다고 본 사례➡ 부득이한 사정으로 할 수 없이 중앙선을 침범한 경우에는 교통사고처리특례법 제3조 제2항 제2호의 중앙선침범에는 해당하지 아니한다 할 것이나 피고인이 고속도로의 주행선을 진행함에 있어서 비가 내려 노면이 미끄러웠고 추월선상에 다른 차가 진행하고 있었으므로 속도를 더 줄이고 추월선상의 차량의 동태를 살피면서 급히 제동할 수 있는 조치를 취하여야 할 주의의무를 게을리 하여 추월선상의 차량이 피고인의 차선으로 갑자기 들어오는 것을 피하다가 빗길에 미끄러져 중앙분리대를 넘어가 반대편 추월선상의 자동차와 충돌한 경우에는 **업무상과실치사상죄** 및 도로교통법 제108조 위반의 범죄를 구성한다(대판 1991.1.15, 90도1918). ∴ 비가 내려 ~ B 차량의 운전자가 사망하였다면 甲의 업무상과실치사죄의 업무상 과실이 인정된다.

② (○) 야간 당직간호사가 담당 환자의 심근경색증상을 당직의사에게 제대로 보고하지 않음으로써 당직의사가 필요한 조치를 취하지 못한 채 환자가 사망한 경우, 병원의 야간당직 운영체계상 당직간호사에게 환자의 사망을 예견하거나 회피하지 못한 업무상 과실이 인정되나 당직의사에게는 업무상 과실을 인정하기 어렵다(대판 2007.9.20, 2006도294).

③ (○) ㉠ 마취환자의 마취회복업무를 담당한 의사의 주의의무 ➡ 마취환자의 마취회복업무를 담당한 의사로서는 마취환자가 수술 도중 특별한 이상이 있었는지를 확인하여 특별한 이상이 있었던 경우에는 보통 환자보다 더욱 감시를 철저히 하고, 또한 마취환자가 의식이 회복되기 전에는 호흡이 정지될 가능성이 적지 않으므로 피해자의 의식이 완전히 회복될 때까지 주위에서 관찰하거나 적어도 환자를 떠날 때는 피해자를 담당하는 간호사를 특정하여 그로 하여금 환자의 상태를 계속 주시하도록 하여 만일 이상이 발생한 경우에는 즉시 응급조치가 가능하도록 할 의무가 있다. ㉡ 간호사가 감시업무를 인계받지 않은 회복실 내의 모든 환자에 대하여 주시, 점검할 의무가 있는지 여부 ➡ 피해자를 감시하도록 업무를 인계받지 않은 간호사가 자기 환자의 회복처치에 전념하고 있었다면 회복실에 다른 간호사가 남아있지 않은 경우에도 다른 환자의 이상증세가 인식될 수 있는 상황에서라야 이에 대한 조치를 할 의무가 있다고 보일 뿐 회복실 내의 모든 환자에 대하여 적극적, 계속적으로 주시, 점검을 할 의무가 없다(대판 1994.4.26, 92도3283).

④ (○) 신호등이 있는 교차로를 녹색등화에 따라 직진하는 운전자에게 대향차선의 차량이 신호를 위반하여 자기 앞을 가로질러 좌회전할 경우까지 예상하여 특별한 조치를 강구하여야 할 업무상 주의의무가 있는지 여부 및 직진차량 운전자가 과속운전한 경우 과속운전과 교통사고 사이의 상당인과 관계 유무(소극) ➡ 신호등에 의하여 교통정리가 행하여지고 있는 ㅏ자형 삼거리의 교차로를 녹색등화에 따라 직진하는 차량의 운전자는 특별한 사정이 없는 한 다른 차량들도 교통법규를 준수하고 충돌을 피하기 위하여 적절한 조치를 취할 것으로 믿고 운전하면 족하고, 대향차선 위의 다른 차량이 신호를 위반하고 직진하는 자기 차량의 앞을 가로질러 좌회전할 경우까지 예상하여 그에 따른 사고발생을 미리 방지하기 위한 특별한 조치까지 강구하여야 할 업무상의 주의의무는 없고, 위 직진차량 운전자가 사고지점을 통과할 무렵 제한속도를 위반하여 과속운전한 잘못이 있었다 하더라도 그러한 잘못과 교통사고의 발생과의 사이에 상당인과관계가 있다고 볼 수 없다(대판 1993.1.15, 92도2579).

07 정답 ③

③ (×) 도급인이 수급인의 업무와 관련하여 사고방지에 필요한 안전조치를 취할 주의의무를 부담하는 예외적인 경우 ➡ 원칙적으로 도급인에게는 수급인의 업무와 관련하여 사고방지에 필요한 안전조치를 취할 주의의무가 없으나, 법령에 의하여 도급인에게 수급인의 업무에 관하여 구체적인 관리·감독의무 등이 부여되어 있거나 도급인이 공사의 시공이나 개별 작업에 관하여 구체적으로 지시·감독하였다는 등의 특별한 사정이 있는 경우에는 도급인에게도 수급인의 업무와 관련하여 사고방지에 필요한 안전조치를 취할 주의의무가 있다(대판 2009.5.28, 2008도7030). ∴ 도급인이 수급인에게 공사의 시공이나 개별 작업에 관하여 구체적으로 지시·감독하였다는 특별한 사정이 있는 경우에는, 법령에 의하여 도급인에게 구체적인 관리·감독의무가 부여되어 있지 않더라도 도급인에게는 수급인의 업무와 관련하여 사고방지에 필요한 안전조치를 해야 할 주의의무가 있다.

① (○) '골프 카트' 운전업무에 종사하는 자의 업무상 주의의무 ➡ 골프 카트는 안전벨트나 골프 카트 좌우에 문 등이 없고 개방되어 있어 승객이 떨어져 사고를 당할 위험이 커, 골프 카트 운전업무에 종사하는 자로서는 골프 카트 출발 전에는 승객들에게 안전 손잡이를 잡도록 고지하고 승객이 안전 손잡이를 잡은 것을 확인하고 출발하여야 하고, 우회전이나 좌회전을 하는 경우에도 골프 카트의 좌우가 개방되어 있어 승객들이 떨어져서 다칠 우려가 있으므로 충분히 서행하면서 안전하게 좌회전이나 우회전을 하여야 할 업무상 주의의무가 있다(대판 2010.7.22, 2010도1911).

② (○) 의료사고에 있어 의료인의 과실의 유무를 판단함에 있어서는 같은 업무와 직무에 종사하는 일반적 보통인의 주의 정도를 표준으로 하여야 하되, 사고 당시의 일반적인 의학 수준과 의료환경 및 조건, 의료행위의 특수성 등이 고려되어야 한다(대판 2010.3.25, 2008도590 / 대판 2018.5.15, 2016도13089).

④ (○) 간선도로의 횡단보도에서의 보행자 신호가 적색인 경우 동 교차로를 주행하는 자동차운전자의 주의의무 정도 ➡ 교통이 빈번한 간선도로에서 횡단보도의 보행자 신호등이 적색으로 표시된 경우, 자동차운전자에게 보행자가 동 적색신호를 무시하고 갑자기 뛰어나오리라는 것까지 미리 예견하여 운전하여야 할 업무상의 주의의무까지는 없다(대판 1985.11.12, 85도1893).

08 정답 ②

② (○) 침범금지의 황색중앙선이 설치된 도로에서 자기차선을 따라 운행하는 자동차운전수는 반대방향에서 오는 차량도 그 쪽 차선에 따라 운행하리라고 신뢰하는 것이 보통이고 중앙선을 침범하여 이쪽 차선에 돌입할 경우까지 예견하여 운전할 주의의무는 없으나, 다만 반대방향에서 오는 차량이 이미 중앙선을 침범하여 비정상적인 운행을 하고 있음을 목격한 경우에는 자기의 진행전방에 돌입할 가능성을 예견하여 그 차량의 동태를 주의깊게 살피면서 속도를 줄여 피행하는 등 적절한 조치를 취함으로써 사고발생을 미연에 방지할 업무상 주의의무가 있다(대판 1986.2.25, 85도2651).

① (×) 의료사고에 있어 의료인의 과실의 유무를 판단함에 있어서는 같은 업무와 직무에 종사하는 일반적 보통인의 주의 정도를 표준으로 하여야 하되, 사고 당시의 일반적인 의학 수준과 의료환경 및 조건, 의료행위의 특수성 등이 고려되어야 한다(대판 2010.3.25, 2008도590 / 대판 2018.5.15, 2016도13089).

③ (×) 고속국도에서는 보행으로 통행, 횡단하거나 출입하는 것이 금지되어 있으므로 고속국도를 주행하는 차량의 운전자는 도로양측에 휴게소가 있는 경우에도 동 도로상에 보행자가 있음을 예상하여 감속 등 조치를 할 주의의무가 있다 할 수 없다(대판 1977.6.28, 77도403).

④ (×) 피고인이 성냥불로 담배를 붙인 다음 그 성냥불이 꺼진 것을 확인하지 아니한 채 휴지가 들어 있는 플라스틱 휴지통에 던진 것을 중대한 과실이 있는 경우에 해당한다(대판 1993.7.27, 93도135). ∴ ~ 중대한 과실이 있는 경우에 해당한다.

09 정답 ③

③ (○) : (대판 2015.6.24, 2014도11315)

① (×) : 원발주자에 의해 임명되지 않은 공사현장감독의 업무상 과실책임 ➡ 피고인이 사업 당시 공사현장감독인인 이상 그 공사의 원래의 발주자의 직원이 아니고 또 동 **발주자에 의하여 현장감독에 임명된 것도 아니며, 건설업법상 요구되는 현장건설기술자의 자격도 없다는 등의 사유는 업무상과실책임을 물음에 아무런 영향도 미칠 수 없다**(대판 1983.6.14, 82도2713). ∴ 공사현장 감독인이 공사의 발주자에 의하여 현장감독에 임명된 것이 아니고, 건설업법상 요구되는 현장건설기술자의 자격도 없더라도 업무상 과실책임을 물을 수 있다.

② (×) : 의사가 설명의무를 위반한 채 의료행위를 하였다가 환자에게 상해 또는 사망의 결과가 발생한 경우 의사에게 업무상 과실로 인한 형사책임을 지우기 위해서는 의사의 설명의무위반과 환자의 상해 또는 사망 사이에 상당인과관계가 존재하여야 한다(대판 2015.6.24, 2014도11315).

④ (×) : 법인은 기관을 통하여 행위하므로 법인이 대표자를 선임한 이상 그의 행위로 인한 법률효과는 법인에게 귀속되어야 하고, 법인대표자의 범죄행위에 대하여는 법인 자신이 책임을 져야 하는바, 법인대표자의 법규위반행위에 대한 법인의 책임은 법인 자신의 법규위반행위로 평가될 수 있는 행위에 대한 법인의 직접책임으로서, 대표자의 고의에 의한 위반행위에 대하여는 법인 자신의 고의에 의한 책임을, 대표자의 과실에 의한 위반행위에 대하여는 법인 자신의 과실에 의한 책임을 지는 것이다(대판 2015.6.24, 2014도11315).

10 정답 ①

① (×) 운전자가 차를 세워 시동을 끄고 1단 기어가 들어가 있는 상태에서 시동열쇠를 끼워놓은 채 11세 남짓한 어린이를 조수석에 남겨두고 차에서 내려온 동안 동인이 시동열쇠를 돌리며 악셀레이터 페달을 밟아 차량이 진행하여 사고가 발생한 경우, 비록 동인의 행위가 사고의 직접적인 원인이었다 할지라도 그 경우 **운전자로서는 위 어린이를 먼저 하차시키던가 운전기기를 만지지 않도록 주의를 주거나 손브레이크를 채운 뒤 시동열쇠를 빼는 등 사고를 미리 막을 수 있는 제반 조치를 취할 업무상 주의의무가 있다** 할 것이어서 이를 게을리한 과실은 사고결과와 법률상의 인과관계가 있다고 봄이 상당하다(대판 1986.7.8, 86도1048). ∴ 운전자가 차를 세워 시동을 끄고 ~ 페달을 밟아 차량이 진행하여 사고가 발생한 경우, 운전자의 과실은 사고 결과와 인과관계가 있다.

② (○) 파도수영장에서 물놀이하던 초등학교 6학년생이 수영장 안에 엎어져 있는 것을 수영장 안전요원이 발견하여 인공호흡을 실시한 뒤 의료기관에 후송하였으나 후송 도중 사망한 사고에 있어서, 그 사망원인이 구체적으로 밝혀지지 아니한 상태에서 수영장 안전요원과 수영장 관리책임자에게 업무상 주의의무를 게을리한 과실이 있고 그 주의의무 위반으로 인하여 피해자가 사망하였다고 인정한 원심판결은 **업무상과실치사죄에 있어서의 과실 및 인과관계에 관한 법리오해 및 심리미진 등의 위법**이 있다(대판 2002.4.9, 2001도6601).

③ (○) 피고인이 자동차를 운전하다 횡단보도를 걷던 보행자 갑을 들이받아 그 충격으로 횡단보도 밖에서 갑과 동행하던 피해자 을이 밀려 넘어져 상해를 입은 사안에서, 위 사고는, 피고인이 횡단보도 보행자 갑에 대하여 구 도로교통법 제27조 제1항에 따른 주의의무를 위반하여 운전한 업무상 과실로 야기되었고, 을의 상해는 이를 직접적인 원인으로 하여 발생하였다는 이유로, 피고인의 행위가 구 교통사고처리 특례법 제3조 제2항 단서 제6호에서 정한 횡단보도 보행자 보호의무의 위반행위에 해당한다고 한 사례(대판 2011.4.28, 2009도12671)

④ (○) 선행 교통사고와 후행 교통사고 중 어느 쪽이 원인이 되어 피해자가 사망에 이르게 되었는지 밝혀지지 않은 경우 후행 교통사고를 일으킨 사람의 과실과 피해자의 사망 사이에 인과관계가 인정되기 위해서는 후행 교통사고를 일으킨 사람이 주의의무를 게을리하지 않았다면 피해자가 사망에 이르지 않았을 것이라는 사실이 증명되어야 하고, 그 증명책임은 검사에게 있다(대판 2007.10.26, 2005도8822).

형사법 5회 모의고사 정답 및 해설

제5회 모의고사 정답

01	②	02	②	03	③	04	②	05	④
06	③	07	④	08	③	09	①	10	③

01 정답 ②

② (×) '특정 범죄자에 대한 위치추적 전자장치 부착 등에 관한 법률' 제5조 제1항 제3호는 검사가 전자장치 부착명령을 법원에 청구할 수 있는 경우 중의 하나로 '성폭력범죄를 2회 이상 범하여(유죄의 확정판결을 받은 경우를 포함한다) 그 습벽이 인정된 때'라고 규정하고 있는데, 이 규정 전단은 문언상 '유죄의 확정판결을 받은 전과사실을 포함하여 성폭력범죄를 2회 이상 범한 경우'를 의미한다고 해석된다. 따라서 피부착명령청구자가 소년법에 의한 보호처분을 받은 전력이 있다고 하더라도, 이는 유죄의 확정판결을 받은 경우에 해당하지 아니함이 명백하므로, 피부착명령청구자가 2회 이상 성폭력범죄를 범하였는지를 판단할 때 소년보호처분을 받은 전력을 고려할 것이 아니다(대판(전) 2012.3.22, 2011도15057).

① (○) 대판 2012.1.27, 2010도8336

③ (○) 대결 2008.7.24, 2008어4

④ (○) 대판(전) 2009.11.19, 2009도6058

02 정답 ②

② (×) 포괄일죄로 되는 개개의 범죄행위가 법 개정의 전후에 걸쳐서 행하여진 경우에는 신·구법의 법정형에 대한 경중을 비교하여 볼 필요도 없이 범죄 실행 종료 시의 법이라고 할 수 있는 '신법'을 적용하여 포괄일죄로 처단하여야 한다(대판 2009.4.9, 2009도321).

【비교판례】 일반적으로 계속범의 경우 실행행위가 종료되는 시점에서의 법률이 적용되어야 할 것이나, 법률이 개정되면서 그 부칙에서 '개정된 법 시행 전의 행위에 대한 벌칙의 적용에 있어서는 종전의 규정에 의한다'는 경과규정을 두고 있는 경우 개정된 법이 시행되기 전의 행위에 대해서는 개정 전의 법을, 그 이후의 행위에 대해서는 개정된 법을 각각 적용하여야 한다(대판 2001.9.25, 2001도3990).

① (○) 형법 제1조 제1항 "범죄의 성립과 처벌은 행위 시의 법률에 의한다"에 있어서 행위 시라 함은 범죄행위의 종료 시를 의미한다(대판 1994.5.10, 94도563).

③ (○) 대판 2009.4.9, 2009도321.

④ (○) 범죄 시와 재판 시 사이에 여러 차례 법령이 개정되어 형의 변경이 있는 경우에는 이 점에 관한 당사자의 주장이 없더라도 형법 제1조 제2항에 의하여 직권으로 그 전부의 법령을 비교하여 그중 가장 형이 가벼운 법령을 적용하여야 한다(대판 2012.9.13, 12도7760).

03 정답 ③

③ (×) 일반적으로 계속범의 경우 실행행위가 종료되는 시점에서의 법률이 적용되어야 할 것이나, 법률이 개정되면서 그 부칙에서 '개정된 법 시행 전의 행위에 대한 벌칙의 적용에 있어서는 종전의 규정에 의한다'는 경과규정을 두고 있는 경우 개정된 법이 시행되기 전의 행위에 대해서는 개정 전의 법을, 그 이후의 행위에 대해서는 개정된 법을 각각 적용하여야 한다(대판 2001.9.25, 2001도3990).

① (○) 대판(전) 1997.4.17, 96도3376

② (○) 대판 2006.1.26, 2005도7283 ※'부설주차장을 주차장 외의 용도로 사용'한 행위에는 직접 부설주차장을 주차장 외의 용도로 변경하여 사용하는 행위뿐만 아니라 이미 유형적으로 주차장 외의 용도로 변경된 부설주차장의 관리책임을 승계한 자가 그 변경된 용도로 계속 사용하는 경우도 포함된다.

④ (○) 대판 2009.1.30, 2008도8607 ※ 구 건설폐기물의 재활용촉진에 관한 법률에서 금지하는 행위는 건설폐기물을 허가받지 아니한 업체에 위탁하여 처리하는 행위인데, 이는 위탁처리를 위한 도급계약의 성립과 함께 범죄가 기수에 이르러 범죄행위가 종료되는 이른바 즉시범이 아니고 그 도급계약에 따른 건설폐기물의 처리행위를 계속함으로써 위법상태가 지속되는 동안 범죄행위도 종료되지 않고 계속되는 계속범의 성격을 갖기 때문이다.

04 정답 ②

② (○) 대판 2015.10.15, 2015도12451

① (×) 보증인 의무와 보증인 지위를 구별하는 이원설에 따르면 '보증인 지위'는 구성요건요소이지만, 보증인 지위에서 파생된 '보증인 의무(작위의무)'는 위법성 요소이다. 따라서 보증인 지위에 대한 착오는 구성요건의 착오가 되지만, 보증인 의무에 대한 착오는 금지의 착오가 된다.

③ (×) 작위의무는 법령, 법률행위, 선행행위로 인한 경우는 물론, 기타 신의성실의 원칙이나 사회상규 혹은 조리상 작위의무가 기대되는 경우에도 인정된다(대판 2008.2.28, 2007도9354).

④ (×) 과실에 의한 부진정부작위범의 성립은 가능하지만(이른바 망각범), 교사범이나 방조범은 고의범이므로 과실에 의한 교사·방조범은 인정되지 않는다.

05 정답 ④

④ (인과관계 ×) : 甲이 처음 찜질방에 들어갈 당시 술에 만취하여 목욕장의 정상적 이용이 곤란한 상태였다고 단정하기 어렵고, 찜질방 직원 및 영업주에게 손님이 몰래 후문으로 나가

술을 더 마시고 들어올 경우까지 예상하여 직원을 추가로 배치하거나 후문으로 출입하는 모든 자를 통제·관리하여야 할 업무상 주의의무가 있다고 보기 어렵다는 이유로, 위 찜질방 직원 및 영업주가 공중위생영업자로서의 업무상 주의의무를 위반하였다고 본 원심판단에 법리오해 및 심리미진의 위법이 있다고 한 사례(대판 2010.2.11. 2009도9807).

① (인과관계 ○) : 대판 1989.9.12. 89도866
② (인과관계 ○) : 대판 2001.6.1. 99도5086)
③ (인과관계 ○) : 대판 2009.7.23. 2009도3219
【비교판례】 운전사가 시동을 끄고 시동열쇠는 꽂아둔 채로 하차한 동안에 조수가 이를 운전하다가 사고를 냈다면, 시동열쇠를 꽂아둔 행위와 조수의 운전으로 인한 사고(상해)의 결과발생 사이에는 특별한 사정이 없는 한 인과관계가 없다(대판 1971.9.28. 71도1082).

06 정답 ③

③ (×) 상해죄의 성립에는 상해의 원인인 폭행에 대한 인식이 있으면 충분하고 상해를 가할 의사의 존재까지는 필요하지 않다(대판 2000.7.4. 99도4341 / 대판 1983.3.22. 83도231).
① (○) 형법 제255조, 제250조의 살인예비죄가 성립하기 위하여는 형법 제255조에서 명문으로 요구하는 살인죄를 범할 목적 외에도 살인의 준비에 관한 고의가 있어야 하며, 나아가 실행의 착수까지에는 이르지 아니하는 살인죄의 실현을 위한 준비행위가 있어야 한다. 여기서의 준비행위는 물적인 것에 한정되지 아니하며 특별한 정형이 있는 것도 아니지만, 단순히 범행의 의사 또는 계획만으로는 그것이 있다고 할 수 없고 객관적으로 보아서 살인죄의 실현에 실질적으로 기여할 수 있는 외적 행위를 필요로 한다(대판 2009.10.29. 09도7150).
② (○) 대판 2016.6.9. 15도18555
④ (○) 대판 2014.3.13. 13도12430

07 정답 ④

④ (○) 추상적 사실에 대한 방법의 착오이다. 추상적 사실에 관한 착오인 경우에는 구체적 부합설에서는 이를 "미수+과실"로 본다. 그런데 과실손괴는 구성요건이 없어 불가벌이므로, A에 대한 살인미수죄만 성립한다. 참고로 법정적 부합설에서도 동일한 결론에 이른다.
① (×) 이른바 개괄적 고의사례이다. 행위자가 처음에 의도했던 결과가 개괄적으로 보면 실현되었으므로 발생결과에 대한 고의기수를 인정하는 것이 판례이다. 따라서 A에 대한 살인기수죄가 성립한다.
『甲은 乙을 살해하기 위하여 돌로 乙의 머리와 가슴을 수차례 내리쳐 실신하자, 乙을 사망한 것으로 오인하고 증거를 인멸할 목적으로 乙을 땅에 파묻었는데, 乙은 땅에 파묻힌 까닭에 질식사한 경우에 이는 개괄적 고의의 문제로서, 乙이 甲의 살해의 의도로 행한 구타행위에 의하여 직접 사망한 것이 아니라 죄적을 인멸할 목적으로 행한 매장행위에 의하여 사망하게 되었다 하더라도 **전과정을 개괄적으로 보면** 결국 甲이 **처음에 예견한 살인을 실현**한 것이므로, 甲은 살인죄가 성립한다.』(대판 1988.6.28. 88도650)
② (×) 형법 제15조 제1항에 의하여 해결할 수 있는 착오유형이다. 따라서 제15조 제1항이 적용되며, 특별히 중한 죄가 되는 사실(존속)을 인식하지 못하였으므로 보통살인죄의 기수가 성립한다.
③ (×) 구체적 사실에 대한 방법의 착오이다. 이는 법정적 부합설과 구체적 부합설이 결론을 달리하는 착오유형이다. 법정적 부합설에서는 발생결과(B)에 대한 살인기수를 인정한다. 반면에 **구체적 부합설**에서는 "미수+과실"로 보므로, A에 대한 살인미수죄와 B에 대한 과실치사죄의 상상적 경합이 성립한다.

08 정답 ③

③ (×) 〈추상적 사실의 착오 중 방법의 착오〉사례이다. 이와 같은 사례에서 추상적 부합설은 경한 죄의 고의로 중한 죄의 결과가 발생했을 때 경한 죄의 기수와 중한 죄의 과실의 상상적 경합을 인정하므로 甲은 丙에 대한 재물손괴기수와 乙에 대한 과실치사죄의 상상적 경합범이 된다.
① (○) 〈구체적 사실의 착오 중 방법의 착오〉사례이다. 판례의 입장인 법정적 부합설에 의하면 발생사실에 대한 고의기수가 인정되므로 甲은 丁에 대한 상해기수의 죄책을 진다(대판 1987.10.26. 87도1745).
② (○) 〈추상적 사실의 착오 중 방법의 착오〉사례이다. 구체적 부합설과 법정적 부합설 모두 인식사실에 대한 미수와 발생사실에 대한 과실의 상상적 경합을 인정한다.
④ (○) 대판 1960.10.31. 4293형상494

09 정답 ①

① (○) 대판 2015.6.24. 2014도11315
② (×) 원칙적으로 도급인에게는 수급인의 업무와 관련하여 사고방지에 필요한 안전조치를 취할 주의의무가 없으나, 법령에 의하여 도급인에게 수급인의 업무에 관하여 구체적인 관리·감독의무 등이 부여되어 있거나 도급인이 공사의 시공이나 개별 작업에 관하여 구체적으로 지시·감독하였다는 등의 특별한 사정이 있는 경우에는 도급인에게도 수급인의 업무와 관련하여 사고방지에 필요한 안전조치를 취할 주의의무가 있다(대판 2009.5.28. 2008도7030).
③ (×) 업무상과실치상죄에 있어서의 '업무'란 사람의 사회생활면에서 하나의 지위로서 계속적으로 종사하는 사무를 말하고, 여기에는 수행하는 직무 자체가 위험성을 갖기 때문에 안전배려를 의무의 내용으로 하는 경우는 물론 사람의 생명·신체의 위험을 방지하는 것을 의무내용으로 하는 업무도 포함되는데, 안전배려 내지 안전관리 사무에 계속적으로 종사하

여 위와 같은 지위로서의 계속성을 가지지 아니한 채 단지 건물의 소유자로서 건물을 비정기적으로 수리하거나 건물의 일부분을 임대하였다는 사정만으로는 업무상과실치상죄에 있어서의 '업무'로 보기 어렵다(대판 2009.5.8. 2009도1040).

④ (×) 행정상의 단속을 주안으로 하는 법규라 하더라도 '명문규정이 있거나 해석상 과실범도 벌할 뜻이 명확한 경우'를 제외하고는 형법의 원칙에 따라 '고의'가 있어야 벌할 수 있다(대판 2010.2.11. 2009도9807).

10 정답 ③

③ (○) 대판 2007.2.22. 2005도9229

① (×) 피고인이 사업 당시 공사현장감독인인 이상 그 공사의 원래의 발주자의 직원이 아니고 또 발주자에 의하여 현장감독에 임명된 것도 아니며, 건설업법상 요구되는 현장건설기술자의 자격도 없다는 등의 사유는 업무상과실책임을 물음에 아무런 영향도 미칠 수 없다(대판 1983.6.14. 82도2713).

② (×) 종합병원 마취담당의사 甲이 난소종양절제를 위해 전신마취에 의한 개복수술을 함에 있어서 개복 전 종합적인 간기능검사가 필수적임에도 소변에 의한 간검사 결과만을 믿고 수술한 결과 수술 후 22일만에 환자가 급성 간염으로 사망한 경우, 甲에게 업무상과실이 인정되나 종합적인 간기능 검사를 하였더라면 간기능에 이상이 있었다는 검사결과가 나왔으리라는 점이 증명되지 않는 한 甲의 과실과 환자의 사망 사이에 인과관계가 있다고 볼 수 없다(대판 1990.12.11. 90도694).

④ (×) 과실의 유무를 판단함에 있어서는 행위자 자신이 아니라 사회일반인의 주의 정도를 기준으로 한다는 것이 통설과 판례의 입장이다(대판 2014.5.29. 2013도14079).

형사법 6회 모의고사 정답 및 해설

제6회 모의고사 정답

01	②	02	①	03	③	04	④	05	④
06	①	07	④	08	③	09	①	10	③

01 정답 ②

② (×) 정당방위는 보충성의 원칙이나 균형성의 원칙은 적용되지 않는다. 따라서 방위자에게 다른 방법이 가능하더라도 방위행위를 할 수 있으며, 정당방위에 의하여 보전되는 법익이 침해되는 법익과 균형을 이룰 필요도 없다.

① (○) 대판 2011.5.26, 2011도3682

③ (○) 제21조 제2항

④ (○) 대판 1992.12.22, 92도2540

02 정답 ①

① (○) 타인이 보는 자리에서 자식으로부터 인륜상 용납할 수 없는 폭언과 함께 폭행을 가하려는 피해자를 1회 구타한 행위는 피고인의 신체에 대한 법익뿐만 아니라 아버지로서의 신분에 대한, 법익에 대한 현재의 부당한 침해를 방위하기 위한 행위로써 정황에 비추어 볼 때 피고인으로서는 피해자에게 일격을 가하지 아니할 수 없는 상당한 이유가 있는 행위로써 정당방위에 해당한다(대판 1974.5.14, 73도2401).

② (×) 甲과 乙이 공동으로 인적이 드문 심야에 혼자 귀가 중인 丙女에게 뒤에서 느닷없이 달려들어 양팔을 붙잡고 어두운 골목길로 끌고 들어가 담벽에 쓰러뜨린 후 甲이 음부를 만지며 반항하는 丙女의 옆구리를 무릎으로 차고 억지로 키스를 함으로 丙女가 정조와 신체를 지키려는 일념에서 엉겁결에 甲의 혀를 깨물어 설절단상을 입혔다면 丙女의 범행은 자기의 신체에 대한 현재의 부당한 침해에서 벗어나려고 한 행위로서 그 행위에 이르게 된 경위와 그 목적 및 수단, 행위자의 의사 등 제반사정에 비추어 위법성이 결여된 행위이다(대판 1989.8.8, 89도358). ※과잉방위에도 해당하지 않는다.

③ (×) 이혼소송중인 남편이 찾아와 가위로 폭행하고 변태적 성행위를 강요하는 데에 격분하여 처가 칼로 남편의 복부를 찔러 사망에 이르게 한 경우, 그 행위는 방위행위로서의 한도를 넘어선 것으로 사회통념상 용인될 수 없다는 이유로 정당방위나 과잉방위에 해당하지 않는다고 본 사례(대판 2001.5.15, 2001도1089). ※ 과잉방위에도 해당하지 않음을 주의해야 한다.

④ (×) 피고인이 피해자로부터 뺨을 맞고 손톱깎이 칼에 찔려 약 1cm 정도의 상처를 입었다 하여 약 20cm의 과도로 피해자의 복부를 찔렀다면 정당방위에 해당한다고 볼 수 없다(대판 1968.12.24, 68도1229).

03 정답 ③

③ (×) 가해자의 행위가 피해자의 부당한 공격을 방위하기 위한 것이라기 보다는 서로 공격할 의사로 싸우다가 먼저 공격을 받고 이에 대항하여 가해하게 된 것이라고 봄이 상당한 경우, 그 가해행위는 방어행위인 동시에 공격행위의 성격을 가지므로 정당방위 또는 과잉방위행위라고 볼 수 없다(대판 2000.3.28, 2000도228).

① (○) 대판 1993.6.8, 93도766

② (○) 대판 1968.5.7, 68도370

④ (○) 대판 1989.3.14, 87도3674

04 정답 ④

④ (×) 공직선거 후보자 합동연설회장에서 후보자 갑이 적시한 연설 내용이 다른 후보자 을에 대한 명예훼손 또는 후보자비방의 요건에 해당되나 그 위법성이 조각되는 경우, 甲의 연설 도중에 乙이 마이크를 빼앗고 욕설을 하는 등 물리적으로 甲의 연설을 방해한 행위는 甲의 '위법하지 않은 정당한 침해'에 대하여 이루어진 것일 뿐만 아니라 '상당성'을 결여하여 정당방위의 요건을 갖추지 못하였다고 할 것이다(대판 2003.11.13, 2003도3606).

① (○) 사용자가, 적법한 직장폐쇄 기간 중 일방적으로 업무에 복귀하겠다고 하면서 자신의 퇴거요구에 불응한 채 계속하여 사업장 내로 진입을 시도하는 해고 근로자를 폭행, 협박한 것이 사업장 내의 평온과 노동조합의 업무방해행위를 방지하기 위한 정당방위 내지 정당행위에 해당한다(대판 2005.6.9, 2004도7218).

② (○) 대판 2011.5.26, 2011도3682

③ (○) 대판 2006.9.8, 2006도148

05 정답 ④

④ (×) 책임조각설에서는 적법행위의 기대가능성이 없기 때문에 책임이 조각될 뿐이라는 견해이나 타인을 위한 긴급피난의 경우 기대불가능성이 없다고 볼 수 없는 점에서 비판을 할 수 있다.

① (○) 이분설 중 법익동가치의 책임조각설에서는 우월적이익을 보전한 행위는 제21조의 위법성 조각사유이고, 동가치적 법익을 보전한 피난행위는 근거를 면책적 긴급피난(책임조각)으로 본다.

② (○) 위법성조각설에서는 동가치적 법익을 보전한 행위는 위법성조각이 아닌 기대불가능성에 기초한 초법규적 책임조각사유에서 근거를 찾는다.

③ (○) 위법성조각설에서는 동가치적 법익을 보전한 행위는 위법성이 조각되지 않는다고 보므로 지문과 같은 경우 위법하다고 보아야 하는 문제가 발생한다.

06 정답 ①

① (긴급피난 인정) 다른 해상으로 이동을 하지 못하고 있는 사이에 태풍을 만나게 되었다면 피고인들로서는 그와 같은 위급한 상황에서 선박과 선원들의 안전을 위하여 사회통념상가장 적절하고 필요불가결하다고 인정되는 조치를 취하였다면 형법상 긴급피난으로서 위법성이 없어서 범죄가 성립되지 아니한다고 보아야 하고 미리 선박을 이동시켜 놓아야 할 책임을 다하지 아니함으로써 위와 같은 긴급한 위난을 당하였다는 점만으로는 긴급피난을 인정하는데 아무런 방해가 되지 아니한다(대판 1987.1.20, 85도221).

② 피난행위의 상당성을 넘은 행위로서 형법 제22조 제1항에서 정한 긴급피난의 요건을 갖춘 행위로 보기 어렵고, 그 당시 피해견이 피고인을 공격하지도 않았고 피해견이 평소 공격적인 성향을 가지고 있었다고 볼 자료도 없는 이상 형법 제22조 제3항에서 정한 책임조각적 과잉피난에도 해당하지 아니한다(대판 2016.1.28, 14도2477).

③ 피고인이 입주민들의 민원을 접수한 후 시험방송 송출을 중단해달라는 요청도 해보지 아니한 채 시험방송이 송출된 지 약 1시간 30여 분 만에 곧바로 경기동부방송의 방송안테나를 절단하도록 지시한 점 등 그 행위의 내용이나 방법, 법익침해의 정도 등에 비추어 볼 때, 피고인의 위와 같은 행위를 긴급피난 내지는 정당행위에 해당한다고 볼 수 없다(대판 2006.4.13, 05도9396).

④ 피고인이 경찰관의 불심검문을 받아 운전면허증을 교부한 후 경찰관에게 큰 소리로 욕설을 하였는데, 경찰관이 모욕죄의 현행범으로 체포하겠다고 고지한 후 피고인의 오른쪽 어깨를 붙잡자 반항하면서 경찰관에게 상해를 가한 사안에서, 피고인은 경찰관의 불심검문에 응하여 이미 운전면허증을 교부한 상태이고, 경찰관뿐 아니라 인근 주민도 욕설을 직접 들었으므로, 피고인이 도망하거나 증거를 인멸할 염려가 있다고 보기는 어렵고, 피고인의 모욕 범행은 불심검문에 항의하는 과정에서 저지른 일시적, 우발적인 행위로서 사안 자체가 경미할 뿐 아니라, 피해자인 경찰관이 범행현장에서 즉시 범인을 체포할 급박한 사정이 있다고 보기도 어려우므로, 경찰관이 피고인을 체포한 행위는 적법한 공무집행이라고 볼 수 없고, 피고인이 체포를 면하려고 반항하는 과정에서 상해를 가한 것은 불법체포로 인한 신체에 대한 현재의 부당한 침해에서 벗어나기 위한 행위로서 정당방위에 해당한다(대판 2011.5.26, 11도3682).

07 정답 ④

④ (×) 甲이 소유자인 A의 승낙을 받아 밍크코트를 훼손하려는 행위는 손괴죄의 구성요건해당성이 조각되거나 위법성이 조각되는 행위이지만 현재의 위난으로 볼 수 있으므로 긴급피난은 가능하다. 그런데 긴급피난이 인정되려면 균형성의 원칙을 갖춰야 하는바 사안의 경우 보호하려는 이익은 재산권이고 침해되는 이익은 신체라는 점에서 보호하려는 이익이 침해되는 이익보다 우월하지 않아 균형성의 원칙을 갖췄다고 할 수 없다. 따라서 乙의 행위는 긴급피난에 해당하지 않아 위법성이 조각되지 않는다.

① (○) 옳은 설명이다.

② (○) 피고인이 스스로 야기한 강간범행의 와중에서 피해자가 피고인의 손가락을 깨물며 반항하자 물린 손가락을 비틀며 잡아 뽑다가 피해자에게 치아결손의 상해를 입힌 소위를 가리켜 법에 의하여 용인되는 피난행위라 할 수 없다(대판 1995.1.12, 94도2781). 따라서 강간치상죄가 성립한다.

③ (○) 대판 1990.8.14, 90도870

08 정답 ③

긴급피난은 균형성의 원칙이 적용되어 보호되는 법익이 침해되는 법익보다 우월하여야 된다는 우월적 이익의 원칙이 적용된다. 그러나 의무의 충돌은 동가치적 법익에서도 행위자가 하나의 행위만 할 수 밖에 없으므로 동가치에서도 위법성이 조각된다.

09 정답 ①

① (○) 긴급피난은 부당한 침해를 원인으로 하지 않고, 침해의 상대방 이외에 제3자에 대한 피난도 허용된다는 점에서 정당한 제3자의 희생을 통한 위난회피에 특색이 있다.

② (×) 긴급피난이나 정당방위와는 달리 자구행위에 대하여는 형법 제21조 제3항(그 행위가 야간 기타 … 벌하지 아니한다)은 준용되지 않는다. 「형법」 제23조에 의하면 야간 기타 불안스러운 상태하에서 공포·경악·흥분 또는 당황으로 인한 때에는 벌하지 아니한다는 규정은 자구행위에 준용되지 아니한다.

③ (×) 자구행위에 의하여 보전되는 청구권은 원칙적으로 자기의 청구권이어야 한다. 따라서 타인의 청구권을 위한 자구행위는 허용되지 않는다. 다만, 예외적으로 청구권자로부터 자구행위의 실행을 위임받은 경우에는 자구행위를 할 수 있다. 「형법」 제23조 제1항은 타인의 청구권 보전을 위한 자구행위는 가능한 것으로 명시하고 있지 않다.

④ (×) 소유권의 귀속에 관한 분쟁이 있어 민사소송이 계속 중인 건조물에 관하여 현실적으로 관리인이 있음에도 위 건조물의 자물쇠를 쇠톱으로 절단하고 침입한 소위는 법정절차에 의하여 그 권리를 보전하기가 곤란하고 그 권리의 실행불능이나 현저한 실행곤란을 피하기 위해 상당한 이유가 있는 행위라고 할 수 없다(대판 1985.7.9, 85도707). ∴ ~ 피해자의 추정적 승낙이 있었다거나 피고인의 행위가 사회상규에 위배되지 않는다고 볼 수 없다.

10 정답 ③

③ 긴급행위로 인해 보호되는 법익과 침해되는 법익이 동일한 법익주체에 귀속되는 경우에는 추정적 승낙에 의하여 위법성이 조각된다. 한편 ①의 경우 정당방위에 의하여 보호되는 법익은 원칙적으로 개인적 법익에 한하고 국가적·사회적 법익은 예외적으로 보호될 수 있으므로 정당방위에 의하여 보호되는 법익에 제한이 없다고 함은 부당하다고 할 수 있으나, 자구행위에 의하여 보호되는 법익은 자기의 청구권이나, 정당방위의 경우 자기 또는 타인의 법익보호를 위해서도 할 수 있으므로 상대적으로 ③가 더 틀린 지문이라고 할 수 있다.

▶ 정당방위·긴급피난·자구행위의 비교

구분	정당방위	긴급피난	자구행위
침해의 현재성	현재의 침해에 대한 사전적 긴급행위	현재의 위난에 대한 사전적 긴급행위	과거의 권리침해에 대한 사후적 긴급행위
성질	부정 대 정의 관계	정 대 정의 관계	부정 대 정의 관계
상당성	○	○	○
보충성	불요(不要)	요(要)	요(要)
법익균형성	불요(不要)	요(要)	불요(不要)
보전법익	자기·타인의 모든 법익	자기·타인의 모든 법익	자기의 청구권

형사법 7회 모의고사 정답 및 해설

제7회 모의고사 정답

01	③	02	④	03	④	04	①	05	④
06	①	07	④	08	①	09	①	10	②

01 정답 ③

③ (×) [1] 피무고자의 승낙이 있는 경우 무고죄의 성립 여부(적극) 및 무고죄에 있어서 '형사처분 또는 징계처분을 받게 할 목적'의 의미 ➡ **무고죄는 국가의 형사사법권 또는 징계권의 적정한 행사를 주된 보호법익**으로 하고 다만, 개인의 부당하게 처벌 또는 징계받지 아니할 이익을 부수적으로 보호하는 죄이므로, 설사 무고에 있어서 피무고자의 승낙이 있었다고 하더라도 무고죄의 성립에는 영향을 미치지 못한다 할 것이다(대판 2005.9.30, 2005도2712). [2] **피무고자의 승낙을 받아 허위사실을 기재한 고소장을 제출하였다면 피무고자에 대한 형사처분이라는 결과발생을 의욕한 것은 아니라 하더라도 적어도 그러한 결과발생에 대한 미필적인 인식은 있었던 것**으로 보아야 한다. ∴ 무고죄는 부수적으로 부당하게 처벌 또는 징계받지 아니할 개인의 이익을 보호하는 죄이므로 피무고인이 무고사실에 대하여 승낙한 경우에도 무고인을 처벌할 수 있다(무고죄는 국가의 형사사법권 또는 징계권의 적정한 행사를 주된 보호법익으로 하므로).

① (○) 대판 2015.11.26, 2014도781 사문서변조죄의 성립요건 / 명의자의 명시적·묵시적 승낙이 있거나 승낙이 추정되는 경우, 사문서변조죄가 성립하는지 여부(소극) ➡ 가. 사문서변조죄는 권한 없는 자가 이미 진정하게 성립된 타인 명의의 사문서 내용을 동일성을 해하지 않을 정도로 변경하여 새로운 증명력을 만드는 경우에 성립한다. 그러므로 사문서를 수정할 때 명의자가 명시적이거나 묵시적으로 승낙을 하였다면 사문서변조죄가 성립하지 않고, 행위 당시 명의자가 현실적으로 승낙하지는 않았지만 명의자가 그 사실을 알았다면 당연히 승낙했을 것이라고 추정되는 경우에도 사문서변조죄가 성립하지 않는다(대판 2011.9.29, 2010도14587 등 참조).

② (○) 피고인이 피해자가 사용 중인 공중화장실의 용변칸에 노크하여 남편으로 오인한 피해자가 용변칸 문을 열자 강간할 의도로 용변칸에 들어간 것이라면 **피해자가 명시적 또는 묵시적으로 이를 승낙하였다고 볼 수 없어** 주거침입죄에 해당한다(대판 2003.5.30, 2003도1256).

④ (○) 가. 수술승낙이 의사의 부정확 또는 불충분한 설명에 의한 것인 경우의 효력 ➡ 산부인과 전문의 수련과정 2년차인 의사가 자신의 시진, 촉진결과 등을 과신한 나머지 초음파검사 등 피해자의 병증이 자궁외 임신인지, 자궁근종인지를 판별하기 위한 정밀한 진단방법을 실시하지 아니한 채 피해자의 병명을 자궁근종으로 오진하고 이에 근거하여 의학에 대한 전문지식이 없는 피해자에게 자궁적출술의 불가피성만을 강조하였을 뿐 위와 같은 진단상의 과오가 없었으면 당연히 설명받았을 자궁외 임신에 관한 내용을 설명받지 못한 피해자로부터 수술승낙을 받았다면 위 승낙은 부정확 또는 불충분한 설명을 근거로 이루어진 것으로서 수술의 위법성을 조각할 유효한 승낙이라고 볼 수 없다(대판 1993.7.27, 92도2345).

02 정답 ④

④ (×) 피고인이 피해자와 공모하여 교통사고를 가장하여 보험금을 편취할 목적으로 피해자에게 상해를 가하였다면 피해자의 승낙이 있었다고 하더라도 이는 위법한 목적에 이용하기 위한 것이므로 피고인의 행위가 피해자의 승낙에 의하여 위법성이 조각된다고 할 수 없다(대판 2008.12.11, 2008도9606).

① (○) 대판 2015.6.11, 2012도1352 문서명의인의 명시적이거나 묵시적인 승낙 또는 위임이 있었던 경우, 사문서위조에 해당하는지 여부(소극) / 문서명의인이 사전에 문서 작성과 관련한 사무처리 권한을 포괄적으로 위임함으로써 문서작성자가 위임된 권한 범위 내에서 사무처리를 위하여 문서를 작성·행사하였으나 개개의 문서 작성에 관하여 승낙을 받지 않은 경우, 사문서위조 및 위조사문서행사죄가 성립하는지 여부(원칙적 소극) ➡ 문서의 위조는 작성권한 없는 자가 타인 명의를 모용하여 문서를 작성하는 행위를 말하는 것이므로, 사문서를 작성함에 있어 **그 명의자의 명시적이거나 묵시적인 승낙 또는 위임이 있었다**면 사문서위조에 해당한다고 할 수 없다. 특히 문서명의인이 문서작성자에게 사전에 문서작성과 관련한 사무처리의 권한을 포괄적으로 위임함으로써 문서작성자가 위임된 권한의 범위 내에서 그 사무처리를 위하여 문서명의인 명의의 문서를 작성·행사한 것이라면, 비록 문서작성자가 개개의 문서 작성에 관하여 문서명의인으로부터 승낙을 받지 않았다고 하더라도 특별한 사정이 없는 한 **사문서위조 및 위조사문서행사죄는 성립하지 않는다**고 할 것이다(대판 2011.4.28, 2010도15817 참조).

② (○) 절도죄는 타인이 점유하는 재물을 절취하는 행위, 즉 점유자의 의사에 의하지 아니하고 그 점유를 취득함으로 성립하는 범죄인바, 기록에 의하여 인정되는 피해자는 당시 피고인과 동거 중에 있었고 피고인이 돈 60,000원을 지갑에서 꺼내 가는 것을 피해자가 현장에서 이를 목격하고도 만류하지 아니한 사정 등에 비추어 볼때 피해자가 이를 허용하는 묵시적 의사가 있었다고 봄이 상당하고 달리 소론이 지적하는 증거들만으로는 피고인이 위 돈 60,000원을 절취하였다고 인정하기에는 부족하다 할 것이다(대판 1985.11.26, 85도1487).

③ (○) [1] **일반인의 출입이 허용된 음식점이라 하더라도 영업주의 명시적 또는 추정적 의사에 반하여 들어간 것이라면 주거침입죄가 성립**되는바, **기관장들의 조찬모임에서의 대화내용을 도청하기 위한 도청장치를 설치할 목적으로 손님을 가장하여 그 조찬모임 장소인 음식점에 들어간 경우에는 영업주**

가 그 출입을 허용하지 않았을 것으로 보는 것이 경험칙에 부합하므로 그와 같은 행위는 주거침입죄가 성립한다.
[2] 타인의 주거에 침입한 행위가 비록 불법선거운동을 적발하려는 목적으로 이루어진 것이라고 하더라도 타인의 주거에 도청장치를 설치하는 행위는 정당행위에 해당하지 않는다(대판 1997.3.28, 95도2674).
→ 95도2674 판례는 대법원 2022.3.24, 2017도18272 전원합의체 판례에 의하여 주거침입죄는 성립하지 않는다. 일반인의 출입이 허용된 음식점에 영업주의 승낙을 받아 통상적인 출입방법으로 들어갔다면 특별한 사정이 없는 한 주거침입죄에서 규정하는 침입행위에 해당하지 않는다. 설령 행위자가 범죄 등을 목적으로 음식점에 출입하였거나 영업주가 행위자의 실제 출입 목적을 알았더라면 출입을 승낙하지 않았을 것이라는 사정이 인정되더라도 그러한 사정만으로는 출입 당시 객관적·외형적으로 드러난 행위 태양에 비추어 사실상의 평온상태를 해치는 방법으로 음식점에 들어갔다고 평가할 수 없으므로 침입행위에 해당하지 않는다.

03 정답 ④

④ (×) 국회의원인 피고인이, 구 국가안전기획부 내 정보수집팀이 대기업 고위관계자와 중앙일간지 사주 간의 사적 대화를 불법 녹음한 자료를 입수한 후 그 대화내용과, 위 대기업으로부터 이른바 떡값 명목의 금품을 수수하였다는 검사들의 실명이 게재된 보도자료를 작성하여 자신의 인터넷 홈페이지에 게재하였다고 하여 통신비밀보호법 위반으로 기소된 사안에서, 피고인이 국가기관의 불법 녹음 자체를 고발하기 위하여 불가피하게 위 녹음 자료에 담겨 있던 대화 내용을 공개한 것이 아니고, 위 대화가 피고인의 공개행위시로부터 8년 전에 이루어져 이를 공개하지 아니하면 공익에 대한 중대한 침해가 발생할 가능성이 현저한 경우로서 비상한 공적 관심의 대상이 되는 경우에 해당한다고 보기 어려우며, 전파성이 강한 인터넷 매체를 이용하여 불법 녹음된 대화의 상세한 내용과 관련 당사자의 실명을 그대로 공개하여 방법의 상당성을 결여하였고, 위 게재행위와 관련된 사정을 종합하여 볼 때 위 게재에 의하여 얻어지는 이익 및 가치가 통신비밀이 유지됨으로써 얻어지는 이익 및 가치를 초월한다고 볼 수 없으므로, 피고인이 위 녹음 자료를 취득하는 과정에 위법이 없었더라도 위 행위는형법 제20조의 정당행위에 해당한다고 볼 수 없다(대판 2011.5.13, 2009도14442).
① (○) 피고인의 차를 손괴하고 도망하려는 피해자를 도망하지 못하게 멱살을 잡고 흔들어 피해자에게 전치 14일의 흉부찰과상을 가한 경우, 정당행위에 해당한다(대판 2008.12.11, 2008도9606).
② (○) 분쟁 중인 부동산관계로 따지러 온 피해자가 피고인의 가게 안에 들어와서 피고인 및 그의 부에게 행패를 부리므로 피해자를 가게 밖으로 밀어내려다가 피해자를 넘어지게 한 행위는 피해자 측의 행패를 저지하기 위한 소극적 저항방법으로서 비록 그 과정에서 피해자가 넘어졌다 할지라도 그 경위, 목적, 수단, 피고인의 의사 등 여러가지 사정에 비추어 볼 때 사회통념상 용인될 만한 상당성이 있는 행위로 위법성이 없다(대판 1987.4.14, 87도339).
③ (○) 외국에서 침구사자격을 취득하였으나 국내에서 침술행위를 할 수 있는 면허나 자격을 취득하지 못한 자가 단순한 수지침 정도의 수준을 넘어 체침을 시술한 경우, 사회상규에 위배되지 아니하는 무면허의료행위로 인정될 수 없다(대판 2002.12.26, 2002도5077).

04 정답 ①

① (×) 제21조 제2항, 제3항

> 제21조(정당방위) ② 방위행위가 그 정도를 초과한 경우에는 정황(情況)에 따라 그 형을 감경하거나 면제할 수 있다.
> 또한 ③ 과잉방위의 경우에 야간이나 그 밖의 불안한 상태에서 공포를 느끼거나 경악(驚愕)하거나 흥분하거나 당황하였기 때문에 그 행위를 하였을 때에는 벌하지 아니한다.

② (○) 외관상 서로 격투를 하는 것처럼 보이는 경우라고 할지라도 실지로는 한쪽 당사자가 일방적으로 불법한 공격을 가하고 상대방은 이러한 불법한 공격으로부터 자신을 보호하고 이를 벗어나기 위한 저항수단으로 유형력을 행사한 경우라면, 그 행위가 적극적인 반격이 아니라 소극적인 방어의 한도를 벗어나지 않는 한 그 행위에 이르게 된 경위와 그 목적수단 및 행위자의 의사 등 제반 사정에 비추어 볼 때 사회통념상 허용될 만한 상당성이 있는 행위로서 위법성이 조각된다고 보아야 할 것이다(대판 1999.10.12, 99도3377).
③ (○) 검사가 참고인 조사를 받는 줄 알고 검찰청에 자진출석한 변호사 사무실 사무장을 합리적 근거 없이 긴급체포하자 그 변호사가 이를 제지하는 과정에서 위 검사에게 상해를 가한 것이 정당방위에 해당한다(대판 2006.9.8, 2006도148).
④ (○) 피고인이 피해자와 공모하여 교통사고를 가장하여 보험금을 편취할 목적으로 피해자에게 상해를 가하였다면 피해자의 승낙이 있었다고 하더라도 이는 위법한 목적에 이용하기 위한 것이므로 피고인의 행위가 피해자의 승낙에 의하여 위법성이 조각된다고 할 수 없다(대판 2008.12.11, 2008도9606).

05 정답 ④

④ (위법성조각○) : 선거관리위원회가 주최한 합동연설회장에서 위 사실을 적시한 것은 상대 후보자의 평가를 저하시켜 스스로가 당선되려는 사적 이익 못지 않게 유권자들에게 상대 후보자의 자질 등에 대한 충분한 자료를 제공함으로써 적절한 투표권을 행사하도록 하려는 공공의 이익도 상당한 동기가 되었다고 할 것이며, 적시한 위 사실의 내용 등에 비추어 볼 때 공공의 이익과 사적 이익 사이에 상당성도 있다고 할 것이어서 상대 후보자에 관하여 위와 같은 지방세 체납 사실을

적시한 것은 전체적으로 볼 때 진실한 사실로서 공공의 이익에 관한 때에 해당하므로 공직선거법 제251조 단서에 의하여 위법성이 조각된다고 할 것이다(대판 2000.4.25, 99도4260).

① (위법성조각×) : 인근 상가의 통행로로 이용되고 있는 토지의 사실상 지배권자가 위 토지에 철주와 철망을 설치하고 포장된 아스팔트를 걷어냄으로써 통행로로 이용하지 못하게 한 경우, 이는 일반교통방해죄를 구성하고 자구행위에 해당하지 않는다(대판 2007.12.28, 2007도7717).

② (위법성조각×) : 신고된 갑대학교에서의 집회가 집회장소 사용 승낙을 하지 아니한 갑대학교측의 요청으로 경찰관들에 의하여 저지되자, 신고 없이 을대학교로 옮겨 집회를 한 것이 긴급피난에 해당하는지 여부(소극) ➡ 집회장소 사용 승낙을 하지 않은 **갑대학교측의 집회 저지 협조요청에 따라 경찰관들이 갑대학교 출입문에서 신고된 갑대학교에서의 집회에 참가하려는 자의 출입을 저지한 것은 경찰관직무집행법 제6조의 주거침입행위에 대한 사전 제지조치**로 볼 수 있고, 비록 그 때문에 소정의 신고 없이 을대학교로 장소를 옮겨서 집회를 하였다 하여 그 신고 없이 한 집회가 긴급피난에 해당한다고도 할 수 없다(대판 1990.8.14, 90도870).

③ (위법성조각×) : 아파트 입주자대표회의 회장이 다수 입주민들의 민원에 따라 위성방송 수신을 방해하는 케이블TV방송의 시험방송 송출을 중단시키기 위하여 위 케이블TV방송의 방송안테나를 절단하도록 지시한 행위를 긴급피난 내지는 정당행위에 해당한다고 볼 수 없다(대판 2006.4.13, 2005도9396).

06 정답 ①

① (○) 제10조 제3항

> 제10조(심신장애인) ① 심신장애로 인하여 사물을 변별할 능력이 없거나 의사를 결정할 능력이 없는 자의 행위는 벌하지 아니한다.
> ② 심신장애로 인하여 전항의 능력이 미약한 자의 행위는 형을 감경할 수 있다.
> ③ 위험의 발생을 예견하고 자의로 심신장애를 야기한 자의 행위에는 전2항(심신상실의 책임조각과 심신미약의 책임감경)규정을 적용하지 아니한다.

② (×) 구성요건모델(일치설, 원인설정행위시설) ㉮ 원인에 있어서 자유로운 행위는 자신을 도구로 이용하는 간접정범과 유사하므로 원인행위가 실행행위가 된다. ㉯ ∴원인행위 시에 책임능력이 있었으므로 결과를 야기한 데 대한 책임비난이 가능하다. ㉰ 행위와 책임의 동시존재 원칙을 유지한다. ㉱ 비판 ➡ 구성요건의 정형성을 무시하여 죄형법정주의의 보장적 기능을 관철하는데 부합하지 않는 이론이다. ∴ 원인에 있어서 자유로운 행위의 가벌성의 근거를 자신을 도구로 이용하는 간접정범으로 이해하여 원인설정행위를 실행행위로 파악하여 원인설정행위시의 책임능력을 기초로 책임을 인정하는 견해는 구성요건의 정형성을 무시(중시 ×)하여 죄형법정주의의 보장적 기능을 관철하는데 부합하지 않는(부합하는 ×) 이론이다.

③ (×) 예외모델(불가분적 연관설 ; 다수설) ㉮ 행위자는 책임능력이 있었던 원인행위 시에 유책하게 자신을 심신장애상태에 빠뜨렸다. ㉯ ∴원인행위와 심신장애상태하의 행위는 불가분의 관련을 가지고 있으므로 전체적으로 보아 행위자에 대한 책임비난이 가능하다. ㉰ 비판 ➡ 행위와 책임능력의 동시존재의 원칙의 예외를 인정하는 이론이다. ∴ 원인에 있어서 자유로운 행위의 가벌성의 근거를 원인설정행위와 실행행위의 불가분적 관련에서 찾는 견해는 행위와 책임능력의 동시존재의 원칙의 예외를 인정하는(책임원칙을 따르는 ×) 이론이다.

④ (×) 제10조 제3항 ∴ 원인에 있어서 자유로운 행위에 관한 형법 제10조 제3항은 위험의 발생을 예견할 수 있었는데도 자의로 심신장애를 야기한 경우에도 적용된다.

07 정답 ④

④ (×) 예외모델(불가분적 연관설 ; 다수설) ㉮ 행위자는 책임능력이 있었던 원인행위 시에 유책하게 자신을 심신장애상태에 빠뜨렸다. ㉯ ∴원인행위와 심신장애상태하의 행위는 불가분의 관련을 가지고 있으므로 전체적으로 보아 행위자에 대한 책임비난이 가능하다. ㉰ 비판 ➡ 행위와 책임능력의 동시존재의 원칙의 예외를 인정하는 이론이다. ∴ 원인설정행위와 실행행위의 불가분적 관련에서 찾는 견해 ➡ 책임능력 결함상태에서 구성요건 해당행위를 시작한 때에 실행의 착수가 있는 것으로 본다.

① (○) 제10조 제3항

> 제10조(심신장애인) ③ 위험의 발생을 예견하고 자의로 심신장애를 야기한 자의 행위에는 전2항(심신상실의 책임조각과 심신미약의 책임감경)규정을 적용하지 아니한다.

② (○) 음주운전을 할 의사를 가지고 음주만취한 후 운전을 결행하여 교통사고를 일으킨 경우 심신장애로 인한 감경 등을 할 수 있는지 여부(소극) ➡ 형법 제10조 제3항은 "위험의 발생을 예견하고 자의로 심신장애를 야기한 자의 행위에는 전2항의 규정을 적용하지 아니한다"고 규정하고 있는 바, 이 규정은 고의에 의한 원인에 있어서의 자유로운 행위만이 아니라 과실에 의한 원인에 있어서의 자유로운 행위까지도 포함하는 것으로서 위험의 발생을 예견할 수 있었는데도 자의로 심신장애를 야기한 경우도 그 적용 대상이 된다고 할 것이어서, 피고인이 음주운전을 할 의사를 가지고 음주만취한 후 운전을 결행하여 교통사고를 일으켰다면 피고인은 음주 시에 교통사고를 일으킬 위험성을 예견하였는데도 자의로 심신장애를 야기한 경우에 해당하므로 위 법조항에 의하여 심신장애로 인한 감경 등을 할 수 없다(대판 1992.7.28, 92도999).

③ (○) 구성요건모델(일치설, 원인설정행위시설) ㉮ 원인에 있어서 자유로운 행위는 자신을 도구로 이용하는 간접정범과 유사하므로 원인행위가 실행행위가 된다. ㉯ ∴원인행위 시에 책임능력이 있었으므로 결과를 야기한 데 대한 책임비난

이 가능하다. ㉰ 행위와 책임의 동시존재 원칙을 유지한다. ㉱ 비판 ➡ 구성요건의 정형성을 무시하여 죄형법정주의의 보장적 기능을 관철하는데 부합하지 않는 이론이다.

08 정답 ①

① (×) 형법 제10조에 규정된 심신장애는 생물학적 요소로서 정신병 또는 비정상적 정신상태와 같은 정신적 장애가 있는 외에 심리학적 요소로서 이와 같은 정신적 장애로 말미암아 사물에 대한 변별능력과 그에 따른 행위통제능력이 결여되거나 감소되었음을 요하므로, 정신적 장애가 있는 자라고 하여도 범행 당시 정상적인 사물변별능력이나 행위통제능력이 있었다면 심신장애로 볼 수 없다(대판 2018.9.13, 2018도7658). ∴ 정신적 장애가 있는 자라 하더라도 범행 당시 정상적인 사물변별능력과 행위통제능력이 있었다면 심신장애에 해당하지 아니한다.

② (○) 제10조 제2항 ∴ 심신장애로 인하여 사물을 변별할 능력이나 의사를 결정할 능력이 미약한 자의 행위는 형을 감경할 수 있다(임의적 감경).

> 제10조(심신장애인) ① 심신장애로 인하여 사물을 변별할 능력이 없거나 의사를 결정할 능력이 없는 자의 행위는 벌하지 아니한다.
> ② 심신장애로 인하여 전항의 능력이 미약한 자의 행위는 형을 감경할 수 있다.

③ (○) 형법상 심신상실자라고 하려면 그 범행 당시에 심신장애로 인하여 사물의 시비선악을 변식할 능력이나 또 그 변식하는 바에 따라 행동할 능력이 없어 그 행위의 위법성을 의식하지 못하고 또는 이에 따라 행위를 할 수 없는 상태에 있어야 하며 범행을 기억하고 있지 않다는 사실만으로 바로 범행 당시 심신상실 상태에 있었다고 단정할 수는 없다(대판 1985.5.28, 85도361).

④ (○) 음주운전을 할 의사를 가지고 음주만취한 후 운전을 결행하여 교통사고를 일으킨 경우 심신장애로 인한 감경 등을 할 수 있는지 여부(소극) ➡ 형법 제10조 제3항은 "위험의 발생을 예견하고 자의로 심신장애를 야기한 자의 행위에는 전2항의 규정을 적용하지 아니한다"고 규정하고 있는 바, 이 규정은 고의에 의한 원인에 있어서의 자유로운 행위만이 아니라 과실에 의한 원인에 있어서의 자유로운 행위까지도 포함하는 것으로서 위험의 발생을 예견할 수 있었는데도 자의로 심신장애를 야기한 경우도 그 적용 대상이 된다고 할 것이어서, 피고인이 음주운전을 할 의사를 가지고 음주만취한 후 운전을 결행하여 교통사고를 일으켰다면 피고인은 음주 시에 교통사고를 일으킬 위험성을 예견하였는데도 자의로 심신장애를 야기한 경우에 해당하므로 위 법조항에 의하여 심신장애로 인한 감경 등을 할 수 없다(대판 1992.7.28, 92도999).

09 정답 ①

① (○) 음주운전을 할 의사를 가지고 음주만취한 후 운전을 결행하여 교통사고를 일으킨 경우 심신장애로 인한 감경 등을 할 수 있는지 여부(소극) ➡ 형법 제10조 제3항은 "위험의 발생을 예견하고 자의로 심신장애를 야기한 자의 행위에는 전2항의 규정을 적용하지 아니한다"고 규정하고 있는 바, 이 규정은 고의에 의한 원인에 있어서의 자유로운 행위만이 아니라 과실에 의한 원인에 있어서의 자유로운 행위까지도 포함하는 것으로서 위험의 발생을 예견할 수 있었는데도 자의로 심신장애를 야기한 경우도 그 적용 대상이 된다고 할 것이어서, 피고인이 음주운전을 할 의사를 가지고 음주만취한 후 운전을 결행하여 교통사고를 일으켰다면 피고인은 음주 시에 교통사고를 일으킬 위험성을 예견하였는데도 자의로 심신장애를 야기한 경우에 해당하므로 위 법조항에 의하여 심신장애로 인한 감경 등을 할 수 없다(대판 1992.7.28, 92도999).

② (×) 제10조 제2항 ∴ 심신장애로 인하여 사물을 변별할 능력이나 의사를 결정할 능력이 미약한 자의 행위는 형을 감경할 수 있다(임의적 감경).

> 제10조(심신장애인) ① 심신장애로 인하여 사물을 변별할 능력이 없거나 의사를 결정할 능력이 없는 자의 행위는 벌하지 아니한다.
> ② 심신장애로 인하여 전항의 능력이 미약한 자의 행위는 형을 감경할 수 있다.

③ (×) : 형법 제10조에 규정된 심신장애의 유무 및 정도의 판단은 법률적 판단으로서 반드시 전문감정인의 의견에 기속되어야 하는 것은 아니고, 정신질환의 종류와 정도, 범행의 동기, 경위, 수단과 태양, 범행 전후의 피고인의 행동, 반성의 정도 등 여러 사정을 종합하여 법원이 독자적으로 판단할 수 있다(대판 1999.8.24, 99도1194). ∴ ~ '그 능력의 유무와 정도' 및 '그 능력에 관해 확정된 사실이 심신상실 또는 심신미약에 해당하는지 여부'는 법률적 판단으로서 반드시 전문감정인의 의견에 기속되어야 하는 것은 아니다.

④ (×) : 소년법 제60조 제2항의 적용대상인 '소년'인지의 여부는 심판 시, 즉 사실심판결 선고 시를 기준으로 판단되어야 한다(대판 2020.8.18, 2000도2704).

10 정답 ②

② (×) 제10조 제2항 ∴ 심신장애로 인하여 사물을 변별할 능력이나 의사를 결정할 능력이 미약한 자의 행위는 형을 감경할 수 있다(임의적 감경).

> 제10조(심신장애인) ① 심신장애로 인하여 사물을 변별할 능력이 없거나 의사를 결정할 능력이 없는 자의 행위는 벌하지 아니한다.
> ② 심신장애로 인하여 전항의 능력이 미약한 자의 행위는 형을 감경할 수 있다.

① (O) 형법 제10조에 규정된 심신장애는 생물학적 요소로서 정신병 또는 비정상적 정신상태와 같은 정신적 장애가 있는 외에 심리학적 요소로서 이와 같은 정신적 장애로 말미암아 사물에 대한 변별능력과 그에 따른 행위통제능력이 결여되거나 감소되었음을 요하므로, 정신적 장애가 있는 자라고 하여도 범행 당시 정상적인 사물변별능력이나 행위통제능력이 있었다면 심신장애로 볼 수 없다(대판 2018.9.13, 2018도7658).

③ (O) 충동조절장애와 같은 성격적 결함으로 인한 범행을 심신장애로 인한 범행으로 볼 수 있는지 여부(한정 적극) ➡ **자신의 충동을 억제하지 못하여 범죄를 저지르게 되는 현상은 정상인에게서도 얼마든지 찾아볼 수 있는 일**로서, 특단의 사정이 없는 한 위와 같은 성격적 결함을 가진 자에 대하여 자신의 충동을 억제하고 법을 준수하도록 요구하는 것이 기대할 수 없는 행위를 요구하는 것이라고는 할 수 없으므로, 원칙적으로 충동조절장애와 같은 성격적 결함은 형의 감면사유인 심신장애에 해당하지 아니한다고 봄이 상당하지만, 그 이상으로 사물을 변별할 수 있는 능력에 장애를 가져오는 원래의 의미의 정신병이 도벽의 원인이라거나 혹은 도벽의 원인이 충동조절장애와 같은 성격적 결함이라 할지라도 그것이 매우 심각하여 원래의 의미의 정신병을 가진 사람과 동등하다고 평가할 수 있는 경우에는 그로 인한 절도 범행은 심신장애로 인한 범행으로 보아야 한다(대판 1995.2.24, 94도3163 / 대판 2002.5.24, 2002도1541 / 대판 2009.2.26, 2008도9867 / 대판 2011.2.10, 2010도14512).

④ (O) 음주운전을 할 의사를 가지고 음주만취한 후 운전을 결행하여 교통사고를 일으킨 경우 심신장애로 인한 감경 등을 할 수 있는지 여부(소극) ➡ 형법 제10조 제3항은 "위험의 발생을 예견하고 자의로 심신장애를 야기한 자의 행위에는 전2항의 규정을 적용하지 아니한다"고 규정하고 있는 바, 이 규정은 고의에 의한 원인에 있어서의 자유로운 행위만이 아니라 과실에 의한 원인에 있어서의 자유로운 행위까지도 포함하는 것으로서 위험의 발생을 예견할 수 있었는데도 자의로 심신장애를 야기한 경우도 그 적용 대상이 된다고 할 것이어서, 피고인이 음주운전을 할 의사를 가지고 음주만취한 후 운전을 결행하여 교통사고를 일으켰다면 피고인은 음주 시에 교통사고를 일으킬 위험성을 예견하였는데도 자의로 심신장애를 야기한 경우에 해당하므로 위 법조항에 의하여 심신장애로 인한 감경 등을 할 수 없다(대판 1992.7.28, 92도999).

형사법 8회 모의고사 정답 및 해설

제8회 모의고사 정답

01	②	02	②	03	②	04	③	05	②
06	①	07	③	08	③	09	③	10	③

01 정답 ②

② (×) 법률의 착오에 관한 형법 제16조의 규정 취지 ➡ 형법 제16조에서 "자기가 행한 행위가 법령에 의하여 죄가 되지 아니한 것으로 오인한 행위는 그 오인에 정당한 이유가 있는 때에 한하여 벌하지 아니한다."라고 규정하고 있는 것은 단순한 법률의 부지를 말하는 것이 아니고, 일반적으로 범죄가 되는 경우이지만 자기의 특수한 경우에는 법령에 의하여 허용된 행위로서 죄가 되지 아니한다고 그릇 인식하고 그와 같이 그릇 인식함에 정당한 이유가 있는 경우에는 벌하지 않는다는 취지이다(대판 2006.11.23, 2005도5511). ∴ 행위자가 자기의 행위와 관련된 금지규범을 알지 못한 경우, 즉 단순한 법률의 부지는 그 부지에 정당한 이유가 있는 경우에도 처벌한다.

① (○) 제16조

> 제16조(법률의 착오) 자기의 행위가 법령에 의하여 죄가 되지 아니하는 것으로 오인한 행위는 그 오인에 정당한 이유가 있는 때에 한하여 벌하지 아니한다.

③ (○) 범죄의 성립에 있어서 위법의 인식은 그 범죄사실이 사회정의와 조리에 어긋난다는 것을 인식하는 것으로서 족하고 구체적인 해당 법조문까지 인식할 것을 요하는 것은 아니므로 설사 형법상의 허위공문서작성죄에 해당되는 줄 몰랐다고 가정하더라도 그와 같은 사유만으로는 위법성의 인식이 없었다고 할 수 없다(대판 1987.3.24, 86도2673).

④ (○) 피고인은 소아용 의류 및 양말 등을 제조 판매하는 공소외 주식회사의 대표이사로서 1974. 말경 외국상사들로부터 발가락 삽입부가 5개로 형성된 양말을 주문받아 1975.1부터 이를 생산하던 중 이 사건 피해자인 김종국으로부터 1975.2.24경 발가락 삽입부가 5개로 형성된 양말은 동인의 의장권(의장등록 제13319호)을 침해한다 하여 그 제조의 중지요청을 받고 그 즉시 변리사 김경진에게 문의하였던바, 양자의 의장이 색채와 모양에 있어 큰 차이가 있으므로 동일 유사하다고 할 수 없다는 회답을 받고, … 발가락 삽입부가 위 김종국의 등록의장의 지배적 요소라고 할 수 없으므로 양자는 결국 동일 또는 유사하다고 할 수 없다는 전문적인 감정을 받았고, 이에 따라 같은 해 3.12 피고인 스스로 자신이 제조하는 양말에 대하여 의장등록출원을 한 결과 같은 해 12.22 특허국으로부터 등록사정까지 받게 되었다. 사실이 이와 같다면 특허나 의장권 관계의 법률에 관하여는 전혀 문외한인 피고인으로서는 위 대법원판결이 있을 때까지는 자신이 제조하는 양말이 위 김종국의 의장권을 침해하는 것이 아니라고 믿을 수밖에 없었다고 할 것이니, 위 양말을 제조 판매하는 행위가 법령에 의하여 죄가 되지 않는다고 오인함에 있어서 정당한 이유가 있는 경우에 해당하여 처벌할 수 없는 것이다(대판 1982.1.19, 81도646).

02 정답 ②

② (×) 가. 활법원으로 찾아오는 환자들에게 신체불균형상태를 교정한다 하여 압박 등의 시술을 반복한 것은 의료행위에 해당한다. 나. 활법이 정부 공인의 체육종목이고 피고인이 활법종목의 사회체육지도자 자격증을 취득한 후 당국의 인가를 받아 위 활법원을 설립, 운영하고 있다 하더라도, 활법의 체육종목으로서 공인하거나 그 지도자 자격을 부여하는 것 등은 신체활동을 통하여 건전한 신체와 정신을 기르고 여가를 선용하고자 하는 체육활동으로서의 일반적인 활법의 지도를 위한 것이지 그 외에 법률에서 금지하는 무면허 의료행위까지도 할 수 있도록 허용하는 취지는 아님이 분명하므로, 설사 피고인이 자신의 행위가 무면허 의료행위에 해당되지 아니하여 죄가 되지 않는다고 믿었다 하더라도 그와 같이 믿은 데에 정당한 사유가 있었다고는 할 수 없다(대판 1995.4.7, 94도1325). ∴ 척추교정시술행위를 한 자신의 행위가 무면허 의료행위에 해당되지 아니하여 죄가 되지 않는다고 믿었다 하더라도 그 믿은 데에 정당한 이유가 있는 법률의 착오에 해당하지 않는다.

① (○) 제약회사에서 쓰는 마약은 구해 주어도 죄가 안된다고 믿고서 한 생아편의 수수행위와 법률의 착오 ➡ 피고인이 제약회사에 근무한다는 자로부터 마약이 없어 약을 제조하지 못하니 구해 달라는 거짓 부탁을 받고 제약회사에서 쓰는 마약은 구해 주어도 죄가 되지 아니하는 것으로 믿고 생아편을 구해 주었다 하더라도 피고인들이 마약취급의 면허가 없는 이상 위와 같이 믿었다 하여 이러한 행위가 법령에 의하여 죄가 되지 아니하는 것으로 오인하였거나, 그 오인에 정당한 이유가 있는 경우라고 볼 수 없다(대판 1983.9.13, 83도1927).

③ (○) 대판 1993.9.14, 92도1560 허가를 담당하는 공무원이 허가를 요하지 않는다고 잘못 알려 준 것을 믿고 채광작업을 위하여 허가없이 산림을 훼손한 경우 허가를 받지 않더라도 죄가 되지 않는 것으로 착오를 일으킨 데 대하여 정당한 이유가 있는 경우에 해당하여 처벌할 수 없다(광물채취 등 자연자원훼손행위는 관광진흥법과 그 시행령에 의하여 관계행정청의 허가를 받은 후 작업을 재개하라는 취지의 것이었을 뿐 산림법에 따른 산림훼손허가를 받으라는 내용은 담겨져 있지 않은 사실을 인정할 수 있는바 이러한 사정을 종합하여 보면 피고인은 위 산림훼손지역에 대하여 비록 산림법 제90조 소정의 허가를 받은 바 없다 하더라도 이 사건 범행 당시 자기의 행위가 법령에 의하여 죄가 되지 않는 것으로 믿을 수 밖에 없었고 또 그렇게 오인함에 있어서 정당한 이유가 있는 경

우에 해당한다고 보아야 할 것이므로 피고인을 산림법위반으로 처벌할 수는 없다고 하겠다).

④ (O) 피고인은 1971.4.10. 순경으로 임용된 이래 이 사건 범행 당시까지 약 23년간 경찰공무원으로 근무하여 왔고, 이 사건 범행 당시에는 관악경찰서 형사과 형사계 강력 1반장으로 근무하고 있는 사람으로서 일반인들보다도 형벌법규를 잘 알고 있으리라 추단이 되고, 이러한 피고인이 검사의 수사지휘만 받으면 허위로 공문서를 작성하여도 죄가 되지 아니하는 것으로 그릇 인식하였다는 것은 납득이 가지 아니하고, 가사 피고인이 그러한 그릇된 인식이 있었다 하여도 피고인의 직업 등에 비추어 그러한 그릇된 인식을 함에 있어 정당한 이유가 있다고 볼 수도 없다(대판 1995.11.10, 95도2088).

03 정답 ②

② (×) 허용규범의 착오와 허용한계의 착오의 구별

❶ 위법성조각사유의 존재에 대한 착오(=허용규범의 착오) ㉮ 법적으로 인정된 위법성조각사유 자체가 없음에도 불구하고 존재하는 것으로 오인한 경우, ㉯ 금지착오에 해당한다. ㉰ 예 ➡ 남편이 처를 구타하면서 징계권이 있다고 믿은 경우에 위법성조각사유의 존재에 대한 착오로서 금지착오로 해결한다. ❷ 위법성조각사유의 한계에 대한 착오(=허용한계의 착오) ㉮ 위법성조각사유의 법적 한계를 오인한 경우, ㉯ 금지착오에 해당한다. ㉰ 예 ➡ 사인이 현행범을 체포하면서 주거침입까지도 허용된다고 오인한 경우, 사인의 현행범 체포시 24시간 정도 감금하는 것이 허용된다고 착각한 경우, 과거의 침해에 대해서도 정당방위가 허용된다고 오인한 경우

∴ 남편이 부인을 구타하면서 징계권이 있다고 오인한 경우는 위법성 조각사유의 존재(허용규범의 착오)에 대한 착오이다.

① (O) 법률의 착오에 관한 형법 제16조의 규정 취지 ➡ 형법 제16조에서 "자기가 행한 행위가 법령에 의하여 죄가 되지 아니한 것으로 오인한 행위는 그 오인에 정당한 이유가 있는 때에 한하여 벌하지 아니한다."라고 규정하고 있는 것은 단순한 법률의 부지를 말하는 것이 아니고, <u>일반적으로 범죄가 되는 경우이지만 자기의 특수한 경우에는 법령에 의하여 허용된 행위로서 죄가 되지 아니한다고 그릇 인식하고 그와 같이 그릇 인식함에 정당한 이유가 있는 경우에는 벌하지 않는다는 취지</u>이다(대판 2006.11.23, 2005도5511). ∴ 행위자가 자기의 행위와 관련된 금지규범을 알지 못한 경우 즉 단순한 법률의 부지는 그 부지에 정당한 이유가 있는 경우에도 처벌한다.

③ (O) 국민학교(초등학교) 교장이 도교육위원회의 지시에 따라 교과내용으로 되어 있는 꽃양귀비를 교과식물로 비치하기 위하여 양귀비 종자를 사서 교무실 앞 화단에 심은 것이라면 이는 죄가 되지 아니하는 것으로 오인한 행위로서 그 오인에 정당한 이유가 있는 경우에 해당한다고 할 것이다(대판 1972.3.31, 72도64).

④ (O) 대판 2005.8.19, 2005도1697 허가를 담당하는 공무원이 허가를 요하지 않는다고 잘못 알려 준 것을 믿은 경우, 자기의 행위가 죄가 되지 않는 것으로 오인한 데 정당한 이유가 있는지 여부(적극) ➡ 행정청의 허가가 있어야 함에도 불구하고, 허가를 받지 아니하여 처벌대상의 행위를 한 경우라도 허가를 담당하는 공무원이 허가를 요하지 않는 것으로 잘못 알려 주어 이를 믿었기 때문에 허가를 받지 아니한 것이라면 허가를 받지 않더라도 죄가 되지 않는 것으로 착오를 일으킨 데 대하여 정당한 이유가 있는 경우에 해당하여 처벌할 수 없다(대판 1992.5.22, 91도2525 판결 등 참조).

04 정답 ③

③ (×) 위법성인식의 체계적 지위

㉠ 엄격고의설 ⓐ 고의가 성립하기 위해서는 구성요건에 해당하는 객관적 사실의 인식 이외에 다시 현실적인 인식이 있어야 한다. ⓑ 위법성의 인식은 없으나 그 인식가능성이 있는 경우 ➡ 고의를 조각하고 과실을 인정 ㉡ 엄격책임설 ➡ 위법성조각사유의 전제사실에 대한 착오를 금지착오로 본다.

∴ 위법성인식의 체계적 지위에 관한 엄격고의설(엄격책임설 ×)에 대해서는 상습범 또는 확신범 등을 고의범으로 처벌할 수 없고 특별히 과실범 처벌규정이 있는 경우에 한하여 과실범으로 처벌할 수 밖에 없는 형사정책적인 결함을 가진다는 비판이 있다.

① (O) 피고인은 변호사 자격을 가진 국회의원으로서 법률전문가라고 할 수 있는바, 낙천대상자로 선정된 이유가 의정활동에 관계있는 것이 아닌 한 낙천대상자로 선정된 사유에 대한 해명을 의정보고서에 게재하여 배부할 수 없고 더 나아가 낙천대상자 선정이 부당하다는 취지의 제3자의 반론 내용을 싣거나 이를 보도한 내용을 전재하는 것은 의정보고서의 범위를 넘는 것으로서 허용되지 않는다는 것을 충분히 인식할 수 있었다고 할 것이다. (중략) 피고인이 그 보좌관을 통하여 관할 선거관리위원회 직원에게 문의하여 이 사건 의정보고서에 앞서 본 바와 같은 내용을 게재하는 것이 허용된다는 답변을 들은 것만으로는, 자신의 지적 능력을 다하여 이를 회피하기 위한 진지한 노력을 다하였다고 볼 수 없고, 그 결과 자신의 행위의 위법성을 인식하지 못한 것이라고 할 것이므로 그에 대해 정당한 이유가 있다고 하기 어렵다(대판 2006.3.24, 2005도3717).

② (O) 영업허가관청의 법령해석과 법률의 착오 ➡ 가정의례에 관한 법률이 시행된 후 같은 법률 제5조 제1항 소정의 영업허가를 얻고자 서울특별시장에게 신청하였으나 일반수요자가 아닌 장의사영업허가를 받은 상인에게 납품하는 행위는 영업허가가 필요 없다고 하여 얻지 못하였다는 취지로 변소하고 있는 바(항소이유서 참조), 관할관청이 장의사영업허가를 받은 상인에게 장의소요기구, 물품을 판매하는 도매업에 대하여는 같은 법 제5조 제1항의 영업허가가 필요 없는 것으로 해석하여 영업허가를 해 주지 않고 있어 피고인 역시 영업

허가 없이 이른바 도매를 해 왔다면 동인에게는 같은 법률위반에 대한 인식이 있었다고 보기 어렵다(대판 1989.2.28, 88도1141).

④ (○) 제16조

> 제16조(법률의 착오) 자기의 행위가 법령에 의하여 죄가 되지 아니하는 것으로 오인한 행위는 그 오인에 정당한 이유가 있는 때에 한하여 벌하지 아니한다.

05 정답 ②

② (×) 무면허 의료행위가 사회상규에 위배되지 아니하는 정당행위로 인정되기 위한 요건 ➡ 자격기본법에 의한 민간자격관리자로부터 대체의학자격증을 수여받은 자가 사업자등록을 한 후 침술원을 개설하였다고 하더라도 국가의 공인을 받지 못한 민간자격을 취득하였다는 사실만으로는 자신의 행위가 무면허 의료행위에 해당되지 아니하여 죄가 되지 않는다고 믿는 데에 정당한 사유가 있었다고 할 수 없다(대판 2003.5.13, 2003도939). ∴ 「자격기본법」에 의한 민간자격관리자로부터 대체의학자격증을 수여받은 자가 사업자등록을 한 후 침술원을 개설하였다는 사실만으로는 자신의 행위가 무면허 의료행위에 해당되지 아니하여 죄가 되지 않는다고 믿는 데에 정당한 사유가 있었다고 할 수 없다.

① (○) 제16조

> 제16조(법률의 착오) 자기의 행위가 법령에 의하여 죄가 되지 아니하는 것으로 오인한 행위는 그 오인에 정당한 이유가 있는 때에 한하여 벌하지 아니한다.

③ (○) 구 풍속영업의 규제에 관한 법률 제3조 제2호 위반행위를 한 피고인이 그 이전에 그와 유사한 행위로 '혐의없음' 처분을 받은 전력이 있다거나 일정한 시청차단장치를 설치하였다는 등의 사정만으로는, 형법 제16조의 정당한 이유가 있다고 볼 수 없다. ➡ 숙박업소에서 위성방송수신장치를 이용하여 수신한 외국의 음란한 위성방송프로그램을 투숙객 등에게 제공함으로써 구 풍속영업의 규제에 관한 법률 제3조 제2호 위반행위를 한 피고인이 그 이전에 그와 유사한 행위로 "혐의없음" 처분을 받은 전력이 있다거나 일정한 시청차단장치를 설치하였다는 등의 사정만으로는 형법 제16조의 정당한 이유가 있다고 볼 수 없다(대판 2010.7.15, 2008도11679).

④ (○) 대판 2005.6.10, 2005도835 광역시의회 의원이 선거구민들에게 의정보고서를 배부하기에 앞서 미리 관할 선거관리위원회 소속 공무원들에게 자문을 구하고 그들의 지적에 따라 수정한 의정보고서를 배부한 경우가 형법 제16조에 해당하여 벌할 수 없다고 한 사례 ➡ 형법 제16조에 자기의 행위가 법령에 의하여 죄가 되지 아니하는 것으로 오인한 행위는 그 오인에 정당한 이유가 있는 때에 한하여 벌하지 아니한다고 규정하고 있는 것은 단순한 법률의 부지의 경우를 말하는 것이 아니고, 일반적으로 범죄가 되는 경우이지만 자기의 특수한 경우에는 법령에 의하여 허용된 행위로서 죄가 되지 아니한다고 그릇 인식하고 그와 같은 그릇 인식함에 정당한 이유가 있는 경우에는 벌하지 아니한다는 취지이다(대판 2000.8.18, 2000도2943 참조).

06 정답 ①

① (×) 환각범 행위자가 처벌되지 않는 행위를 처벌되는 행위로 오인하고 행위를 한 경우 환각범에 해당하며 언제나 불가벌이다.

② (○) 위법성 조각사유의 한계에 관한 착오로서 금지착오에 해당함. 허용규범의 착오와 허용한계의 착오의 구별

> ❶ 위법성조각사유의 존재에 대한 착오(=허용규범의 착오) ㉮ 법적으로 인정된 위법성조각사유 자체가 없음에도 불구하고 존재하는 것으로 오인한 경우, ㉯ 금지착오에 해당한다. ㉰ 예 ➡ 남편이 처를 구타하면서 징계권이 있다고 믿은 경우에 위법성조각사유의 존재에 대한 착오로서 금지착오로 해결한다.
>
> ❷ 위법성조각사유의 한계에 대한 착오(=허용한계의 착오) ㉮ 위법성조각사유의 법적 한계를 오인한 경우, ㉯ 금지착오에 해당한다. ㉰ 예 ➡ 사인이 현행범을 체포하면서 주거침입까지도 허용된다고 오인한 경우, 사인의 현행범 체포시 24시간 정도 감금하는 것이 허용된다고 착각한 경우, 과거의 침해에 대해서도 정당방위가 허용된다고 오인한 경우

③ (○) 법률의 착오에 관한 형법 제16조의 규정 취지 ➡ 형법 제16조에서 "자기가 행한 행위가 법령에 의하여 죄가 되지 아니한 것으로 오인한 행위는 그 오인에 정당한 이유가 있는 때에 한하여 벌하지 아니한다."라고 규정하고 있는 것은 단순한 법률의 부지를 말하는 것이 아니고, 일반적으로 범죄가 되는 경우이지만 자기의 특수한 경우에는 법령에 의하여 허용된 행위로서 죄가 되지 아니한다고 그릇 인식하고 그와 같이 그릇 인식함에 정당한 이유가 있는 경우에는 벌하지 않는다는 취지이다(대판 2006.11.23, 2005도5511). ∴ 행위자가 자기의 행위와 관련된 금지규범을 알지 못한 경우, 즉 단순한 법률의 부지는 그 부지에 정당한 이유가 있는 경우에도 처벌한다.

④ (○) 피고인은 1971.4.10. 순경으로 임용된 이래 이 사건 범행 당시까지 약 23년간 경찰공무원으로 근무하여 왔고, 이 사건 범행 당시에는 관악경찰서 형사과 형사계 강력 1반장으로 근무하고 있는 사람으로서 일반인들보다도 형벌법규를 잘 알고 있으리라 추단이 되고, 이러한 피고인이 검사의 수사지휘만 받으면 허위로 공문서를 작성하여도 죄가 되지 아니하는 것으로 그릇 인식하였다는 것은 납득이 가지 아니하고, 가사 피고인이 그러한 그릇된 인식이 있었다 하여도 피고인의 직업 등에 비추어 그러한 그릇된 인식을 함에 있어 정당한 이유가 있다고 볼 수도 없다(대판 1995.11.10, 95도2088).

07 정답 ③

③ (○) 법률 위반 행위 중간에 일시적으로 판례에 따라 그 행위가 처벌대상이 되지 않는 것으로 해석되었던 적이 있었다고 하더라도 그것만으로 자신의 행위가 처벌되지 않는 것으로 믿은 데에 정당한 이유가 있다고 할 수 없다(대판 2021.11.25, 2021도10903).

① (×) 형법 제16조는 '법률의 착오'라는 제목으로 자기가 한 행위가 법령에 따라 죄가 되지 않는 것으로 오인한 행위는 그 오인에 정당한 이유가 있는 때에 한하여 벌하지 않는다고 정하고 있다. 이는 일반적으로 범죄가 성립하지만 자신의 특수한 사정에 비추어 법령에 따라 허용된 행위로서 죄가 되지 않는다고 그릇 인식하고 그러한 인식에 정당한 이유가 있는 경우에는 벌하지 않는다는 것이다. 이때 정당한 이유는 행위자에게 자기 행위의 위법 가능성에 대해 심사숙고하거나 조회할 수 있는 계기가 있어 자신의 지적 능력을 다하여 이를 회피하기 위한 진지한 노력을 다하였더라면 스스로의 행위에 대하여 위법성을 인식할 수 있는 가능성이 있었는데도 이를 다하지 못한 결과 자기 행위의 위법성을 인식하지 못한 것인지 여부에 따라 판단해야 한다. 이러한 위법성의 인식에 필요한 노력의 정도는 구체적인 행위정황과 행위자 개인의 인식능력 그리고 행위자가 속한 사회집단에 따라 달리 평가하여야 한다(대판 2009.5.14, 2008도8852).

② (×) 구 풍속영업의 규제에 관한 법률 제3조 제2호 위반행위를 한 피고인이 그 이전에 그와 유사한 행위로 '혐의없음' 처분을 받은 전력이 있다거나 일정한 시청차단장치를 설치하였다는 등의 사정만으로는, 형법 제16조의 정당한 이유가 있다고 볼 수 없다(대판 2010.7.15, 2009도4545).

④ (×) 법률의 착오에 관한 형법 제16조의 규정 취지 ➡ 형법 제16조에서 "자기가 행한 행위가 법령에 의하여 죄가 되지 아니한 것으로 오인한 행위는 그 오인에 정당한 이유가 있는 때에 한하여 벌하지 아니한다."라고 규정하고 있는 것은 단순한 법률의 부지를 말하는 것이 아니고, 일반적으로 범죄가 되는 경우이지만 자기의 특수한 경우에는 법령에 의하여 허용된 행위로서 죄가 되지 아니한다고 그릇 인식하고 그와 같이 그릇 인식함에 정당한 이유가 있는 경우에는 벌하지 않는다는 취지이다(대판 2006.11.23, 2005도5511). ∴ 행위자가 자기의 행위와 관련된 금지규범을 알지 못한 경우, 즉 단순한 법률의 부지는 그 부지에 정당한 이유가 있는 경우에도 처벌한다.

08 정답 ③

③ (○) 고의설은 고의를 책임형식으로 이해하고 고의의 내용에 위법성의 인식이 포함된다고 본다. 고의설은 위법성의 인식이 없으면 고의가 조각되고 정당한 사유의 존부에 따라 과실범의 성부만이 문제된다고 보며, 법효과제한적 책임설에 의하면 고의・과실의 이중적 지위를 인정하는 전제에서 고의불법은 인정되나 책임고의가 부정되므로 고의범의 성립을 인정하되 법적 효과에서는 구성요건착오가 있는 경우와 동일하게 취급해야 한다고 본다. 따라서 제한적 책임설에 따르면 착오한 부분에 과실이 있으면 고의범이 성립하나 과실범의 책임을 진다고 본다. 따라서 고의설과 법효과제한적 책임설의 결론은 동일하게 된다.

① (×) 엄격책임설에 의하면 위법성조각사유의 전제사실에 대한 착오 역시 위법성인식의 착오와 마찬가지로 법률의 착오에 해당하여 오인에 정당한 이유가 있으면 책임이 조각된다고 보지만, 착오에 과실이 있으면 고의범으로 처벌하되 책임을 감경할 수 있을 뿐이라고 본다.

② (×) 위법성조각사유의 요건을 총체적 불법구성요건의 소극적 표지로 이해하는 소극적 구성요건표지이론에 의하면 위법성조각사유의 전제사실에 대한 착오도 총체적 불법구성요건 해당성에 관한 착오이므로 형법 제13조가 직접 적용되어 고의가 조각되나, 착오에 과실이 있으면 과실범이 성립한다고 본다.

④ (×) 유추적용설은 위법성조각사유의 객관적 전제사실도 평가의 기초되는 사실관계라는 점에서 구성요건적 착오와 유사하지만 행위자에게 구성요건적 불법을 실현하고자 하는 결단이 없으므로 고의범으로서 행위불법을 부정해야 하기 때문에 구성요건착오규정을 유추적용하여 고의를 조각하여야 한다고 본다.

09 정답 ③

③ (×) 이미 유죄의 확정판결을 받은 피고인은 공범의 형사사건에서 그 범행에 대한 증언을 거부할 수 없을 뿐만 아니라 나아가 사실대로 증언하여야 하고, 설사 피고인이 자신의 형사사건에서 시종일관 그 범행을 부인하였다 하더라도 이러한 사정은 위증죄에 관한 양형참작사유로 볼 수 있음은 별론으로 하고 이를 이유로 피고인에게 사실대로 진술할 것을 기대할 가능성이 없다고 볼 수는 없다(대판 2008.10.23, 2005도10101).

① (○) 대판(전) 2004.7.15 2004도2965

② (○) 형법 제12조(강요된 행위)에서 말하는 '폭력', '협박', '강요'의 의미➡ 형법 제12조에서 말하는 강요된 행위는 저항할 수 없는 폭력이나 생명, 신체에 위해를 가하겠다는 협박 등 다른 사람의 강요에 의하여 이루어진 행위를 의미하는데, 여기서 저항할 수 없는 폭력은 심리적 의미에 있어서 육체적으로 어떤 행위를 절대적으로 하지 아니할 수 없게 하는 경우와 윤리적 의미에 있어서 강압된 경우를 말하고, 협박이란 자기 또는 친족의 생명, 신체에 대한 위해를 달리 막을 방법이 없는 협박을 말하며, 강요라 함은 피강요자의 자유스런 의사결정을 하지 못하게 하면서 특정한 행위를 하게 하는 것을 말하는 것이다(대판 2007.6.29, 2007도3306).

④ (○) 대판 1986.5.27, 86도614

10 정답 ③

③ (O) 대판 2015.2.12, 2014도12753

① (×) 이미 유죄의 확정판결을 받은 피고인은 공범의 형사사건에서 그 범행에 대한 증언을 거부할 수 없을 뿐만 아니라 나아가 사실대로 증언하여야 하고, 설사 피고인이 자신의 형사사건에서 시종일관 그 범행을 부인하였다 하더라도 이러한 사정은 위증죄에 관한 양형참작사유로 볼 수 있음은 별론으로 하고 이를 이유로 피고인에게 사실대로 진술할 것을 기대할 가능성이 없다고 볼 수는 없다(대판 2008.10.23, 2005도10101).

② (×) 심신장애로 인하여 사물을 변별할 능력이나 의사를 결정할 능력이 미약한 자의 행위는 형을 감경할 수 있다(제10조 제2항).

④ (×) 특단의 사정이 없는 한 성격적 결함을 가진 자에 대하여 자신의 충동을 억제하고 법을 준수하도록 요구하는 것이 기대할 수 없는 행위를 요구하는 것이라고는 할 수 없으므로, 사춘기 이전의 소아들을 상대로 한 성행위를 중심으로 성적 흥분을 강하게 일으키는 공상, 성적 충동, 성적 행동이 반복되어 나타나는 소아기호증은 성적인 측면에서의 성격적 결함으로 인하여 나타나는 것으로서, 소아기호증과 같은 질환이 있다는 사정은 그 자체만으로는 형의 감면사유인 심신장애에 해당하지 아니한다고 봄이 상당하고, 다만 그 증상이 매우 심각하여 원래의 의미의 정신병이 있는 사람과 동등하다고 평가할 수 있거나, 다른 심신장애사유와 경합된 경우 등에는 심신장애를 인정할 여지가 있으며, 이 경우 심신장애의 인정 여부는 소아기호증의 정도, 범행의 동기 및 원인, 범행의 경위 및 수단과 태양, 범행 전후의 피고인의 행동, 증거인멸 공작의 유무, 범행 및 그 전후의 상황에 관한 기억의 유무 및 정도, 반성의 빛의 유무, 수사 및 공판정에서의 방어 및 변소의 방법과 태도, 소아기호증 발병 전의 피고인의 성격과 그 범죄와의 관련성 유무 및 정도 등을 종합하여 법원이 독자적으로 판단할 수 있다(대판 2007.2.8, 2006도7900).

형사법 9회 모의고사 정답 및 해설

제9회 모의고사 정답

01	②	02	④	03	①	04	④	05	①
06	③	07	④	08	③	09	④	10	④

01 정답 ②

② (×) 순수한 규범적 책임론은 고의와 위법성인식을 분리시켜 위법성인식을 책임의 독자적인 요소로 이해한다(책임설).

③ (○) 심신상실자가 범행위시에는 심신상실상태였으나 그 후 정상적으로 회복한 경우 치료감호가 아니라 형벌을 부과하여야 하는데, 우리 형법은 그렇지 아니하기 때문이다.

02 정답 ④

④ (×) 성격결함이 정신병자와 동등하다 평가될 경우 심신장애를 인정할 수 있다(대판 1999.4.27, 99도693).

① (○), ② (○) 피고인이 범행 당시 그 심신장애의 정도가 단순히 사물을 변별할 능력이나 의사를 결정할 능력이 미약한 상태에 그쳤는지 아니면 그러한 능력이 상실된 상태이었는지 여부가 불분명하므로, 원심으로서는 먼저 피고인의 정신상태에 관하여 충실한 정보획득 및 관계 상황의 포괄적인 조사·분석을 위하여 피고인의 정신장애의 내용 및 그 정도 등에 관하여 정신의로 하여금 감정을 하게 한 다음, 그 감정결과를 중요한 참고자료로 삼아 범행의 경위, 수단, 범행 전후의 행동 등 제반 사정을 종합하여 범행 당시의 심신상실 여부를 경험칙에 비추어 규범적으로 판단하여 그 당시 심신상실의 상태에 있었던 것으로 인정되는 경우에는 무죄를 선고하여야 한다(대판 1998.4.10, 98도549).

③ (○) 대판 1985.5.28, 85도361

03 정답 ①

① (○) 乙의 경우 책임능력상태에서 스스로 심신상실상태를 야기한 원인에 있어서 자유로운 행위로 책임이 조각되지 않는다. 또한 丁을 丙으로 오인한 것은 동가치 착오 중 객체의 착오로서 법정적 부합설에 의하면 丁에 대한 살인죄가 성립한다. 그러나 절도에 대해서는 원인에 있어서 자유로운 행위의 구조가 아니므로 즉, 순수하게 심신상실상태에서 범하여진 것으로 책임이 조각된다. 교사범 甲에게는 동가치 착오 중 방법의 착오에 해당되어 법정적 부합설에 의할 경우 살인교사의 고의기수의 책임을 진다.

04 정답 ④

④ (○) 엄격고의설에서 고의 = 사실인식 + 현실적 위법성인식. 위법성인식이 없으면 고의가 조각된다.

① (×) 위법의 인식은 그 범죄사실이 사회정의와 조리에 어긋난다는 것을 인식하는 것으로서 족하고 구체적인 해당 법조문까지 인식할 것을 요하는 것은 아니다(대판 1987.3.24, 86도2673).

② (×) 고의설이나 책임설은 당연히 범죄의 성립에 위법성의 인식을 필요로 한다.

③ (×) 고의설은 고의를 책임요소로 이해하고 위법성의 인식을 고의에 포함된 내용이며, 책임설은 위법성의 인식을 고의에서 분리된 책임요소로 본다.

05 정답 ①

① (×) 소극적 구성요건표지이론에 의하면 위법성조각사유의 전제된 사실의 착오를 사실의 착오로 이해하여 사실인식에 착오가 생기면 고의가 조각되어 과실범 문제가 되어 과실치상죄가 성립한다.

06 정답 ③

③ (×) 가감삼십전대보초와 한약 가지 수에만 차이가 있는 십전대보초를 제조하고 그 효능에 관하여 광고를 한 사실에 대하여 이전에 검찰의 혐의 없음 결정을 받은 적이 있다면, 피고인이 비록 한의사, 약사, 한약업사 면허나 의약품판매업 허가가 없이 의약품인 가감삼십전대보초를 판매하였다고 하더라도 자기의 행위가 법령에 의하여 죄가 되지 않는 것으로 믿을 수밖에 없었고, 또 그렇게 오인함에 있어서 정당한 이유가 있는 경우에 해당한다(대판 1995.8.25, 95도717).

① (○) 대판 1995.7.11, 94도1814

② (○) 대판 1983.2.22, 81도2763

④ (○) 대판 2002.5.10, 2000도2807

07 정답 ④

④ (×) 수사처리의 관례상 일부 상치된 내용을 일치시키기 위하여 적법하게 작성된 참고인 진술조서를 찢어버리고 진술인의 진술도 듣지 아니하고 그 내용을 일치시킨 새로운 진술조서를 작성한 행위는 그 행위를 적법한 것으로 잘못 믿었다고 할지라도 그렇게 잘못 믿은 데 대하여 정당한 이유가 있다고 볼 수 없다(대판 1978.6.27, 76도2196).

① (○) 대판 1995.12.26, 95도2188

② (○) 대판 1995.12.22, 94도2148

③ (○) 대판 1994.8.26, 94도780

08 정답 ③

③ (×) 어로저지선을 넘어 어로의 작업을 하면 북괴구성원에게 납치될 염려가 있으며 만약 납치된다면 대한민국의 각종 정보를 북괴에게 제공하게 된다 함은 일반적으로 예견된다고 하리니 피고인이 그전에 선원으로 월선조업을 하다가 납북되었다가 돌아온 경험이 있는 자로서 월선하자고 상의하여 월선조업을 하다가 납치되어 북괴의 물음에 답하여 제공한 사실을 강요된 행위라 할 수 없다(대판 1971.2.23, 70도2629).

① (○) 대판 1983.12.13, 83도2276

② (○) 대판 1990.3.27, 89도1670

④ (○) 대판 1972.5.9, 71도1178

09 정답 ④

④ (×) 관세포탈예비에 불과하다(대판 1999.4.9, 99도424).

① (○) 기본범죄를 범할 목적이 있어야 한다.

② (○) 대판 1983.3.8, 82도2944

③ (○) 대판 1999.11.12, 99도3801

10 정답 ④

④ (×) 형법 제28조에 의하면 범죄의 예비 또는 음모는 특별한 죄형규정이 있을 때에 한하여 처벌할 수 있도록 되어 있는데 부정선거관련자처벌법 제5조 제4항에 의하면 동조 제1항에 예비, 음모와 미수는 처벌한다고 규정하고 있으나 동 예비, 음모의 형에 관하여 아무런 규정이 없으며, 이를 본범이나 미수범에 준하여 처벌함은 죄형법정주의 원칙상 허용할 수 없으니 결국 위 소위는 처벌할 수 없다(대판 1979.12.26, 78도957).

② 제31조 제2항

③ 대판 1976.5.25, 75도1549

형사법 10회 모의고사 정답 및 해설

제10회 모의고사 정답

01	③	02	①	03	③	04	④	05	④
06	③	07	④	08	④	09	②	10	②

01 정답 ③

③ (×) 절도죄에 있어서 실행의 착수시기 ➡ 평소 잘 아는 피해자에게 전화채권을 사주겠다고 하면서 골목길로 유인하여 돈을 절취하려고 기회를 엿본 행위만으로는 절도의 예비행위는 될지언정 행위의 방법, 태양 및 주변상황 등에 비추어 볼 때 타인의 재물에 대한 사실상 지배를 침해하는데 밀접한 행위가 개시되었다고 단정할 수 없다(82도2944). ∴ 골목길로 유인하여 돈을 절취하려고 기회를 엿본 경우 절취행위에 밀접한 행위 개시가 없으므로 실행의 착수가 인정되지 않는다.

① (○) 소매치기에 있어서의 실행의 착수시기 ➡ 소매치기의 경우 피해자의 양복상의 주머니로부터 금품을 절취하려고 그 호주머니에 손을 뻗쳐 그 겉을 더듬은 때에는 절도의 범행은 예비단계를 지나 실행에 착수하였다(대판 1984.12.11, 84도2524).

② (○) 절도죄의 실행의 착수가 있다고 본 사례 ➡ 범인들이 함께 담을 넘어 마당에 들어가 그중 1명이 그곳에 있는 구리를 찾기 위하여 담에 붙어 걸어가다가 잡혔다면 절취대상품에 대한 물색행위가 없었다고 할 수 없다(대판 1989.9.12, 89도1153).

④ (○) 절도죄의 실행에 착수하였다고 본 사례 ➡ 절도죄의 실행의 착수시기는 재물에 대한 타인의 사실상의 지배를 침해하는데 밀접한 행위가 개시된 때라 할 것인바 피해자 소유 자동차 안에 들어 있는 밍크코트를 발견하고 이를 절취할 생각으로 공범이 위 차 옆에서 망을 보는 사이 위 차 오른쪽 앞문을 열려고 앞문손잡이를 잡아당기다가 피해자에게 발각되었다면 절도의 실행에 착수하였다고 봄이 상당하다(대판 1986.12.23, 86도2256).

02 정답 ①

① (×) 절취의 목적으로 자동차내부를 손전등으로 비추어 본 것이 절도의 실행에 착수한 것인지 여부 ➡ 노상에 세워 놓은 자동차 안에 있는 물건을 훔칠 생각으로 자동차의 유리창을 통하여 그 내부를 손전등으로 비추어 본 것에 불과하다면 비록 유리창을 따기 위해 면장갑을 끼고 있었고 칼을 소지하고 있었다 하더라도 절도의 예비행위로 볼 수는 있겠으나 타인의 재물에 대한 지배를 침해하는데 밀접한 행위를 한 것이라고는 볼 수 없어 절취행위의 착수에 이른 것이었다고 볼 수 없다(대판 1985.4.23, 85도464). ∴ 자동차의 유리창을 통하여 그 내부를 손전등으로 비추어 보았다면 절도의 실행의 착수에 이른 것이 아니다.

② (○) 사기죄는 편취의 의사로 기망행위를 개시한 때에 실행에 착수한 것으로 보아야 하므로, 사기도박에서도 사기적인 방법으로 도금을 편취하려고 하는 자가 상대방에게 도박에 참가할 것을 권유하는 등 기망행위를 개시한 때에 실행의 착수가 있는 것으로 보아야 한다(대판 2011.1.13, 2010도9330).

③ (○) [1] 매개물을 통한 점화에 의하여 건조물을 소훼함을 내용으로 하는 형태의 방화죄의 경우에 범인이 그 매개물에 불을 켜서 붙였거나 또는 범인의 행위로 인하여 매개물에 불이 붙게 됨으로써 연소작용이 계속될 수 있는 상태에 이르렀다면 그것이 곧바로 진화되는 등의 사정으로 인하여 목적물인 건조물 자체에는 불이 옮겨 붙지 못하였다고 하더라도 방화죄의 실행의 착수가 있었다고 보아야 할 것이다. [2] 피고인이 방화의 의사로 뿌린 휘발유가 인화성이 강한 상태로 주택주변과 피해자의 몸에 적지 않게 살포되어 있는 사정을 알면서도 라이터를 켜 불꽃을 일으킴으로써 피해자의 몸에 불이 붙은 경우, 비록 외부적 사정에 의하여 불이 방화 목적물인 주택 자체에 옮겨 붙지는 아니하였다 하더라도 현존건조물방화죄의 실행의 착수가 있었다고 봄이 상당하다(대판 2002.3.26, 2001도6641).

④ (○) 간첩의 목적으로 외국 또는 북한에서 국내에 침투 또는 월남하는 경우에는 기밀탐지가 가능한 국내에 침투 상륙함으로써 간첩죄의 실행의 착수가 있다고 할 것이다(대판 1984.9.11, 84도1381(대판 1971.9.28, 71도1333)). 〈비교〉 국가보안법 제2조, 제7조, 형법 제98조 제2항에서 말하는 간첩미수죄는 국가기밀을 탐지수집하라는 지령을 받았거나 소위 무인포스트를 설정하는 것만으로는 부족하고 그 지령에 따라 국가기밀을 탐지수집하는 행위의 실행의 착수가 있어야 성립된다(대판 1974.11.12, 74도2662).

03 정답 ③

③ (×) 유치권에 의한 경매를 신청한 유치권자는 일반채권자와 마찬가지로 피담보채권액에 기초하여 배당을 받게 되는 결과 피담보채권인 공사대금 채권을 실제와 달리 허위로 크게 부풀려 유치권에 의한 경매를 신청할 경우 정당한 채권액에 의하여 경매를 신청한 경우보다 더 많은 배당금을 받을 수도 있으므로, 이는 법원을 기망하여 배당이라는 법원의 처분행위에 의하여 재산상 이익을 취득하려는 행위로서 불능범에 해당한다고 볼 수 없고, 소송사기죄의 실행의 착수에 해당한다(대판 2012.11.15, 2012도9603). ∴ 피담보채권인 공사대금 채권을 실제와 달리 허위로 부풀려 유치권에 의한 경매를 신청한 경우 소송사기죄의 실행의 착수가 인정된다.

① (○) 주거침입죄의 실행의 착수는 주거자, 관리자, 점유자 등의 의사에 반하여 주거나 관리하는 건조물 등에 들어가는 행위, 즉 구성요건의 일부를 실현하는 행위까지 요구하는 것은 아니고 범죄구성요건의 실현에 이르는 현실적 위험성을 포함

하는 행위를 개시하는 것으로 족하다고 할 것이나, 침입 대상인 아파트에 사람이 있는지를 확인하기 위해 그 집의 초인종을 누른 행위만으로는 침입의 현실적 위험성을 포함하는 행위를 시작하였다거나 주거의 사실상의 평온을 침해할 객관적인 위험성을 포함하는 행위를 한 것으로 볼 수 없다(대판 2008.4.10, 2008도1464).

② (O) 병역을 기피할 목적으로 사위의 방법으로 발급받은 병사용진단서를 관할 병무청에 제출하거나 징병검사장에 출석하여 사위의 방법으로 신체검사를 받는 등의 행위에까지 이르지 않았다면 병역법 제86조에서 규정하고 있는 사해행위의 실행에 이르렀다고 할 수 없다(대판 2005.10.13, 2005도2200).

④ (O) 위조사문서의 행사는 상대방으로 하여금 위조된 문서를 인식할 수 있는 상태에 둠으로써 기수가 되고 상대방이 실제로 그 내용을 인식하여야 하는 것은 아니므로, 위조된 문서를 우송한 경우에는 그 문서가 상대방에게 도달한 때에 기수가 되고 상대방이 실제로 그 문서를 보아야 하는 것은 아니다(대판 2005.1.28, 2004도4663).

04 정답 ④

④ (×) 제조기술의 부족으로 완성하지 못한 미완성품에서 히로뽕성분이 검출되지 않아도 향정신성의약품제조미수죄가 성립되는지 여부(적극) ➡ 히로뽕제조를 공모하고 그 제조원료인 염산에페트린과 파라디움, 에테르등 수종의 화공약품을 사용하여 히로뽕제조를 시도하였으나 그 제조기술의 부족으로 히로뽕완제품을 제조하지 못하였다면 비록 미완성품에서 히로뽕성분이 검출되지 아니하였다고 하여도 향정신성의약품제조미수죄의 성립에 소장이 있다고 할 수 없다(대판 1984.10.10, 84도1793). ∴ 미완성품에서도 히로뽕 성분이 검출되지 아니하였다고 하여도 향정신성의약품제조미수죄가 성립한다.

① (O) 중지미수의 의의 ➡ 이 사건 범행은 원료불량으로 인한 제조상의 애로, 제품의 판로문제, 범행탄로 시의 처벌공포, 원심 공동피고인의 포악성 등으로 인하여 히로뽕 제조를 단념한 것이므로 중지미수로서 형법 제26조를 적용하여야 한다는 취지이나 원심이 인용한 제1심판결이 적법하게 확정한 바에 따르면 피고인 등은 염산에페트린으로 메스암페타민합성 중간제품을 만드는 과정에서 그 범행이 발각되어 검거됨으로써 메스암페타민 제조의 목적을 이루지 못하고 미수에 그쳤다는 것이므로 피고인 등의 범행과정에 설사 소론과 같은 사정이 있었다고 하더라도 그와 같은 사정이 있었다는 사정만으로서는 이를 중지미수라 할 수 없는 것이다(대판 1985.11.12, 85도2002).

② (O) 허위채권에 의한 가압류와 사기죄의 실행의 착수 ➡ 가압류는 강제집행의 보전방법에 불과한 것이어서 허위의 채권을 피보전권리로 삼아 가압류를 하였다고 하더라도 그 채권에 관하여 현실적으로 청구의 의사표시를 한 것이라고는 볼 수 없으므로, 본안소송을 제기하지 아니한 채 가압류를 한 것만으로는 사기죄의 실행에 착수하였다고 할 수 없다(대판 1988.9.13, 88도55).

③ (O) 위험성의 판단기준과 관련된 구체적 위험설에 대한 설명으로 맞음.

> • 구체적 위험설(=신객관설) ㉠ 행위 당시에 행위자가 인식한 사정 및 일반인이 인식할 수 있었던 사정을 기초로 일반적 경험법칙에 따라 사후판단을 한다. ㉡ 이에 대하여 행위자가 인식한 사정과 일반인이 인식할 수 있었던 사정이 일치하지 않는 경우에 어느 사정을 기초로 판단할 것인지가 명확하지 않다는 비판을 받는다.
> • 구체적 위험설(=신객관설) ❶ 불능미수 ➡ 구체적 위험성이 있다고 사후에 판단되는 경우 ∴실탄이 없는 총에 실탄이 있다고 생각하고 발사한 경우, 치사량 미달의 독약을 먹인 경우 ➡ 위험성 인정 ❷ 불능범 ➡ 구체적 위험성이 없다고 사후에 판단되는 경우 ∴ 일반인이 사정거리 밖에 있음을 또는 시체임을 알 수 있는 자에 대하여 발포한 경우 ➡ 위험성 부정

05 정답 ④

④ (O) 유치권에 의한 경매를 신청한 유치권자는 일반채권자와 마찬가지로 피담보채권액에 기초하여 배당을 받게 되는 결과 피담보채권인 공사대금 채권을 실제와 달리 허위로 크게 부풀려 유치권에 의한 경매를 신청할 경우 정당한 채권액에 의하여 경매를 신청한 경우보다 더 많은 배당금을 받을 수도 있으므로, 이는 법원을 기망하여 배당이라는 법원의 처분행위에 의하여 재산상 이익을 취득하려는 행위로서 불능범에 해당한다고 볼 수 없고, 소송사기죄의 실행의 착수에 해당한다(대판 2012.11.15, 2012도9603). ∴ 피담보채권인 공사대금 채권을 실제와 달리 허위로 부풀려 유치권에 의한 경매를 신청한 경우 소송사기죄의 실행의 착수가 인정된다.

① (×) 피고인의 제소가 사망한 자를 상대로 한 것이라면 그 판결은 그 내용에 따른 효력이 생기지 아니하여 상속인에게 그 효력이 미치지 아니하므로 사기죄를 구성할 수 없다(위 법원 담당재판부를 기망하고 이에 속은 담당재판부로부터 1995.5.4. 피고인(원고)의 승소 판결을 받아 같은 해 8.17. 피고인 명의로 이 사건 임야에 관한 소유권이전등기를 경료함으로써 위 김윤이 등의 상속인인 피해자 김성규 등 소유의 이 사건 임야 시가 2억 원 상당을 편취하였다는 공소사실에 대하여 그 판시 증거에 의하면 이 사건 임야의 공유자들이 피고인의 위 소제기시인 1994.12.29. 이전에 이미 모두 사망한 사실을 알 수 있으므로, 피고인이 비록 위 민사소송에서 승소판결을 받았다 하더라도 그 판결의 효력은 이 사건 임야의 공유자들의 재산상속인들에게 미치지 아니한다 할 것이어서 사기죄를 구성한다고는 할 수 없다는 이유로, 위 공소사실을 유죄로 인정한 제1심판결을 파기하고 무죄를 선고한 원심의 사실인정과 판단은 정당하고, 나아가 이 사건에서의 피고인의 행위가 소송사기죄의 불능미수에 해당한다고 볼 수도 없으므로, 원심판결에는 주장과 같은 소송사기죄의 불능미수 및 법관의 자유

재량에 관한 법리를 오해한 위법이 있다고 할 수 없다) (대판 2002.1.11, 2000도1881). ∴ 소송에서 승소판결을 받는다고 하더라도 판결의 효력이 해당 임야의 재산상속인에게 미치므로 수 없으므로 이는 사기죄를 구성할 수 없다(불능미수 ×).

② (×) 미수의 고의 행위자의 의사는 기수의 의사여야 하므로, 처음부터 미수에 그치겠다는 미수의 고의는 형법상 고의로 인정되지 않는다. ∴ 행위자가 처음부터 미수에 그치겠다는 고의를 가진 경우라면 미수범이 성립할 수 없다.

③ (×) 금융기관 직원이 전산단말기를 이용하여 다른 공범들이 지정한 특정계좌에 돈이 입금된 것처럼 허위의 정보를 입력하는 방법으로 위 계좌로 입금되도록 한 경우, 이러한 입금절차를 완료함으로써 장차 그 계좌에서 이를 인출하여 갈 수 있는 재산상 이익을 취득하였으므로 형법 제347조의2에서 정하는 컴퓨터등사용사기죄는 기수에 이르렀고, 그 후 그러한 입금이 취소되어 현실적으로 인출되지 못하였다고 하더라도 이미 성립한 컴퓨터등사용사기죄에 어떤 영향이 있다고 할 수는 없다(대판 2006.9.14, 2006도4127). ∴ ~ 그 후 그러한 입금이 취소되어 현실적으로 인출되지 못하였다고 하더라도 컴퓨터등사용사기죄의 기수에 해당한다.

06 정답 ③

③ (×) 소송사기는 소송에서 주장하는 권리가 존재하지 않는 사실을 알고 있으면서도 법원을 기망한다는 인식을 가지고 소를 제기하면 이로써 실행의 착수가 있고 소장의 유효한 송달을 요하지 아니한다고 할 것인바, 이러한 법리는 제소자가 상대방의 주소를 허위로 기재함으로써 그 허위주소로 소송서류가 송달되어 그로 인하여 상대방 아닌 다른 사람이 그 서류를 받아 소송이 진행된 경우에도 마찬가지로 적용된다(대판 2006.11.10, 2006도5811). ∴ 법원을 기망하여 자기에게 유리한 판결을 얻고자 소송을 제기한 자가 상대방의 주소를 허위로 기재하여 소송을 제기함으로써 그 허위주소로 소송서류가 송달되어 그로 인하여 상대방 아닌 다른 사람이 그 서류를 받아 소송을 진행한 경우에는 소송사기죄의 실행의 착수가 인정된다(소송제기로 착수인정되고, 소장의 유효한 송달을 요하지 않음).

① (○) 유치권에 의한 경매를 신청한 유치권자는 일반채권자와 마찬가지로 피담보채권액에 기초하여 배당을 받게 되는 결과 피담보채권인 공사대금 채권을 실제와 달리 허위로 크게 부풀려 유치권에 의한 경매를 신청할 경우 정당한 채권액에 의하여 경매를 신청한 경우보다 더 많은 배당금을 받을 수도 있으므로, 이는 법원을 기망하여 배당이라는 법원의 처분행위에 의하여 재산상 이익을 취득하려는 행위로서 불능범에 해당한다고 볼 수 없고, 소송사기죄의 실행의 착수에 해당한다(대판 2012.11.15, 2012도9603).

② (○) 형법 제331조 제2항의 특수절도에서 절도범인이 그 범행수단으로 주거에 침입한 경우, 특수절도죄와 주거침입죄와의 죄수관계(=실체적 경합) 및 특수절도죄의 실행의 착수 시기(=물색행위 시) ➡ 형법 제331조 제2항의 특수절도에 있어서 주거침입은 그 구성요건이 아니므로, 절도범인이 그 범행수단으로 주거침입을 한 경우에 그 주거침입행위는 절도죄에 흡수되지 아니하고 별개로 주거침입죄를 구성하여 절도죄와는 실체적 경합의 관계에 있게 되고, 2인 이상이 합동하여 야간이 아닌 주간에 절도의 목적으로 타인의 주거에 침입하였다 하여도 아직 절취할 물건의 물색행위를 시작하기 전이라면 특수절도죄의 실행에는 착수한 것으로 볼 수 없는 것이어서 그 미수죄가 성립하지 않는다(대판 2009.12.24, 2009도9667).

④ (○) 필로폰을 매수하려는 자에게서 필로폰을 구해 달라는 부탁과 함께 돈을 지급받았다고 하더라도, 당시 필로폰을 소지 또는 입수한 상태에 있었거나 그것이 가능하였다는 등 매매행위에 근접・밀착한 상태에서 대금을 지급받은 것이 아니라 단순히 필로폰을 구해 달라는 부탁과 함께 대금 명목으로 돈을 지급받은 것에 불과한 경우에는 필로폰 매매행위의 실행의 착수에 이른 것이라고 볼 수 없다(대판 2015.3.20, 2014도16920).

07 정답 ④

④ (×) 한편 불능범과 구별되는 불능미수의 성립요건인 '위험성'은 피고인이 행위 당시에 인식한 사정을 놓고 일반인이 객관적으로 판단하여 결과 발생의 가능성이 있는지 여부를 따져야 한다. 이 판례는 학설 '위험성'판단에 관한 학설 중 추상적 위험설을 취한 것임(대판(전) 2019.3.28, 2018도16002)

①, ② (○) 형법 제27조에서 규정하고 있는 불능미수는 행위자에게 범죄의사가 있고 실행의 착수라고 볼 수 있는 행위가 있지만 실행의 수단이나 대상의 착오로 처음부터 구성요건이 충족될 가능성이 없는 경우이다. 다만 결과적으로 구성요건의 충족은 불가능하지만, 그 행위의 위험성이 있으면 불능미수로 처벌한다. 불능미수는 행위자가 실제로 존재하지 않는 사실을 존재한다고 오인하였다는 측면에서 존재하는 사실을 인식하지 못한 사실의 착오와 다르다(대판(전) 2019.3.28, 2018도16002).

③ (○) 2018도16002 형법 제27조에서 정한 '실행의 수단 또는 대상의 착오'는 행위자가 시도한 행위방법 또는 행위객체로는 결과의 발생이 처음부터 불가능하다는 것을 의미한다. 그리고 '결과 발생의 불가능'은 실행의 수단 또는 대상의 원시적 불가능성으로 인하여 범죄가 기수에 이를 수 없는 것을 의미한다고 보아야 한다(대판(전) 2019.3.28, 2018도16002).

08 정답 ④

④ (×) 장애미수는 형을 감경할 수 있고(제25조 제2항), 중지미수는 형을 감경 또는 면제한다(제26조). 그리고 불능미수는 형을 감경 또는 면제할 수 있다(제27조).

① (○) [1] 강도예비・음모죄가 성립하기 위해서는 예비・음모 행위자에게 미필적으로라도 '강도'를 할 목적이 있음이 인정되어야 하고 그에 이르지 않고 단순히 '준강도'할 목적이 있음

에 그치는 경우에는 강도예비·음모죄로 처벌할 수 없다. [2] 甲은 철쭉나무를 절취하기 위하여 건물에 들어갔고, 건물주에게 들킬 경우를 대비하여 여차하면 협박하기 위해서 플라스틱 삽을 준비한 것이므로, 결국 甲은 단순히 '준강도'할 목적으로 위 삽을 준비하였으므로 강도예비·음모로 처벌할 수 없다(대판 2006.9.14, 2004도6432).

② (○) 필로폰을 매수하려는 자에게서 필로폰을 구해 달라는 부탁과 함께 돈을 지급받았다고 하더라도, 당시 필로폰을 소지 또는 입수한 상태에 있었거나 그것이 가능하였다는 등 매매행위에 근접·밀착한 상태에서 대금을 지급받은 것이 아니라 단순히 필로폰을 구해 달라는 부탁과 함께 대금 명목으로 돈을 지급받은 것에 불과한 경우에는 필로폰 매매행위의 실행의 착수에 이른 것이라고 볼 수 없다(대판 2015.3.20, 2014도16920).

③ (○) 영리의 목적으로 인터넷 도박게임 사이트를 개설하여 운영하는 경우, 형법 제247조 도박개장죄의 기수 시기 ➡ 형법 제247조의 도박개장죄는 영리의 목적으로 도박을 개장하면 기수에 이르고, 현실로 도박이 행하여졌음은 묻지 않는다. 따라서 영리의 목적으로 속칭 포커나 바둑이, 고스톱 등의 인터넷 도박게임 사이트를 개설하여 운영하는 경우, 현실적으로 게임이용자들로부터 돈을 받고 게임머니를 제공하고 게임이용자들이 위 도박게임 사이트에 접속하여 도박을 하여, 위 게임으로 획득한 게임머니를 현금으로 환전해 주는 방법 등으로 게임이용자들과 게임회사 사이에 있어서 재물이 오고갈 수 있는 상태에 있으면, 게임이용자가 위 도박게임 사이트에 접속하여 실제 게임을 하였는지 여부와 관계없이 도박개장죄는 기수에 이른다(대판 2009.12.10, 2008도5282).

09 정답 ②

② (○) 형법 제27조(불능범)는 "실행의 수단 또는 대상의 착오로 인하여 결과의 발생이 불가능하더라도 위험성이 있는 때에는 처벌한다. 단, 형을 감경 또는 면제할 수 있다."라고 규정하고 있다. 불능미수란 행위자에게 범죄의사가 있고 실행의 착수라고 볼 수 있는 행위가 있더라도 실행의 수단이나 대상의 착오로 처음부터 결과발생 또는 법익침해의 가능성이 없지만 다만 그 행위의 위험성 때문에 미수범으로 처벌하는 경우를 말한다. 여기에서 '결과의 발생이 불가능'하다는 것은 범죄행위의 성질상 어떠한 경우에도 구성요건의 실현이 불가능하다는 것을 의미한다(대판 2019.5.16, 2019도97).

① (×) 불능범과 구별되는 불능미수의 성립요건인 '위험성'은 피고인이 행위 당시에 인식한 사정을 놓고 일반인이 객관적으로 판단하여 결과 발생의 가능성이 있는지 여부를 따져야 한다(대판(전) 2019.3.28, 2018도16002).

③ (×) 중지범은 범죄의 실행에 착수한 후 자의로 그 행위를 중지한 때를 말하는 것이고, 실행의 착수가 있기 전인 예비음모의 행위를 처벌하는 경우에 있어서는 중지범의 관념은 이를 인정할 수 없다(대판 1991.6.25, 91도436).

④ (×) 타인의 재물을 공유하는 자가 공유자의 승낙을 받지 않고 공유대지를 담보에 제공하고 가등기를 경료한 경우 횡령행위는 기수에 이르고 그 후 가등기를 말소했다고 하여 중지미수에 해당하는 것이 아니며 가등기말소 후에 다시 새로운 영득의사의 실현행위가 있을 때에는 그 두개의 횡령행위는 경합범 관계에 있다(대판 1978.11.28, 78도2175).

10 정답 ②

② (○) [1] 민사소송법상 소송비용의 청구는 소송비용액 확정절차에 의하도록 규정하고 있으므로, 위 절차에 의하지 아니하고 손해배상금 청구의 소 등으로 소송비용의 지급을 구하는 것은 소의 이익이 없는 부적법한 소로서 허용될 수 없다고 할 것이다. 따라서 소송비용을 편취할 의사로 소송비용의 지급을 구하는 손해배상청구의 소를 제기하였다고 하더라도 이는 객관적으로 소송비용의 청구방법에 관한 법률적 지식을 가진 일반인의 판단으로 보아 결과 발생의 가능성이 없어 위험성이 인정되지 않는다고 할 것이다. [2] 소송비용을 편취할 의사로 소송비용의 지급을 구하는 손해배상청구의 소를 제기한 경우, 사기죄의 불능범에 해당한다(대판 2005.12.8, 2005도8105).

① (×) [1] 형법 제335조에서 절도가 재물의 탈환을 항거하거나 체포를 면탈하거나 죄적을 인멸할 목적으로 폭행 또는 협박을 가한 때에 준강도로서 강도죄의 예에 따라 처벌하는 취지는, 강도죄와 준강도죄의 구성요건인 재물탈취와 폭행·협박 사이에 시간적 순서상 전후의 차이가 있을 뿐 실질적으로 위법성이 같다고 보기 때문인바, 이와 같은 준강도죄의 입법 취지, 강도죄와의 균형 등을 종합적으로 고려해 보면, 준강도죄의 기수 여부는 절도행위의 기수여부를 기준으로 하여 판단하여야 한다. [2] 절도미수범이 체포를 면탈할 목적으로 폭행한 행위는 준강도미수죄가 성립한다(대판(전) 2004.11.18, 2004도5074).

③ (×) 범죄의 실행행위에 착수하고 그 범죄가 완수되기 전에 자기의 자유로운 의사에 따라 범죄의 실행행위를 중지한 경우에 그 중지가 일반 사회통념상 범죄를 완수함에 장애가 되는 사정에 의한 것이 아니라면 이는 중지미수에 해당한다고 할 것이지만, 피고인이 피해자를 살해하려고 그의 목 부위와 왼쪽 가슴 부위를 칼로 수 회 찔렀으나 피해자의 가슴 부위에서 많은 피가 흘러나오는 것을 발견하고 겁을 먹고 그만두는 바람에 미수에 그친 것이라면, 위와 같은 경우 많은 피가 흘러나오는 것에 놀라거나 두려움을 느끼는 것은 일반 사회통념상 범죄를 완수함에 장애가 되는 사정에 해당한다고 보아야 할 것이므로, 이를 자의에 의한 중지미수라고 볼 수 없다(대판 1999.4.13, 99도640).

④ (×) 형법 제300조는 준강간죄의 미수범을 처벌한다. 또한 형법 제27조는 "실행의 수단 또는 대상의 착오로 인하여 결과의 발생이 불가능하더라도 위험성이 있는 때에는 처벌한다. 단, 형을 감경 또는 면제할 수 있다."라고 규정하여 불능미수범을 처벌하고 있다. 한편 불능범과 구별되는 불능미수의 성립요건인 '위험성'은 피고인이 행위 당시에 인식한 사정을 놓고 일반인이 객관적으로 판단하여 결과 발생의 가능성이 있는지 여부를 따져야 한다(대판(전) 2019.3.28, 2018도16002).

MEMO

PART

03

경찰학

정답 및 해설편

경찰학 1회 모의고사 정답 및 해설

제1회 모의고사 정답

01	④	02	④	03	②	04	①	05	①
06	④	07	③	08	④	09	③	10	③

01 정답 ④

④ (×) 프로이센 경찰행정법에서 경찰은 위험방지를 위하여 의무에 합당한 재량으로 조치하여야 한다고 규정하여 크로이츠베르크 판결에 의하여 발전된 실질적 의미의 경찰개념을 성문화하였다.

02 정답 ④

④ (○) 프랑스의 지방자치법전에서 자치경찰은 공공의 질서·안전 및 위생 확보를 목적으로 한다고 규정하였고, 위생업무는 협의의 행정경찰적 사무이다.

① (×) 최초로 행정경찰과 사법경찰로 구분한 법률은 프랑스의 「죄와 형벌법전」이다. 【랑－과－와(and)】

② (×) 순서는 『프로이센의 제국경찰법 → 프로이센의 일반란트법 → 프랑스의 죄와 형벌법전 → 프로이센의 크로이츠베르크 판결 → 프랑스의 지방자치법전 → 독일의 경찰행정법』이다. 【제일죄크(클)지경】

③ (×) '비경찰화'에 대한 설명이다.

03 정답 ②

① (×) **11세기경**, 왕에 의해서 임명되고 법원과 경찰 기능을 하는 프레보가 파리에 등장하였다. 지방에도 프레보가 임명되면서 지방 영주와의 마찰이 끊이지 않았다.

③ (×) 일반란트법에 대한 설명이다. 「경찰행정법」에서 '경찰행정청은 공공의 안녕과 질서를 위협하는 위험을 방지하기 위하여 **의무에 합당한 재량**으로 조치해야 한다'고 규정하여 크로이츠베르크 판결에 의해 발전된 실질적 의미의 경찰개념을 성문화하였다.

④ (×) 업무의 독자성 여부에 따라 '보안경찰'과 '협의의 행정경찰'로 구분할 수 있으며, 비경찰화는 협의의 행정경찰 사무를 다른 행정관청으로 이관하는 것이다. 보안경찰에는 교통경찰, 생활안전경찰, 풍속경찰, 경비경찰 등이다. 【교생풍경】

04 정답 ①

① (×) 대륙법계에서는 국가 통치권을 전제로 경찰권의 **발동범위·성질**을 기준으로 개념이 형성되어 "경찰은 무엇인가"라는 문제로 논의되었고, 영미법계에서는 시민으로부터 자치권한을 위임받은 경찰의 역할·기능 기준을 중심으로 "경찰활동은 무엇인가", "경찰은 무엇을 하는가" 하는 문제로 논의되었다.

05 정답 ①

① (×) Blanco 판결은 국가배상책임을 최초로 인정한 판례이고, 별건수사로 인한 위법수집증거를 배제한 판례는 미국의 Mapp 판결(1961년)이다. 이 판결은 경찰관 3명이 맵이란 여성의 집을 찾아 폭파사건 혐의자를 찾고 있다며 집을 수색하여 혐의자는 찾지 못하고 대신 음란물을 발견하고 맵을 음란물 소지 혐의로 체포했다. 이에 대하여 연방대법원은 별건수사로 위법하게 수집된 증거를 배제하였다.

06 정답 ④

① (×) '경찰권 이론'은 14세기에 등장하였다.

② (×) 프레보는 11세기에 처음 등장하였다.

③ (×) 라 폴리스(La Police) : 초기에는 '국가목적 또는 국가작용'을 의미하다가 나중에는 '공동체의 질서 있는 상태'를 의미하였다.

07 정답 ③

③ (×) 실질적 의미의 경찰은 사회목적적 작용을 의미하며 작용을 중심으로 파악된 개념이고, 형식적 의미의 경찰은 조직을 기준으로 파악된 개념이다.

08 정답 ④

형식적 의미의 경찰개념에만 해당되는 것 : ㉠, ㉡, ㉤, ㉥
실질적 의미의 경찰개념에만 해당되는 것 : ㉢, ㉣, ㉦
형식적 의미 및 실질적 의미의 경찰개념에 공통되는 것 : ㉧

09 정답 ③

③ (×) 행정경찰은 주로 현재 또는 장래의 상황에 대한 것이고, 사법경찰은 주로 과거의 상황에 대한 것이다.

10 정답 ③

③ (×) '범죄의 제지'는 즉시강제로서 권력적 수단에 의한 활동에 해당하며, 질서경찰에 해당한다.

경찰학 2회 모의고사 정답 및 해설

제2회 모의고사 정답

01	③	02	②	03	③	04	④	05	④
06	④	07	②	08	③	09	①	10	②

01 정답 ③

③ (×) 경찰학은 철학보다는 특수학문, 형식과학(수학, 논리학, 인공지능)보다는 경험과학, 인문·자연과학보다는 사회과학, 순수학문보다는 실용학문, 기초학문보다는 응용학문에 속한다고 볼 수 있다.

02 정답 ②

① (×) 제1요소는 '법질서의 불가침성'이다.
③ (×) 위험 혐의에 대한 설명이다.
④ (×) 경찰의 개입은 추상적 위험이 있는 경우에도 정당화된다.

03 정답 ③

③ (×) '국가의 존립과 기능성 불가침성'이 아닌 '법질서 불가침성'을 침해한다.
① (○) 경찰은 잠정적인 보호에 국한하고, 최종적인 권리구제는 법원(法院)에 의하여야 한다.

04 정답 ④

④ (×) 위험 혐의에 해당한다.

05 정답 ④

① (×) 사물관할에 대한 규정은 조직법적 임무 규정이다.
② (×) 대륙법계는 행정경찰과 사법경찰을 구분하며, 수사에 관한 임무를 경찰의 사무로 규정하게 된 것은 영미법계의 영향이다.
③ (×) 경위나 경찰공무원은 국회 안에 현행범인이 있을 때에는 체포한 후 의장의 지시를 받아야 한다. 다만, 회의장 안에서는 의장의 명령 없이 의원을 체포할 수 없다(국회법 제150조).

06 정답 ④

④ (×) 관할에는 사물관할, 인적관할, 지역관할로 구분할 수 있으며, 사물관할은 '사무관할'로서, 사무의 범위를 설정한다.
① (○) 광의의 경찰권에는 협의의 경찰권, 수사권, 비권력적 활동이 포함된다. 경찰의 인적관할은 수사권을 포함하는 광의의 경찰권이 발동될 수 있는 범위이지만, 대통령·국회의원·외교관·미군에 일정한 제한(국무총리×)이 있다.
② (○) SOFA 합의의사록 제22조 제10호

07 정답 ②

② (×) 30일 이전에 인권영향평가를 실시하여야 한다.

인권 영향평가	실시 시기	① 경찰청장은 제·개정하려는 법령 및 행정규칙을 경찰위원회에 상정하기 60일 이전에 실시 ② 경찰청장은 국민의 인권에 영향을 미치는 정책 및 계획이 확정되기 이전에 실시 ③ 경찰청장은 참가인원, 동원 경력, 배치 장비 등을 고려하여 인권침해 가능성이 높은 집회 및 시위 종료일로부터 30일 이전에 실시
	점검	인권보호담당관은 반기 1회 이상 점검하여 경찰청 인권위원회에 제출 【삼육 반점 평가】
인권진단	인권보호담당관이 **연 1회 이상** 대상 경찰관서를 방문하여 실시하되, 방문 진단이 곤란하다고 인정하는 경우에는 **서면으로 할 수 있다.**	

08 정답 ③

③ (×) 진단은 대상 경찰관서를 방문하여 관찰, 서류 점검, 면담, 설문 등의 방법으로 실시하되, 방문 진단이 곤란하다고 인정하는 경우에는 서면으로 할 수 있다(제26조).

09 정답 ①

① (×) 위원회 위원장 1명을 포함하여 7명 이상 13명 이하의 위원으로 구성한다. 이때, 특정 성별이 전체 위원 수의 10분의 6을 초과하지 아니해야 한다.

10 정답 ②

② (○) 제24조 제1항
① (×) 경찰관직무집행법(경직법) 제1조 제1항은 인권보장에 대하여 규정하고, 제2항은 비례의 원칙에 대하여 규정하고 있다. 【경직인비】 경찰의 민주적인 관리·운영과 효율적인 임무수행은 「국가경찰과 자치경찰의 조직 및 운영에 관한 법률」 제1조에서 규정하고 있다.
③ (×) 경찰의 중앙과 지방간의 적절한 권한 분배는 민주주의 이념과 관련된다.
④ (×) 경찰의 비권력적 활동은 작용법적 근거가 없어도 가능하지만, 조직법적 근거는 필요하다.

경찰학 3회 모의고사 정답 및 해설

제3회 모의고사 정답

01	④	02	②	03	④	04	②	05	②
06	①	07	①	08	①	09	③	10	②

01 정답 ④

① (×) '치안서비스 제공자로서의 경찰모델'은 대역적 권위에 의한 사회봉사활동, 비권력적 치안서비스 활동을 치안활동에 포함시키기 때문에 지역사회 경찰활동과 일맥상통한다.

② (×) 경찰의 역할을 뚜렷하게 인식시키고 경찰의 전문직화에 기여하는 측면이 있지만, 범법자는 적이고 경찰은 정의의 사자라는 흑백논리에 따라 재판을 하기도 전에 경찰이 범법자를 처벌함으로써 인권을 침해할 우려가 있다.

③ (×) 일시적이고 임시방편적이어야 한다. 법적근거를 가진 사회봉사 활동기관의 활동 내에서 이루어져야 한다.

02 정답 ②

① (×) 윤리적 냉소주의 가설은 경찰외부적 통제기능뿐만 아니라 경찰조직 내부적으로 경찰고위직의 공정성을 위장한 연고주의와 파벌주의, 정치권력에 아부하면서도 부하들에게는 권위적인 태도, 자신들의 보신을 위해 부하들에게 책임을 전가하는 이중성에서도 비롯된다고 본다.

③ (×) '작은 부패'가 아닌 '작은 호의'가 습관화될 경우 부패로 연결된다는 이론이다.

④ (×) '형성재 이론' 작은 호의에 대한 찬반론에서 허용론의 입장으로서 작은 사례가 호의가 시민과의 긍정적인 사회관계를 만들어 주는 역할을 한다고 보았다.

03 정답 ④

④ (×) 가장 중요하고 최종적인 목적은 도덕적 전문능력의 함양이다.

04 정답 ②

① (×) 펠드버그의 주장이다. 델라트르는 셔먼의 주장과 같이 사소한 호의도 받아서는 아니 된다고 하였다.

③ (×) '사소한 부패'가 아니다. 부패에 해당하지 않는 작은 선물 등 사소한 호의를 허용하면 부패로 연결된다는 이론이다.

④ (×) 신임경찰관이 조직의 부패 전통 내에서 고참 동료에 의하여 사회화된다는 이론은 구조원인가설이다.

05 정답 ②

② (×) 냉소주의 문제는 경찰윤리강령을 제정하는 과정에서 협력적인 대화나 지역사회의 참여 없이 상부에서 제정되어 하달될 경우에 발생할 수 있는 문제이다. **【냉소주 참여】**

06 정답 ①

㉠ (×) 〈공공의 신뢰〉

㉡ (×) 〈생명과 재산의 안전보호〉

㉣ (×) 〈공정한 접근위반〉

07 정답 ①

① (×) **단순한 부정청탁을 받았을 때에는** 부정청탁을 한 자에게 부정청탁임을 알리고 이를 거절하는 의사를 명확히 표시하고 이러한 부정청탁이 반복되는 경우에 소속기관장에게 서면으로 신고하여야 하지만(제7조), **수수 금지 금품 등을 받거나 그** 제공의 약속 또는 의사표시를 받은 경우에는 소속기관장에게 **지체 없이 서면으로 신고**하여야 한다.

08 정답 ①

① (×) 함께 받을 경우 높은 품목의 상한이 기준이 되며, 각 품목의 상한을 초과하지 아니하였으므로 위반되지 않는다.

② (○) 초과부분을 공직자 등이 지불한 경우 위반되지 않는다.

③ (○) 국민권위위원회의 유권 해석상 경조사는 결혼과 장례에 한정되므로 회갑잔치에서 경조사비를 줄 수 없다. 다만, 5만원 범위 내에서 선물은 줄 수 있지만 선물은 금전, 유가증권, 음식물, 경조사비를 제외한 물품에 한정되므로 현금을 선물로 줄 수는 없다.

④ (○) 원활한 직무수행 또는 사교・의례 또는 부조의 목적으로 제공되는 음식물에 한하여 금품수수 금지의 예외가 인정되므로, 제공자와 공직자가 함께 식사를 하지 않는 경우는 위반으로 본다.

▶ **금품수수 예외(시행령 제17조)【**3・5・10・15, 음・경선・조화・농**】**

> ㉠ 3만원 : 음식물
> ㉡ 5만원 : 경조사비(결혼・장례), 선물(물품・용역상품권 포함, 금전・유가증권・음식물・경조사비 제외)
> ㉢ 10만원 : 조화・화환(축・조의금을 대신하는 조화・화환)
> ㉣ 15만원 : 농수산물(물품・용역상품권 포함), 설날・추석 기간에는 두 배(30만원)

09 정답 ③

① (×) 사후 10일 내로 신고하여야 한다.
② (×) 초과사례금은 2일 이내에 신고하여야 하고, 소속기관장은 7일 이내에 반환할 초과사례금의 액수를 해당 공직자 등에게 통지하여야 한다. **【초과는 이(2)체(7) 하시오!】**
④ (×) 안 날부터 5일 이내에 보완하여야 한다. **【오일(5일) 보충】**

10 정답 ②

② (○) 「부패방지권익위법」에서 국민권익위원회 명의로 수사기관에 고발을 하여야 하는 대상은 경무관 이상이지만, 이 법에서는 치안감 이상임에 유의한다.
① (×) 사립학교와 언론사는 포함되지 않는다. 「청탁금지법」의 공공기관에는 사립학교와 언론사가 포함되며, 「부패방지권익위법」의 공공기관에는 사립학교는 포함되지만 언론사는 포함되지 않는다.
③ (×) "간접"은 해당하지 않는다. 이 법에서 "간접"이 들어가는 조문은 없다.
④ (×) 대리인을 포함한다.

경찰학 4회 모의고사 정답 및 해설

제4회 모의고사 정답

01	④	02	②	03	②	04	①	05	②
06	④	07	①	08	①	09	②	10	③

01 정답 ④

④ (×) 사적 이해관계자의 범위에는 친족이 아닌 가족(「민법」 제779조에 따른 가족)이 해당한다.

02 정답 ②

② (○) 제10조(직무 관련 외부활동의 제한) **공직자는** 다음 각 호의 행위를 하여서는 아니 된다.

① (×) 제8조(고위공직자의 민간 부문 업무활동 내역 제출 및 공개) ① **고위공직자는** 그 직위에 임용되거나 임기를 개시하기 전 3년 이내에 민간 부문에서 업무활동을 한 경우, 그 활동 내역을 그 직위에 임용되거나 임기를 개시한 날부터 30일 이내에 소속기관장에게 제출하여야 한다.

③ (×) 제11조(가족 채용 제한) ① 공공기관(공공기관으로부터 출연금・보조금 등을 받거나 법령에 따라 업무를 위탁받는 산하 공공기관과 「상법」 제342조의2에 따른 자회사를 포함한다)은 다음 각 호의 어느 하나에 해당하는 공직자의 가족을 채용할 수 없다.

1. **소속 고위공직자**
2. 채용업무를 담당하는 공직자 (이하생략)

④ (×) 제12조(수의계약 체결 제한) ① 공공기관(공공기관으로부터 출연금・보조금 등을 받거나 법령에 따라 업무를 위탁받는 산하 공공기관과 「상법」 제342조의2에 따른 자회사를 포함한다)은 다음 각 호의 어느 하나에 해당하는 자와 물품・용역・공사 등의 수의계약(이하 "수의계약"이라 한다)을 체결할 수 없다.

1. **소속 고위공직자**
2. 해당 계약업무를 법령상・사실상 담당하는 소속 공직자
5. 소관 상임위원회 국회의원
6. 감사・조사권 있는 지방의회의원 (이하생략)

【고위공직자는 민가수】, 【수의계약 제한은 의원까지 포함】

03 정답 ②

② (○) 3년 이하 징역 또는 3천만 원 이하 벌금

▶ 비밀・미공개 정보 이용 관련 형사처벌

비밀・미공개 정보이용, **이익**(본인 또는 제3자)을 취한 공직자	7년↓ 또는 7천만↓
비밀・미공개 정보 이용, **이익**을 취한 **일반인**	5년↓ 또는 5천만↓
비밀・미공개 정보를 **이용**(본인또는 제3자)한 **공직자**	3년↓ 또는 3천만↓

①, ③ (×) 2천만 원 이하의 과태료
④ (×) 3천만 원 이하의 과태료

04 정답 ①

① (×) 형제자매는 생계를 같이 하는 경우와 관련 없이 항상 가족의 범위에 해당한다. 부동산 보유・매수 신고를 제외하고 "생계를 같이 하는" 경우는 항상 "배우자"와 결합된다. 이때 생계를 같이 한다는 의미는 반드시 동거하는 것을 의미하는 것은 아니다(대판 1989.5.23, 88누3826).

> 민법 제779조(가족의 범위) ① 다음의 자는 가족으로 한다.
> 1. 배우자, 직계혈족 및 **형제자매**
> 2. 직계혈족의 **배우자, 배우자**의 직계혈족 및 **배우자**의 형제자매
>
> ② 제1항 제2호의 경우에는 생계를 같이 하는 경우에 한한다.

참고로, 「가정폭력처벌법」에서 가정구성원의 범위에 형제자매는 동거하는 경우에만 한한다. 동거하지 않는 형제자매는 가정구성원에 해당하지 않음에 유의한다.

> 가정폭력처벌법 제2조(정의)
> 2. "가정구성원"이란 다음 각 목의 어느 하나에 해당하는 사람을 말한다.
>   가. 배우자(사실상 혼인관계에 있는 사람을 포함한다) 또는 배우자였던 사람
>   나. 자기 또는 배우자와 직계존비속관계(사실상의 양친자관계를 포함한다)에 있거나 있었던 사람
>   다. 계부모와 자녀의 관계 또는 적모(嫡母)와 서자(庶子)의 관계에 있거나 있었던 사람
>   라. **동거하는 친족**

05 정답 ②

② (×) 공무원은 정치인이나 정당 등으로부터 부당한 직무수행을 강요받거나 청탁을 받은 경우에는 별지 제9호 서식 또는 전자우편 등의 방법으로 소속 기관의 장에게 보고하거나 행동강령책임관과 상담하여야 한다(제8조).

06 정답 ④

④ (×) 현장 조사 등 공무상 필요한 경우 외부에서 접촉할 수 있으며, 이 경우에는 **수사서류 등 공문서에 기록하여야 한다.**

07 정답 ①

① (×) 이러한 지시를 받은 공무원은 별지 제1호 서식 또는 전자우편 등의 방법으로 그 사유를 상급자에게 소명하고 지시에 따르지 아니하거나, 행동강령책임관과 상담할 수 있다(제4조 제1항). 이와 같은 지시가 반복될 때에는 즉시 행동강령책임관과 상담하여야 한다(제4조 제2항).

08 정답 ①

① (×) 머튼(Merton)의 아노미 이론은 거시적 관점의 사회구조원인론에 해당하고, 서덜랜드(Sutherland)의 차별적 접촉이론, 맛차와 사이크스(Matza & Sykes)의 중화기술이론은 미시적 관점의 사회과정원인론이다.
② (○) 사회구조이론 : 사회해체론, 아노미이론, 하위문화이론, 문화갈등이론【구해아문】
사회과정이론 : 사회학습이론, 사회통제이론, 낙인이론【과학통낙】
③ (○) 사회통제이론 : 사회유대이론, 동조성전념이론, 중화기술이론, 견제이론【통제－유동중견】
④ (○) 코헨은 하위계층 청소년들이 목표와 수단의 괴리로 인한 반항의 결과로 범죄를 하게 된다고 보지만, 밀러는 하위계층 청소년들이 중상류계층에 대항하기 때문이 아니라 그들의 고유한 관심사(사고치기, 흥분추구, 기만성 등)가 반영되어 나타나는 것이 범죄라고 설명한다.

09 정답 ②

② (×) Beccaria는 고전주의 범죄학자이다. 고전주의는 (범죄)의사 비결정론적 입장에서 범죄의 원인을 개인의 자유의지로 보고 확실하고 엄격한 처벌을 강조하였다.

10 정답 ③

③ (×) 애착, 참여, 전념, 신념이라고 하였다.【애참전신】

경찰학 5회 모의고사 정답 및 해설

제5회 모의고사 정답

01	①	02	③	03	②	04	④	05	③
06	④	07	④	08	①	09	④	10	③

01 정답 ①

② (×) Burgess & Akers의 차별적 강화이론은 비행행위에 처벌이 없거나 오히려 칭찬을 하게 되면 강화된다는 이론이고, 영화의 주인공을 모방하면서 동일시하면서 범죄를 학습하게 된다는 이론은 Glaser의 차별적 동일시 이론이다.
③ (×) Cohen & Felson이 일상활동 이론을 제시하였다.
④ (×) 애착, 참여, 전념, 신념이라고 하였다. 【애참전신】

02 정답 ③

③ (×) Glaser의 차별적 동일화이론은 학습이론으로서 통제이론에 속하지 아니한다. 통제이론에는 사회유대이론, 동조성 전념이론, 중화기술이론, 견제(봉쇄)이론 등이 있다. 【유동 중견은 통제가 필요】
④ (○) Hirschi는 사회유대의 요소로 애착, 참여, 전념, 신념을 주장하였다. 【애참전신】 애착은 가족 간의 사랑, 친구 사이의 우정, 선생에 대한 존경심 등이고, 참여는 학교공부나 취미생활 등의 활동을 의미하고, 전념은 자신의 미래를 위하여 열심히 투자하거나 저축하는 것을 의미하고, 신념은 도덕과 법을 잘 지켜야 한다는 믿음을 의미한다.

03 정답 ②

① (×) 활동성 강화이다.
③ (×) 영역성 강화이다.
④ (×) 자연적 감시이다.

04 정답 ④

④ (×) 지역사회 구성원들의 적극 참여를 주장한 이론은 집합효율성 이론과 깨진 유리창 이론이다. 일상활동이론과 같은 상황적 범죄예방 이론은 환경적 측면에서 범죄의 기회를 감소시키려는 것에 중점을 둔다.

05 정답 ③

③ (×) '범죄 핫스팟(Hot spots) 순찰' 실험에서 기존의 순찰실험과는 다르게 순찰활동이 범죄감소에 효과가 있는 것이 확인되었다.
①, ② (○) 미국의 순찰실험

순찰 실험	순찰 수단	범죄율 영향	시민 안전감 영향
캔자스시	자동차	없음	없음
뉴왁시	도보	없음	더 안전하다고 느낌
플린트시	도보	없음	더 안전하다고 느낌

④ (○) 순찰의 목적과 기능

Charles D. Hale 【범법질 교대로 할래(Hale)?】	Samuel Walker 【범죄안대!】
① 범죄예방, 범인검거 ② 법집행 ③ 질서유지 ④ 교통지도 단속 ⑤ 대민서비스 제공	① 범죄의 억제 ② 공공 안전감의 증진 ③ 대민 서비스 제공

06 정답 ④

④ (×) 전략지향적 경찰활동은 전통적인 방식을 활용하여 범죄요소나 무질서의 원인을 제거하고 효과적으로 범죄를 진압·통제하려는 활동이다. 전략지향적 경찰활동의 목적은 효과적인 범죄통제이며 지역사회 참여가 경찰임무의 중요한 측면으로 인식한다.

07 정답 ④

① (×) 상해임시정부는 1919.4.25. 제정된 「대한민국 임시정부장정」에 근거하여 1919.8.12. 초대 경무국장으로 김구를 임명하였다. 「대한민국 잠행관제」는 중경시기 임시정부 시기에 제정되었다.
② (×) 임시정부는 수사권을 가질 수 없으므로 사법경찰 업무는 담당하지 못하였다.
③ (×) 김구가 의경대를 창설하고 의경대장을 맡은 사실은 있지만 초대 의경대장을 맡은 것은 아니었다.

08 정답 ①

① (×) 비경찰화로 위생사무가 이관되고, 경제경찰·고등경찰이 폐지되었으며, 정보경찰과 여자경찰이 신설되었다. 【비위생경고 폐지】

09 정답 ④

① (×) 문형순에 대한 설명이다.
② (×) 노종해에 대한 설명이다.
③ (×) 최천에 대한 설명이다.

10 정답 ③

㉣ (×) 1953년 경찰관직무집행법 제정
㉤ (×) 1975년 소방을 민방위본부로 이관
㉦ (×) 1996년 해양경찰을 해양수산부로 이관

경찰학 6회 모의고사 정답 및 해설

제6회 모의고사 정답

01	②	02	④	03	①	04	④	05	③
06	③	07	④	08	①	09	③	10	②

01 정답 ②

① (×) 군대식으로 조직되어야 한다.
③ (×) 모든 경찰관은 식별 번호가 부여되어야 한다.
④ (×) 범죄 소식은 반드시 전파되어야 한다.

02 정답 ④

④ (○) 런던시티경찰청장은 수도경찰청장과 동일한 직급으로서 수도경찰청과는 독립한 독자적인 자치경찰이다.
① (×) 내무부 소속의 국가경찰로 운영되어 오다가 2000년부터 자치경찰로 운영된다.
② (×) 대런던 중에서 런던시티경찰청이 관할하는 런던시티는 제외한다.
③ (×) 수도경찰청의 임무이다.

03 정답 ①

① (×) 연방보안관(U.S. Marshals)은 1789년 설치된 미국 최초의 연방법집행기관으로서, 법정 관리, 연방법 위반 수배자 검거, 연방 재소자 호송, 증인보호 프로그램 운영 등을 담당한다. 마약 전담 연방 법집행기구는 마약단속국(DEA)이다.
② (○) 특별업무국(Secret Service)은 1865년에 위조통화 단속을 위하여 재무부 소속으로 설립되었으며, 1901년 맥킨리 대통령 암살사건을 계기로 대통령 경호업무를 담당하게 되었다. 현재는 9.11. 테러사건 이후 설치된 국토안보부 소속으로 대통령과 부통령의 경호 및 백안관 경비업무와 위조 화폐 수사 등 특정 경제범죄를 담당하고 있다.
③ (○) FBI는 수사와 관련하여 총 지휘하는 기관은 아니며, 각 부처 소속의 연방 수사기관에 개입도 불가하다. 다만, 다른 기관에서 관할하지 않는 연방법위반 범죄는 FBI에서 담당하므로 연방의 일반법집행기관으로 볼 수 있다.

04 정답 ④

④ (○) 일본의 국가공안위원회는 경찰청장관(경찰청장), 동경도 경시청장, 도부현경찰본부장을 모두 임명한다.
① (×) 연방보안관(U.S. Marshal)에 대한 설명이다.
② (×) 연방경찰이 주경찰을 지휘하지 않으며 상호대등한 관계이다.
③ (×) 프랑스의 군경찰은 모두 사법경찰권을 갖고 있다.

05 정답 ③

③ (×) 최적모델에 대한 설명이다.

06 정답 ③

① (×) 계층제의 원리는 조직의 경직화로 환경변화에 비신축적이다.
② (×) 신설부서일수록 통솔범위는 축소된다.
④ (×) Mooney(무늬)이다. 【무늬는 조화】

07 정답 ④

① (×) 파킨슨의 법칙이다. 피터의 법칙은 조직구성원들은 자신의 무능력 한계까지 승진하여 조직은 무능한 사람들로 구성된다는 것이다.
② (×) 상관의 권위에 지나치게 의존하는 것은 무사안일주의이다. 동조과잉은 목표보다는 수단에 집착하는 현상을 말한다.
③ (×) 목표가 아닌 수단에 집착하는 것은 동조과잉(목표의 전환)이다. 번문욕례는 양식과 절차에 따른 문서의 형식에 집착하는 형식주의를 의미한다. 【번잡한 문서에 욕함】

08 정답 ①

① (×) 명령통일의 원리에 대한 설명이다.

09 정답 ③

① (×) 공무원 단체의 활용은 자기실현 요구이다.
② (×) 포상휴가는 생리적 욕구에 해당한다.
④ (×) 동기(만족) 요인과 위생(불만족) 요인은 상호 독립된 별개의 차원으로 본다.

▶ 동기부여이론 관계

단계	매슬로우	알더퍼	허즈버그
5	자아실현 욕구	성장 욕구(G)	동기(만족) 요인
4	존경의 욕구		
3	사회적 욕구	관계 욕구(R)	위생(불만족) 요인
2	안전 욕구	생존 욕구(E)	
1	생리적 욕구		

※ 알더퍼의 관계 욕구는 매슬로우의 사회적 욕구보다 다소 넓지만 대체로 일치한다.

10 정답 ②

② (×) 알더퍼의 ERG 이론에 대한 설명이다. 매슬로우의 욕구계층이론은 퇴행요소를 인정하지 않으며, 동시에 여러 욕구가 작용하지 않고 낮은 단계의 욕구가 충족되면 그 다음 단계의 욕구로 한 단계씩 이동한다고 본다. 【매 단계 슬로우】

경찰학 7회 모의고사 정답 및 해설

제7회 모의고사 정답

01	③	02	③	03	②	04	②	05	③
06	②	07	②	08	④	09	①	10	④

01 정답 ③

③ (×) 내용이론이다.

내용이론	① 인간의 **욕구**가 동기부여를 일으킨다는 이론 ② 매슬로우의 욕구이론, 샤인의 복잡인모형, 허즈버그의 동기위생요인이론, 맥그리거의 X, Y이론, 알더퍼의 ERG이론, 아지리스의 성숙·미성숙이론【내용적으로 매사에 허와 맥을 알아】
과정이론	① 인간의 욕구가 직접적으로 동기부여하는 것이 아니고 **다양한 요인**들이 동기부여 과정에 작용한다는 이론 ② 아담스의 공정성(형평성)이론, 브룸의 기대이론, 포터&롤러의「업적 – 만족이론」【공기업 (입사) 과정】

02 정답 ③

③ (×) 알더퍼의 ERG 이론에 대한 설명이다. 매슬로우의 욕구계층이론은 퇴행요소를 인정하지 않으며, 동시에 여러 욕구가 작용하지 않고 낮은 단계의 욕구가 충족되면 그 다음 단계의 욕구로 한 단계씩 이동한다고 본다.【매 단계 슬로우】

03 정답 ②

① (×) 직업공무원제도는 계급제를 기반으로 하는 폐쇄형 충원방식을 선호한다.

③ (×) 장기적인 발전가능성을 중시하는 계급제가 직업공무원제도의 정착에 더 유리하다.

④ (×) 직업공무원제도는 계급제와 폐쇄형 충원방식을 기반으로 하기 때문에 환경변화에 신속하기 대응하기 어렵다.

04 정답 ②

계급제 : ㉠, ㉥

직위분류제 : ㉡, ㉢, ㉣, ㉤

05 정답 ③

③ (×) 자원배분에 관한 의사결정의 일관성과 합리성을 도모할 수 있는 예산은 계획예산이다. 장기 기본계획과 단기 예산편성을 프로그램 작성을 통하여 유기적으로 연결시키므로 일관성이 확보된다. "일관성"과 관련되는 예산은 계획예산이다. 영기준 예산은 매년 사업의 우선 순위에 영기준을 적용하여 원점에서 재검토하므로 장기 계획이 위축되는 단점이 있다.

06 정답 ②

② (○) 각 중앙관서의 장에게 통보한 예산안편성지침을 국회 예산결산특별위원회에 보고한다.【사지요】

> 제28조(중기사업계획서의 제출) 각 중앙관서의 장은 매년 1월 31일까지 해당 회계연도부터 5회계연도 이상의 기간 동안의 신규사업 및 기획재정부장관이 정하는 주요 계속사업에 대한 중기사업계획서를 기획재정부장관에게 제출하여야 한다.
>
> 제29조(예산안편성지침의 통보) ① 기획재정부장관은 국무회의의 심의를 거쳐 대통령의 승인을 얻은 다음 연도의 예산안편성지침을 매년 3월 31일까지 각 중앙관서의 장에게 통보하여야 한다.
>
> 제30조(예산안편성지침의 국회보고) 기획재정부장관은 제29조 제1항의 규정에 따라 **각 중앙관서의 장에게 통보한 예산안편성지침을 국회 예산결산특별위원회에 보고**하여야 한다.
>
> 제31조(예산요구서의 제출) ① 각 중앙관서의 장은 제29조의 규정에 따른 예산안편성지침에 따라 그 소관에 속하는 다음 연도의 세입세출예산·계속비·명시이월비 및 국고채무부담행위 요구서(이하 "예산요구서"라 한다)를 작성하여 매년 5월 31일까지 기획재정부장관에게 제출하여야 한다.
>
> 제32조(예산안의 편성) 기획재정부장관은 제31조 제1항의 규정에 따른 예산요구서에 따라 **예산안을 편성하여 국무회의의 심의를 거친 후 대통령의 승인**을 얻어야 한다.
>
> 제33조(예산안의 국회제출) 정부는 제32조의 규정에 따라 대통령의 승인을 얻은 예산안을 회계연도 개시 **120일 전까지 국회에 제출**하여야 한다.

07 정답 ②

② (×) 국회에 제출하는 주체는 기획재정부장관이 아닌 정부이다. 정부는 대통령의 승인을 얻은 예산안을 회계연도 개시 120일 전까지 국회에 제출하여야 한다(제33조).

08 정답 ④

④ (○) 반드시 독립 건물로 하여야 하는 것은 아니고, "가능한 본청사와 격리된 독립 건물로 하여야 한다."로 규정되어 있다.

① (×) 각 경찰기관의 업무용차량은 운전요원의 부족 등 불가피한 사유가 없는 한 집중관리를 원칙으로 한다. 다만, 지휘용 차량은 업무의 특성을 고려하여 지정 활용할 수 있다.

② (×) 매년 3월 말까지 다음 연도 차량정수 소요계획을 경찰청장에게 제출하여야 하고, 다음 연도 교체대상 차량을 매년 11월 말까지 경찰청장에게 보고하여야 한다.
③ (×) 외곽에는 철조망 장치와 조명등 및 순찰함을 설치하여야 한다(제115조 제5항).

09 정답 ①

① (×) 보관용기에 넣을 수 없는 비밀은 제한구역 또는 통제구역에 보관하여야 한다. 【창고에 꾸역꾸역 보관】

10 정답 ④

④ (×) Ⅰ급비밀의 보안조치에 관하여는 국가정보원장과 미리 협의하여야 한다(제24조).

▶ 비밀의 보호 요건 【1급열공은 국정원장과 협의】

비밀 복제 (제23조)	1급	생산자의 허가
	2·3급	생산자가 특정한 제한을 하지 아니한 것으로서 해당 등급의 비밀취급 인가를 받은 사람이 공용(共用)으로 사용하는 경우
비인가자 열람 (제24조)	1급	**국가정보원장과 미리 협의**(보안조치 협의)
	2·3급	소속 기관의 장이 국가정보원장이 정하는 바에 따라 자체 보안대책을 마련
공개 (제25조)	1급	국가정보원장과 미리 협의
	2·3급	① 중앙행정기관등의 장은 그가 생산한 비밀을 보안심사위원회의 심의를 거쳐 공개 가능 ② 공무원은 소속 기관장 승인받아 공개 가능 (공무원이었던 사람은 소속되었던 기관의 장의 승인)
반출 (제27조)	1급	소속 기관의 장의 승인
	2·3급	

경찰학 8회 모의고사 정답 및 해설

제8회 모의고사 정답

01	④	02	②	03	③	04	②	05	②
06	②	07	①	08	④	09	④	10	①

01 정답 ④

④ (○) "업무관리시스템"과 "행정정보시스템"의 구별을 요한다. "업무관리시스템"이란 행정기관이 업무처리의 모든 과정을 제22조 제1항에 따른 과제관리카드 및 문서관리카드 등을 이용하여 전자적으로 관리하는 시스템을 말한다.

① (×) 행정기관이 접수한 문서도 공문서에 해당한다.

② (×) 지시문서이다. "법규문서"란 헌법・법률・대통령령・총리령・부령・조례・규칙 등에 관한 문서를 말한다. 공문서의 종류는 민원문서, 비치문서, 공고문서, 법규문서, 일반문서, 지시문서가 있다. 종류만 알고 있으면 어려움 없이 구별할 수 있다.【민비 공법 일지】

③ (×) 민원문서에 대한 설명이다. "일반문서"란 법규문서, 지시문서, 공고문서, 비치문서, 민원문서 등 다른 공문서에 속하지 아니하는 모든 문서를 말한다.

02 정답 ② (3, 6, 3, 7, 14)

㉠ 안 날부터 3개월, 발생한지 6개월 이내에 청구【인삼발육】

㉡ 수용 여부 통지는 3일 이내 발송【수삼(水蔘)】, 청구 수용하면 정정보도문을 7일 내 게재【정정 (횡단)보도 칠】

㉢ 협의 불성립일부터 14일 내 신청하고, 신청 접수일부터 14일 내 결정한다.【식사(14) 조정】

03 정답 ③

① (×) 국회에 의한 예산결산권은 사후통제이다.

② (×) 감사원은 행정기관의 사무와 그 공무원의 직무를 감찰한다. 최근 중앙선거관리위원회의 채용 특혜와 관련하여, 행정부 소속 감사원이 헌법상 독립기관인 선관위의 고유 직무를 감사할 수 있는가에 대하여 헌법재판소에 권한쟁의심판이 진행 중이다.

④ (×) 상급기관의 하급기관에 대한 감독권은 사후통제이다.

04 정답 ② (3, 7, 30)

정보공개 신청 → 10 + 10일(연장, 총 20일) → 30일 내 이의신청 → 7 + 7일 결정 ↘ 「행정심판 / 행정소송」 ↙

제3자의 비공개 신청 3일 내 신청 → 공개 결정 → 7일 내 이의신청 ↘ 「행정심판 / 행정소송」 ↙ ※ 공개결정일과 실시일 사이에는 최소 30일의 간격을 두어야 한다.

【공개 237, 비공개 337】【비공개 337 박수 부대는 30일 간격으로 동원】

05 정답 ②

② (×) 적극적으로 공개하여야 한다.

06 정답 ②

② (×) 개인정보자기결정권의 보호대상이 되는 개인정보는 개인의 신체, 신념, 사회적 지위, 신분 등과 같이 개인의 인격주체성을 특징짓는 사항으로서 그 개인의 동일성을 식별할 수 있게 하는 일체의 정보라고 할 수 있고, 반드시 개인의 내밀한 영역이나 사사(私事)의 영역에 속하는 정보에 국한되지 않고 공적 생활에서 형성되었거나 이미 공개된 개인정보까지 포함한다(헌재 2005.5.26, 99헌마513).

① (○) 개인의 고유성, 동일성을 나타내는 지문은 그 정보주체를 타인으로부터 식별가능하게 하는 개인정보이므로, 시장・군수 또는 구청장이 개인의 지문정보를 수집하고, 경찰청장이 이를 보관・전산화하여 범죄수사목적에 이용하는 것은 모두 개인정보자기결정권을 제한하는 것이다. 다만, 경찰청장이 지문정보를 보관하는 행위는 「공공기관의 개인정보 보호에 관한 법률」 등에 근거하고 있고, 지문날인제도가 과잉금지의 원칙에 위배하여 청구인들의 개인정보자기결정권을 침해하였다고 볼 수 없다(헌재 2005.5.26, 99헌마513).

07 정답 ①

② (×) "개인정보처리자"란 정상적인 업무를 목적으로 개인정보파일을 운용하기 위하여 스스로 또는 다른 사람을 통하여 개인정보를 처리하는 공공기관, 법인, 단체 및 개인 등을 말한다.

③ (×) 가명처리한 가명정보도 개인정보에 해당한다.

④ (×) 정보주체는 개인정보처리자가 이 법을 위반한 행위로 손해를 입으면 개인정보처리자에게 손해배상을 청구할 수 있다. 이 경우 그 개인정보처리자는 고의 또는 과실이 없음을 입증하지 아니하면 책임을 면할 수 없다(제39조 제1항). 이 법에서 입증책임은 모두 개인정보처리자에 있으며 정보주체에 입증책임이 있는 규정은 없다.

08 정답 ④

④ (×) 금품수수, 성폭력 범죄등에 한정되어 가중 징계조치되는 것은 아니며, 모든 의무위반행위에 대하여 가중 징계조치된다. 직무와 관련한 금품 및 향응 수수, 공금횡령·유용, 「성폭력범죄의 처벌 등에 관한 특례법」에 따른 성폭력범죄로 징계처분을 받은 사람은 감찰관의 결격사유에 해당한다.

09 정답 ④

㉠ (×) 시정요구에 대한 설명이다.
㉡ (×) 현지조치에 대한 설명이다.
㉢ (×) 권고에 대한 설명이다.
㉣ (×) 개선요구에 대한 설명이다.

10 정답 ①

① (×) 적극행정 국민신청은 법령이 없거나 법령이 명확하지 않다는 사유로 통지를 받은 사람이 할 수 있다(제18조의2).

경찰학 9회 모의고사 정답 및 해설

제9회 모의고사 정답

01	④	02	③	03	①	04	②	05	④
06	④	07	①	08	①	09	①	10	③

01 정답 ④

④ (×) 16세기 독일의 제국경찰법은 교회행정을 제외한 일체의 국가행정 전반을 경찰의 임무로 규정하였다. 경찰행정법(1931)은 '경찰관청은 공공의 안녕과 질서를 위협하는 **위험을 방지하기 위하여 의무에 합당한 재량으로 조치해야 한다**'고 규정하여 **경찰의 직무범위를 소극적 위험방지에 한정**되도록 하였다. 이는 **크로이츠베르크 판결에 의하여 정립된** 경찰의 소극적 질서유지 목적에 한정이라는 **실질적 의미의 경찰개념을 성문화한 것**이다. 법률과 판례의 순서는『프로이센의 제국경찰법(16세기) → 프로이센의 일반란트법(1794) → 프랑스의 죄와형벌법전(1795) → 프로이센의 크로이츠베르크 판결(1882) → 프랑스의 지방자치법전(1884) → 독일의 경찰행정법(1931)』이다. 【제일죄크(클)지경】

② (○) **퓌터 : 임박한 위험**【피 터지는 임박한 위험】

③ (○) **일반란트법 : 절박한 위험**【임플란트로 절박한 고통 해소】

02 정답 ③

③ (×) 국회 경위나 경찰공무원은 국회 안에 현행범인이 있을 때에는 체포한 후 의장의 지시를 받아야 한다. 다만, 회의장 안에서는 의장의 명령 없이 의원을 체포할 수 없다.

03 정답 ①

① (×) 경찰청장은 인권정책 기본계획을 5년마다 수립하고, 인권교육종합계획은 3년 단위로 수립하여 시행해야 한다.

04 정답 ②

① (×) 윌슨은 '전체사회 가설'을 주장하였다.

③ (×) '작은 부패'가 아닌 '작은 호의'가 습관화될 경우 부패로 연결된다는 이론이다.

④ (×) '형성재 이론' 작은 호의에 대한 찬반론에서 허용론의 입장으로서 작은 사례가 호의가 시민과의 긍정적인 사회관계를 만들어 주는 역할을 한다고 보았다.

05 정답 ④

④ (○) 안 날부터 5일 이내에 보완하여야 한다.【오일(5일) 보충】

① (×) 사후 10일 내로 신고하여야 한다.

②, ③ (×) 초과사례금은 2일 이내에 신고하여야 하고, 소속기관장은 7일 이내에 반환할 초과사례금의 액수를 해당 공직자등에게 통지하여야 한다.【초과는 이(2)체(7) 하시오!】

06 정답 ④

④ (×) 대가를 받는 경우에만 제한된다(제10조 제1호).

③ (○)「공직자의 이해충돌방지법」에서 '3년'이 언급되는 경우는 (1) 고위공직자의 민간부문 업무활동 내역 제출, (2) 퇴직자의 직무상 비밀·미공개 정보 이용 금지 등 2개의 경우뿐이다. 나머지는 모두 '2년'이다.【민비 3년】

07 정답 ①

① (×) 전이지역에서 범죄가 많은 것은 주민들의 인종이나 국적과 상관없이 그 지역의 특성이 범죄와 연관된다고 주장하였다.

④ (○) 범죄행위의 학습과정은 다른 행위의 학습과정과 동일한 메커니즘을 가진다. 범죄자와 비범죄자 간의 차이는 학습과정의 차이가 아니라 접촉유형의 차이이다.

08 정답 ①

㉠ (×) 비경찰화로 위생사무가 이관되고, 경제경찰·고등경찰이 폐지되었으며, 정보경찰과 여자경찰이 신설되었다.【비위생경고 폐지】

㉡ (×) 경찰법 제정전까지 경찰체제의 근거가 되는 조직법은 정부조직법이었다.

㉣ (×) 경감 이상에 대한 계급정년 제도가 도입되었다. 경정 이상에 대한 계급정년 제도는 1998년 개정으로 도입되었다.

㉤ (×) 안병하이다. 이준규는 목포경찰서장으로서 안병하 국장의 방침에 따라서 경찰 총기의 방아쇠 뭉치를 사전에 제거하는 등 유혈 충돌을 예방하였다.

09 정답 ①

① (×) 계급제가 직업공무원제도의 정착에 유리하다. 직위분류제는 신분보장이 약하여 직업공무원제도 확립이 곤란하다.

10 정답 ③

① (×) 공개청구는 문서 또는 말로써 할 수 있다.

② (×) 공공기관은 부득이한 사유로 제1항에 따른 기간 이내에 공개 여부를 결정할 수 없을 때에는 그 기간이 끝나는 날의 다음 날부터 기산(起算)하여 10일의 범위에서 공개 여부 결정기간을 연장할 수 있다. 이 경우 공공기관은 연장된 사실과 연장 사유를 청구인에게 지체 없이 문서로 통지하여야 한다(제11조 제2항).

④ (×) 정보의 공개 및 우송 등에 드는 비용은 실비(實費)의 범위에서 청구인이 부담한다(제17조 제1항).

경찰학 10회 모의고사 정답 및 해설

제10회 모의고사 정답

01	②	02	①	03	④	04	③	05	③
06	④	07	①	08	③	09	①	10	①

01 정답 ②

② (×) 법률(헌법 근거), 대통령령, 총리령, 부령은 특별한 규정이 없으면 20일 후 효력이 발생한다.
① (○) 헌법 제53조 제7항
③ (○) 국민의 권리·의무와 관련되는 경우에는 30일 후 시행되도록 하여야 한다(「법령 등 공포에 관한 법률」). 【이효리 삼시세끼】
④ (○) 헌법 제53조 제1항

02 정답 ①

① (×) 위임명령은 권리의무에 관한 새로운 법규사항을 규정할 수 있으나, 집행명령은 새로운 법규사항을 정할 수 없다.
③ (○) 대법원은 법령의 위임을 받았더라도 부령으로 정한 제재적 행정처분기준은 그 내용을 기준으로 하여 행정규칙으로 보며(실질설), 법률의 위임을 받은 대통령령은 그 내용에도 불구하고 법규명령으로 본다(형식설). 도로교통법 제93조 제1항에서 시·도경찰청장은 행정안전부령으로 정하는 기준에 따라 운전면허를 취소·정지시킬 수 있다고 규정하고 이에 따라 도로교통법 시행규칙 별표 제28로 운전면허 취소·정지처분 기준을 정하고 있지만, 판례는 이를 행정규칙으로 본다(대판 1997.5.30, 96누5773).
④ (○) 행정규칙은 국민의 권리·의무와 관련되지 않는 행정내부의 규율이므로 법률유보의 원칙은 적용되지 않는다.

03 정답 ④

④ (×) 형식상 적법하더라도 조리에 위반하면 위법이 될 수 있다. 예를 들면, 운전면허 취소사유에 해당하는 음주운전자의 운전면허를 사무착오로 정지처분을 한 상태에서 다시 위반자의 운전면허를 취소처분한 것은 선행처분에 대한 당사자의 신뢰 및 법적 안정성을 저해하는 것으로서 허용될 수 없다(대판 2000.2.25, 99두10520).
① (○) 관습법은 성문법의 결여시에 성문법을 보충하는 범위에서 효력을 갖는다. 성문법을 개폐하는 효력은 없다(대판 1983.6.14, 80다3231).
② (○) 위헌으로 결정된 법률 또는 법률조항은 효력을 상실하고 아울러 위헌결정은 법원 기타 국가기관이나 지방자치단체를 기속하기 때문에 헌법재판소의 위헌결정은 법원으로서의 성격을 갖는다.
③ (○) 행정규칙의 법원성 내지 법규성에 대하여는 학설의 견해가 일치하지 않지만(판례는 행정규칙 자체의 법원성과 법규성을 부정한다), 행정규칙이 법규성을 가지는 경우에는 법원성을 인정할 수 있다는 데에는 다툼이 없다.

04 정답 ③

① (×) 훈령은 개별적·구체적 사항에 대해서도 발할 수 있다.
② (×) 훈령과 직무명령 모두 법령의 구체적 근거는 필요하지 않다.
④ (×) 훈령은 직무명령을 겸할 수 있으나, 직무명령은 훈령의 성질을 가질 수 없다.

05 정답 ③

③ (○) 고속도로 사고와 도주(뺑소니)는 제외한다. 【고·뺑은 빼라】
① (×) 자치경찰사무는 생활안전·교통·경비·수사 등에 관한 사무이다.
② (×) 교통, 생활안전(풍속포함), 경비 관련 사무는 대통령령으로 정하는 기준에 따라 시·도조례로 정한 것을 말하고, 수사와 관련된 사무는 대통령령으로 정한 것이다. 【교·생·풍·경+수】
④ (×) 「성폭력범죄의 처벌 등에 관한 특례법」 제12조(성적 목적을 위한 다중이용장소 침입행위)가 자치경찰 사무에 해당한다. 성범죄 관련 자치경찰사무는 2개뿐이다. 【경아가 학교 실다공】

06 정답 ④

① (×) 경찰청장의 추천 없이 행안부장관이 제청한다. 경찰청장의 추천으로 행안부장관의 제청으로 총리를 거쳐 대통령이 임명하는 절차는 총경이상 경찰공무원에 대한 임용 절차이다(경찰공무원법 제7조 제1항).
② (×) 10분의 6을 초과하지 아니하도록 노력할 의무만 규정되어 있다.
③ (×) 시·도자치경찰위원회 위원의 자격에 대한 설명이다. 공무원은 국가경찰위원회의 결격사유로 규정되어 있지 않다.

07 정답 ①

① (×) 시·도자치경찰위원회는 **합의제 행정기관으로서** 그 권한에 속하는 업무를 독립적으로 수행한다.

08 정답 ③

③ (×) 감사업무와 달리 감찰업무는 자체적인 감찰을 할 수 없고 감찰요구만 가능하다.

제24조(시・도자치경찰위원회의 소관 사무) 7. 자치경찰사무 **감사 및 감사의뢰** 8. 자치경찰사무 담당 공무원의 주요 비위사건에 대한 **감찰 요구**

④ (○) 국가경찰사무・자치경찰사무의 협력・조정과 관련하여 **시・도경찰청장이 아닌 경찰청장과 협의한다.**

▶ 시・도자치경찰위원회와 경찰청장간 협의(통보)사항 정리

1. **시・도경찰청장의 임용**과 관련한 경찰청장과의 협의(제24조 제1항 제6호) 2. **경찰서장의 자치경찰사무 수행평가**를 경찰청장에게 통보(제24조 제1항 제6호) 3. **국가경찰사무・자치경찰사무의 협력・조정** 관련 경찰청장과 협의(제24조 제1항 제15호) 4. 자치경찰사무와 관련하여 경찰청장에게 **경찰력 지원・조정 요청**(제32조 제7항) 5. **자치경찰 예산 수립시** 시・도자치경찰위원회는 경찰청장의 의견을 들어야 한다(제35조 제1항) 6. 자치경찰사무에 대한 지휘・감독이 실시간으로 이루어질 수 있도록 미리 경찰청장과 협의하여 시・도경찰청장에게 위임되는 자치경찰사무의 범위를 정함(자치경찰사무와 시・도자치경찰위원회의 조직 및 운영에 관한 규정 제19조)

※ 시・도자치경찰위원회는 자치사무에 대하여 시・도경찰청장을 지휘・감독하는 주체로서 '협의'의 대상은 대부분 경찰청장이며 시・도경찰청장이 아니다.

09 정답 ①

② (×) 위원 3인 이상이다. 국가경찰위원회의 임시회는 행안부장관, 위원 3인 이상, 경찰청장이 소집 요구할 수 있고, 정기회는 월 2회 소집한다. 【국경 관세청 정리(2)】

③ (×) 국가경찰위원회 보궐위원은 전임자 임기의 남은 기간으로 하지만, 시・도자치경찰위원회 보궐위원은 전임자 임기의 남은 기간으로 하되, 전임자의 남은 임기가 1년 미만인 경우 한 차례 연임할 수 있다.

④ (×) 재적위원 과반수의 출석과 출석위원 3분의 2 이상의 찬성으로 전과 같은 의결을 하면 그 의결사항은 확정된다.

10 정답 ①

㉠ (×) 국가경찰위원회의 보궐위원 임기는 전임자 임기의 남은 기간으로 하지만, 시・도자치경찰위원회의 보궐위원 임기는 전임자 임기의 남은 기간으로 하되, 전임자의 남은 임기가 1년 미만인 경우 그 보궐위원은 한 차례만 연임할 수 있다.

㉡ (×) 국립 또는 공립대학의 조교수 이상의 직에 있는 사람을 제외한다.

㉢ (×) 국가경찰위원회는 1명을 추천하고, 시・도자치경찰위원회 위원추천위원회가 2명을 추천한다.

박문각 경찰

경찰직
모의고사

2권 | 헌법 · 형사법 · 경찰학

제1판 인쇄 2024. 4. 25. | **제1판 발행** 2024. 4. 30. | **편저자** 박충신 · 최정훈 · 박용증
발행인 박 용 | **발행처** (주)박문각출판 | **등록** 2015년 4월 29일 제2015-000104호
주소 06654 서울시 서초구 효령로 283 서경 B/D 4층 | **팩스** (02)584-2927
전화 교재 문의 (02)6466-7202

저자와의
협의하에
인지생략

정가 30,000원
ISBN 979-11-6987-858-6(2권)
979-11-6987-856-2(세트)

MEMO

MEMO

MEMO